A los cuatro
vientos

Dave Boling
Crecí en Chicago, fui atleta universitario y antes de dedicarme al periodismo fui leñador, obrero en una fundición, barman, portero de discoteca, cocinero de comida rápida y entrenador. También he sido obrero en una siderúrgica y en una fábrica de coches. Vivo en la península de Olympic, en el Estado de Washington.

Nada más terminar la universidad conocí y me casé con una chica vasca cuyos abuelos habían venido de Vizcaya para criar ovejas en las montañas del Oeste americano. Me atiborraron de platos típicos vascos, me emborracharon con sus vinos e intentaron que aprendiera sus bailes. Me enseñaron la importancia que tiene para ellos la lealtad a la familia y al legado cultural. Me hablaron de las décadas de opresión que sufrió su pueblo por parte del régimen franquista y también del bombardeo de Guernica.

A los cuatro vientos

DAVE BOLING

Traducción de Damián Alou

punto de lectura

Título original: *Guernica*
© 2008, Dave Boling
© De la traducción: Damián Alou
© De esta edición:
2009, Santillana Ediciones Generales, S.L.
Torrelaguna, 60. 28043 Madrid (España)
Teléfono 91 744 90 60
www.puntodelectura.com

ISBN: 978-84-663-1808-2
Depósito legal: B-40.712-2009
Impreso en España – Printed in Spain

Diseño de portada: Alejandro Colucci

Primera edición: septiembre 2009
Segunda edición: octubre 2009

Impreso por Litografía Rosés, S.A.

Para las víctimas de Gernika...
y de todas las «Gernikas» que siguieron.

«Gernika es la población más feliz del mundo (...) gobernada por una asamblea de campesinos que se reúnen debajo de un roble y siempre llegan a las decisiones más justas».

JEAN-JACQUES ROUSSEAU

«Gernika fue (...) un horror experimental».

WINSTON CHURCHILL en *The Gathering Storm*

«El panel en el que estoy trabajando ahora se llamará *Guernica*. En él expreso claramente mi repudio y horror hacia la casta militar que ha hundido España en un océano de dolor y muerte».

PABLO PICASSO

Nota del autor

Los lectores de novela histórica se enfrentan al reto de separar la ficción de la historia, sobre todo cuando las dos van unidas. Casi todos los personajes «históricos» de este libro son evidentes. Picasso, Franco, Manfred y Wolfram von Richthofen y el presidente José Antonio Aguirre son figuras reales, y sus acciones, tal y como las relato, han sido noveladas basándome en fuentes históricas.

Algunas de las acciones del imaginario padre Xabier Ansotegui guardan cierto paralelismo con las de Alberto de Onaindía, canónigo de Valladolid. Onaindía fue asesor de Aguirre y presenció el bombardeo; posteriormente fue enviado a París para contárselo al mundo.

La educadora y política inglesa Leah Manning encabezó la evacuación de los niños vascos de Bilbao hacia los campamentos y colonias de Gran Bretaña, tal y como se retrata en esta novela. Los valerosos combatientes de la resistencia en Bélgica, Francia y España ayudaron a conducir a los aviadores aliados a lugar seguro a través de lo que se conocía como «La línea del cometa». Los contrabandistas vascos, de los que el más conocido era Florentino Goikoetxea, arriesgaron sus vidas para poner a salvo a esos pilotos al otro lado de los Pirineos a principios de la Segunda Guerra Mundial.

La Guerra Civil española fue una de las peores tragedias del mundo, y en ella encontramos atrocidades cometidas por ambos bandos y un número de bajas que quizá no se sepa nunca. He intentado no agobiar al lector con detalles innecesarios sobre la compleja e inestable política de la época —sobre todo las extrañas y a veces efímeras alianzas, partidos y etiquetas—, sino más bien establecer el contexto general de pobreza, opresión, inestabilidad y privación de derechos que debieron experimentar los ciudadanos corrientes.

Cualquier tragedia presenta muchas caras, y ésta se relata desde la perspectiva de los vascos, que adquirieron renombre por la acérrima defensa de su tierra. Los historiadores no se han puesto de acuerdo en el número de muertos causados por el bombardeo de Gernika, pero éste sigue siendo, no obstante, el germen de los ataques contra la población que afligen el mundo de una manera en exceso habitual.

A LOS CUATRO VIENTOS

PRÓLOGO

(Gernika, agosto de 1939)

Justo Ansotegui regresa al mercado para oír el idioma y comprar jabón. Por el día siempre coloca las pastillas en platos separados para poder captar el aroma, aunque no consiguen ocultar los olores del ganado que ha vivido en su casa durante generaciones. Cuando por la noche se sienta, casi sin pensar se lleva una pastilla a la nariz. Se acaricia el bigote con una, a fin de que el aroma se le pegue a los pelos negros y duros que le rebasan el labio superior y ocultan su expresión. Las muchas veces que se despierta en la noche, toca una pastilla de jabón que guarda en la mesilla y luego se huele los dedos, con la esperanza de que la fragancia transporte ciertos recuerdos a sus sueños.

Alaia Aldecoa, la fabricante de jabón del pueblo, explica que para elaborar las pastillas utiliza leche de oveja e ingredientes que mantiene en secreto, pero a Justo no le interesa cómo se hacen, sino sólo cómo le hacen sentir.

—*Kaixo*, Alaia. Soy Justo —dice acercándose a su puesto en el mercado.

Alaia acepta esa presentación innecesaria. Lo conoce hace años, y además el olor le precede. Justo saca una moneda resbaladiza del bolsillo de sus pantalones de lana con tirantes, que ahora le quedan por la cintura. La moneda tiene un olor agradable, pues está recubierta de residuo de jabón, que también guarda en el bolsillo.

—Me gustaría una pastilla con la «mezcla de Miren» —dice Justo.

La fabricante de jabón sonríe al oír el nombre de Miren y, como hace todas las semanas, guarda dos pastillas en un paquete aparte para Justo. No le vende esa mezcla a nadie más. Como siempre, ella rechaza su dinero y le vuelve a meter la moneda en el bolsillo. Todas las semanas, Alaia intenta pensar en algo que pueda decirle para alegrarle el día, pero, de nuevo, lo único que tiene es jabón.

Es lunes por la tarde, el día que tradicionalmente la gente sale a comprar, pero hoy el mercado tampoco está abarrotado. Las actividades se han reanudado a desgana en los últimos tres años, y el mercado ahora queda varias manzanas al este del antiguo emplazamiento, más cerca del río. Es más pequeño porque hay poco movimiento y escasea el dinero, y mucha gente se ha ido. Puesto que gran parte del comercio está restringido por el gobierno y el racionamiento, el día de mercado se dedica a otras cosas, aparte de comprar y vender.

Mientras Justo se aleja del puesto de Alaia, situado al borde de la plaza del mercado, escucha la cháchara de las *amamak* reunidas, como un puñado de gallinas, intercambiando lo único que les sobra: los chismorreos. En épocas anteriores, las abuelas negociaban la compra de lengua de ternera y espaldas de cordero, y los pimientos verdes que espolvoreaban con ajo y freían en aceite de oliva. Y olían las ristras de chorizos que colgaban del puesto del charcutero. Los chorizos picantes se doraban en una sartén con los huevos, que absorbían sus jugos rojizos y su fuerte sabor. Tentáculos de aroma procedentes de la comida atraían a la familia a la mesa sin que se dieran cuenta. El olor hacía que los pequeños se reunieran junto al regazo de la *amama* y exhalaran en su cara el aliento de la felicidad perfumado de ajo.

En el mercado ahora nadie tiene prisa; hay poco donde elegir. De manera que examinan concienzudamente cada verdura y sopesan cada huevo.

—Éstos son demasiado pequeños —dice una, provocando un alud de críticas de las demás.

—Estas verduras no son frescas.

—No le serviría esto a mi familia.

—¿Hoy compramos, señoras, o sólo toqueteamos? —pregunta el vendedor.

Se burlan al unísono, pero se muestran reacias a devolver el producto. Es más fácil calificar la comida de inaceptable que admitir que no pueden pagarla. Incluso en los buenos tiempos las mujeres se mostraban quisquillosas en estas cuestiones, pues su cocina las definía. Más que la recolección, inflación y distribución del chismorreo, su misión es dar de comer. La edad puede cambiar muchas cosas, pero no puede menguar sus habilidades en la cocina. Y mejorar como cocinera es una manera de anexionarse territorio emocional dentro de la familia. Pero, con tan poca comida, ahora les resulta muy difícil ejercer su arte. Y el hambre que antaño les mordisqueaba como un perro hambriento ahora es más un invitado enojoso que simplemente se niega a marcharse.

Justo pasa de largo esa reunión de gente. Lo saludan y callan, y enseguida reemprenden la charla y los movimientos de cabeza, vigorizados por un nuevo tema. Picotearán los pormenores de la vida de Justo hasta que otro tema reclame su atención. De todos modos, la comunicación es una quimera, pues todas hablan a la vez.

Las campanas de Santa María dan la hora, y muchas dirigen la mirada hacia el cielo sin nubes.

Bajo los toldos de rayas azules de la taberna, los viejos juegan al mus, un concurso de insultos que se libra alrededor de un mazo de cartas.

—Ven, Justo, necesito un nuevo compañero, pues éste se asfixia bajo la montaña de mierda que tiene por cerebro —le grita un viejo amigo, suscitando reproches de los demás jugadores. Uno tras otro, todos murmuran la palabra «¡Mus!», y es unánime la opinión de que hay que cambiar de cartas. Si todos los jugadores están de acuerdo, se descartan y se vuelve a repartir.

—El mundo podría aprender mucho de este juego —dice uno de los jugadores, aliviado.

Justo declina el ofrecimiento de jugar, que, de todos modos, no es más que una cortesía. De las numerosas actividades que se le niegan a un hombre con un solo brazo, Justo ha descubierto que renunciar al mus es el sacrificio menos importante.

A continuación, los jugadores comienzan las señas a sus compañeros, actos no sólo permitidos, sino alentados. Los vascos, creativos ellos, han descubierto que hacer trampas sólo puede evitarse declarándolo parte legal del juego. En consecuencia, si uno nunca reconoce la existencia de la frontera, llevar bienes al otro lado no es contrabando, sólo comercio nocturno. Y si una raza cree que siempre ha vivido en su propia nación, entonces proteger sus fronteras imaginarias es una cuestión de patriotismo, no de separatismo.

Guiñarle el ojo a tu compañero de mus revela una información, y sacar la lengua en medio o por un lado revela otra, pero cuando las señas salen mal, uno especula que su compañero utiliza a los animales de su caserío para una diversión poco convencional.

—Dios, ojalá aún tuviera ovejas... por esa razón o cualquier otra —responde el compañero, burlándose del insulto.

Justo emite una carcajada de una nota y el sonido le sorprende. A veces surgen esporádicos arrebatos de humor. Algunos al menos lo intentan. En el menú escrito en la pizarra de la taberna, detrás de él, en letras pequeñas, debajo de la lista de platos con el precio hay una nota remarcada por un asterisco que parece un copo de nieve: «Si bebes para olvidar, no te olvides de pagar».

—Quédate, Justo, por favor —implora uno—. Puede que necesite los servicios del hombre más fuerte de Gernika para arrancarme el pie del culo de mi compañero. —Es otro comentario de cortesía a Justo, cuya renombrada fuerza física lleva tiempo sin demostrarse.

—Ningún Dios misericordioso habría puesto en Su tierra a tantos fascistas ni a compañeros tan ignorantes —dice uno de los jugadores en voz baja. Justo escudriña la zona para ver si alguien se ha ofendido.

No ha ido al mercado a jugar a las cartas ni a pasar el rato. Antaño fue uno de los personajes más visibles de la ciudad, y ahora pasa las horas vagando por calles y callejones. Observa, escucha los comentarios acerca de las nuevas de la población y desaparece.

Las *amamak* cloquean:

—Naturalmente, podría haberse trastornado, sabes, como su padre, teniendo en cuenta todo lo que...

—Oh, sí, podría, teniendo en cuenta...

—Creo que está... sí... ¿y quién no?

Justo ha oído esas murmuraciones y no le importa que le tachen de loco. Incluso es algo conveniente, en estos tiempos. La gente te hace menos preguntas.

En un bancal de tierra que queda al oeste, el simbólico árbol de Gernika se levanta rígido e imperturbable. Los residentes relatan una y otra vez las historias de sus antepasados, reunidos bajo el árbol desde la prehistoria para hacer leyes o planes de defensa de la tierra contra los invasores. Ni los rebeldes ni los alemanes han conseguido dañar el árbol, aunque poco más ha escapado a su influencia.

En el mercado no se ve la *ikurriña* roja, blanca y verde, pues la bandera está prohibida en público. No hay juegos de pelota como antes, pues el frontón no se ha reconstruido. No hay bailes en la plaza por las noches, después del día de mercado, porque bailar en público la jota o el *aurresku* podría conllevar que te arrestaran.

Justo ya no contempla estas realidades, pues no le afectan. Está más allá de cualquier castigo. Notorio durante muchos años en sus alardes y bravuconadas, ahora Justo hace poco más que escuchar. Si la Guardia Civil está ocupada en otro lado, el mercado es el mejor lugar para oír su lengua. Desde que Miguel se marchó, Justo no tiene en casa más compañía que un añojo y unas cuantas gallinas suspicaces, y la conversación de éstas es muy predecible. Lo cierto es que hablan tan poco con él como Miguel en las semanas anteriores a su retirada a las montañas en busca de... algo.

Así pues, Justo viene a escuchar. El idioma ha sido siempre el acto más importante de separación, de todos modos; al igual que el vínculo son las palabras, más que la tierra. Puesto que nada en el mapa refleja su existencia, la extensión de su «país» es el ámbito de su idioma. Pero al igual que los bailes, la bandera y las celebraciones, las palabras también se han prohibido, y rezar en vasco es tan ilegal como invitar a la rebelión en la plaza pública.

Xabier, el hermano de Justo, el sacerdote y profesor universitario, le decía que la raza no había sido asimilada por los invasores a causa del aislamiento de su costa rocosa y las montañas que les rodeaban. Pero Justo le contestaba bromeando que han sobrevivido por ser incomprensibles para los demás. Es una defensa única.

Incluso los sonidos del mercado han cambiado. Los jugadores de mus arrojan sus naipes sobre la mesa tan fuerte y tan deprisa que parece que aplaudan, y entonces se detienen y miran a la espalda por si aparecen los del tricornio y la capa verde. Y las *amamak,* con sus vestidos y sus pañuelos negros —mujeres que son como rocas rodantes—, no temen a ningún hombre que lleve armas o censuras. Pero su parloteo es más bajo, pues hay menos mujeres que con sus palabras tapen las suyas.

En el mercado, los del pueblo se mueven de un puesto a otro al igual que un acordeonista entona un vals desde debajo de un entoldado, y las notas, apagadas, parecen venir de lejos, o del pasado. Muchos deambulan como si avanzaran entre un completo absurdo; intentan, como las *amamak* con las verduras, aferrarse a cosas que ya no son suyas. Reírse de los naipes o sacar provecho de un negocio es como un insulto para los que ya no pueden reír ni sacar beneficio alguno. Para ellos, la mengua de la voluntad es un acto de consideración. Compran lo que han de comprar y vuelven a casa.

Según los antiguos vascos, todo lo que tiene nombre existe. Pero Justo aduciría que ahora hay cosas que existen y resultan indescriptibles, inconcebibles para la imaginación: las explosiones, el olor de las cosas en llamas, la visión de los bueyes y los hombres formando minotauros de sangre entre los escombros. Existieron, pero son indescriptibles.

Y en el mercado, ahora, los hojalateros venden ollas de cobre usadas con cicatrices plateadas de reparaciones a base de soldaduras, y los granjeros cubren las mesas con variopintos ramilletes de verduras y pequeñas pirámides de patatas. Alaia Aldecoa vende su jabón que huele como los prados aledaños. El comercio, el pulso de la existencia normal, regresa lenta y respetuosamente esos lunes.

Justo Ansotegui extrae una moneda perfumada del bolsillo y compra patatas como excusa para oír otra voz. Por un momento, escucha el idioma, el ritmo de las frases y sus inflexiones melancólicas. Pero no hay palabras para describir lo que ha visto.

A LOS CUATRO VIENTOS

PARTE 1

(1893-1933)

PARTE I

(1893-1933)

Capítulo

1

El pequeño Xabier lloraba desde la cuna, y como Ángeles no se movía, Pascual Ansotegui acercó una cerilla a la lámpara de aceite de la pared y cogió al recién nacido para que se alimentara.

—*Kuttuna,* es la hora —susurró, procurando no despertar a sus hijos, que dormían en la habitación de al lado. Pero, al cabo de un momento, el grito de Pascual despertó a Justo y al pequeño Josepe. A la luz de la humeante lámpara de aceite, Pascual había visto la cara de Ángeles, blanca como una sábana, y una mancha oscura sobre la ropa de cama.

Justo y Josepe se colaron en la habitación de sus padres y encontraron al pequeño Xabier aullando en el suelo. Justo recogió a su hermano y lo devolvió a la cuna. Josepe pugnó por meterse en la cama con su madre, pero sólo consiguió acercarse la sábana manchada de sangre a la cara. Justo tiró de él y le susurró algo. Los tres se quedaron de pie mientras un dolor comenzaba a socavar a Pascual Ansotegui.

Ángeles le había dado tres hijos robustos en cuatro años. Casi en el momento en que se recuperó del parto del primero ya quedó preñada del segundo. Los hombres del pueblo se reían de los apetitos de Pascual, y esas bromas alimentaban su orgullo. Bondadosa, acomodaticia y fértil como la planicie del estuario en el que vivían, Ángeles daba a luz sin complicaciones. Pero unos días después del parto sin incidentes del tercero, sencillamente no consiguió despertarse. Pascual se quedó con dos críos, un recién nacido y un carromato de culpa.

Los tres niños crecían juntos en una camada hiperactiva. Retozaban, luchaban y se retaban los unos a los otros desde que se despertaban antes del alba hasta que por la noche se derrumbaban, a menudo no en la cama, sino despatarrados en cualquier posición allí donde se les acabara la energía. Pascual, cada vez más ausente, les daba de comer, algo poco meritorio en aquel caserío próspero, aunque ellos se espabilaban con su propia iniciativa e imaginación. Ahora vivían cuatro varones en Errotabarri, el caserío familiar de los Ansotegui, sin ninguna influencia maternal ni femenina que no fueran los escasos recuerdos de la breve vida de Ángeles Ansotegui: un juego de peine y cepillo en el tocador, unos cuantos vestidos en el ropero y un delantal floreado con volantes que ahora se ponía Pascual Ansotegui cuando cocinaba.

A medida que Pascual se recluía en sí mismo, los chicos se iban haciendo cargo del caserío. Incluso un muchacho comprende que hay que dar de comer a las gallinas, que hay que recoger los huevos, de manera que llevaban a cabo las tareas sin que les parecieran trabajos. Incluso un muchacho entiende que el ganado necesita comida para el invierno, así que aprendieron a manejar la guadaña para cortar la almizclada alfalfa y a beldar el heno contra el alto huso que sustentaba el almiar.

Cuando uno de ellos encontraba un huevo podrido, se convertía en munición para tenderle una emboscada a un hermano desprevenido. Se lanzaban juntos dentro de la hierba segada antes de recogerla. Se escondían en los almiares antes de repartir el heno al ganado. Montaban las vacas a pelo antes de ordeñarlas. Los haces de leña eran fuertes antes de convertirse en combustible para la chimenea. Cualquier tarea era una competición: ¿quién podía lanzar el bieldo más lejos? ¿Quién podía llegar antes al pozo? ¿Quién podía acarrear más agua?

Como cada labor era una competición o un juego, rara vez se repartían el trabajo; los tres los compartían todos y pasaban al siguiente al unísono. Aunque prácticamente eran huérfanos, vivían contentos, y el caserío funcionaba en medio de un ambiente de caos juguetón sorprendentemente productivo. Pero a veces ni siquiera los instintos de los muchachos eran capaces de prever las amenazas al ganado o a las cosechas. Para tres muchachos que fácilmente se distraían con las posibilidades balísticas de un huevo podrido, a veces surgían las sorpresas.

De haber sido consciente Pascual Ansotegui del paso de las estaciones, les habría recordado que las ovejas que están a punto de parir en primavera necesitan la protección del cobertizo. Pero en las primeras tardes cálidas de primavera, el cobertizo no era más que una pared para que los muchachos jugaran a la pelota. Cuando Xabier, torpemente, mandó la bola sobre el tejado y se quedó incrustada entre dos tejas rotas, Justo cogió la escalera y se encaramó al cobertizo inclinado, colocando teatralmente un pie en la cumbre, como si hubiera alcanzado la cima del monte Oiz. Josepe intuyó en su postura el potencial de un nuevo juego.

—¿Qué te parece quedarte ahí hasta que uno te dé con una mierda de oveja? —dijo Josepe, tras haber recogido varias bolitas resecas.

Mientras apuntaba a su hermano, Josepe divisó una forma oscura que describía círculos cerrados sobre la colina.

—Justo, Justo, un águila. ¿Están ahí las ovejas? —gritó Josepe.

—Coge la escopeta —ordenó Justo, saltando a una bala de paja y rodando para ponerse en pie.

La escopeta de Pascual Ansotegui era ya vieja antes del cambio de siglo, y los muchachos nunca la habían disparado. A los trece años, Justo era tan fuerte como algunos hombres del pueblo, pero Pascual no le había enseñado a disparar. Josepe apenas pudo levantar el arma de hierro de los ganchos del cobertizo. La arrastró hasta su hermano con las dos manos en el extremo del cañón, la culata rebotando contra el suelo.

Justo la cogió, se la puso al hombro y desplazó el pesado cañón hacia el águila que bajaba en picado. Xabier se arrodilló delante de él y agarró la culata con las dos manos, intentando ayudar a su hermano mayor.

—Dispárale —chilló Josepe—. Dispárale.

Con el rifle a pocos centímetros de su hombro, Justo apretó el gatillo. El disparo estalló en el cañón y el retroceso tiró a Justo al suelo, donde quedó sangrando de un lado de la cabeza. Xabier quedó tumbado junto a él, gritando a causa del ruido. El disparo ni inmutó al águila, que en ese momento aplicaba la presión letal de sus garras al cuello de un corderillo, todavía húmedo.

Con Justo y Xabier fuera de combate, Josepe atacó al águila. Antes de que pudiera alcanzarla, el animal extendió las alas, golpeó varias veces el suelo con ellas y se lanzó en picado colina abajo justo por encima de la cabeza de Josepe.

Justo consiguió subir la colina hasta donde estaba Josepe. Xabier, gritando hasta quedarse sin aliento, la cara moteada con la sangre de su hermano, fue dando tumbos y corriendo a trechos hasta la casa de un vecino para pedir ayuda.

—Busca a los otros recién nacidos y metamos las ovejas en el cobertizo —gritó Justo, recuperando el control. No vieron más ovejas que fueran vulnerables y los dos condujeron a la oveja que acababa de parir, ajena a cuanto la rodeaba y aún arrastrando parte de la placenta, al cobertizo.

Los vecinos sujetaron a Xabier para calmarlo. ¿Dónde estaba su padre? ¿Cómo se le ocurría que sus hijos pudieran encargarse de todo? Unos muchachos de esa edad no deberían dedicarse a esas tareas, y desde luego no debían disparar la escopeta; es una suerte que nuestro ganado haya salido ileso, dijeron. No podía oírlos por culpa del doloroso pitido que le zumbaba en los oídos, pero veía el rechazo en sus caras.

—Bueno... de acuerdo —gritó Xabier, y regresó con sus hermanos.

Los afectados muchachos se reunieron en el cobertizo y cogieron a la oveja, a la que no molestaba tanto la pérdida de su cría, algo que ya había olvidado, como los violentos abrazos de los muchachos, uno de los cuales le manchaba de sangre la lana.

Cuando Pascual Ansotegui regresó aquella noche, los chicos estaban formados junto a la puerta, en orden de edad de mayor a menor, y Justo informó a su padre de lo ocurrido. Pascual asintió. Justo y Josepe aceptaron esa mínima reacción, pero Xabier se encendió de indignación.

—¿Dónde estaba? —chilló Xabier, un flacucho de nueve años ataviado con un sobretodo de tercera mano manchado de sangre.

Pascual se quedó mirándolo sin decir nada.

Xabier repitió la pregunta.

—Estaba fuera —contestó el padre.

—Ya sé que estaba fuera... Siempre está fuera —dijo Xabier—. Igual tiraríamos adelante si no volviera.

Pascual ladeó la cabeza, como si con eso viera mejor a su hijo pequeño. A continuación se dio media vuelta, cogió el delantal floreado del colgador y se puso a hacer la cena.

Justo sabía que, como hermano mayor, algún día asumiría el control de Errotabarri, y sus hermanos comprendían que, de manera inevitable, tendrían que trabajar en otra parte. Aunque injusto con los que no eran el primogénito, esta tradición aseguraba la pervivencia de la cultura del *baserri*. Justo Ansotegui reclamaría lo que le correspondía por ser el primogénito y se convertiría en el último de una cadena de administradores de la tierra que se remontaba a una época en la que sus antepasados pintaban animales en las paredes de la cueva de Santimamiñe.

Legar el caserío al mayor no acarreaba ninguna garantía. El que lo hereda puede que nunca se vaya para descubrir otras oportunidades; embarcarse, quizá, o ir a una ciudad como Bilbao. Pero dirigir el *baserri* suponía echarse a los hombros la responsabilidad de la familia, consideraba Justo. No obstante, había esperado poder contar con un periodo de aprendizaje. Durante el año posterior a la muerte de la oveja, Pascual Ansotegui asistió todas las mañanas a misa sin entusiasmo, musitando las respuestas. Por la tarde volvía a la iglesia para rezar en silencio, entrando sin ser visto. Un día dejó de asistir a misa y desapareció.

Pasaron varios días antes de que Justo se diera cuenta de que su padre se había esfumado. Alertó a los vecinos y algunos grupos buscaron por las colinas. Como no dieron con ninguna prueba de que estuviera vivo o muerto, los hijos supusieron que se lo había tragado una grieta o un tragadero, o que quizá se le había olvidado dejar de andar.

Aunque los muchachos amaban a su padre y lo echaban de menos, su afecto por él era más costumbre que sentimiento. Su ausencia no fue muy distinta a su presencia: seguían llevando a cabo las mismas tareas y jugaban a lo mismo. Ahora Justo estaba al frente.

—Bueno, esto ahora es tuyo —le dijo Josepe a Justo, entregándole el delantal con volantes.

—*Eskerrik asko* —replicó Justo, dándole las gracias a su hermano. Se echó la tira por encima de la cabeza y se hizo un nudo a la espalda en solemne ceremonia—. Lava los platos y cenaremos.

Tenía que llevar el *baserri* familiar. Tenía quince años.

* * *

Cuando eran muy jóvenes, los muchachos aprendieron la historia de Gernika, y también de Errotabarri. La aprendieron de boca de su padre, antes de que desapareciera, y de la gente de su pueblo que se sentía orgullosa de su legado. Desde la época medieval, Gernika fue una encrucijada de la antigua vía romana y la ruta del vino y el pescado que desde el mar iba tierra adentro serpenteando entre las colinas. Se encontraba con ambas la ruta de los peregrinos a Santiago de Compostela. Durante siglos, representantes de la región se reunieron bajo el roble de Gernika para dar forma a leyes que prohibían la tortura y el arresto sin orden judicial y otorgaban a las mujeres privilegios sin precedentes. Aunque se alinearon con el rey de Castilla, mantuvieron su propio sistema legal y exigieron que los monarcas castellanos, desde la época de Fernando e Isabel, juraran en persona bajo el roble de Gernika que protegerían las leyes vascas. Como la economía de la región no había evolucionado bajo el sistema feudal, los vascos eran propietarios de sus tierras y nunca se dividieron entre señores y siervos. Eran simplemente granjeros, pescadores y artesanos, libres e independientes de cualquier cacique.

A menudo algún *baserri* de Vizcaya obtenía un título, que a veces servía de apellido a los que vivían allí, como si la tierra y la casa fueran los auténticos antepasados. La casa, después de todo, sobrevivía a los habitantes y quizá incluso al apellido familiar. Suponían que una edificación bien estructurada, igual que las relaciones familiares, el amor verdadero y la propia reputación, sería intemporal si se protegía y se mantenía adecuadamente.

En la época en que Justo Ansotegui se hizo con el control de Errotabarri, un seto de espinos delimitaba el perímetro inferior del caserío y una patrulla de álamos flanqueaba la linde septentrional, expuesta a los vientos. Las cosechas crecían en el lado sur de la casa, bordeado de hileras de frutales. Los pastos quedaban más elevados que la casa, llegando hasta una extensión de recios robles, cipreses y cerosos eucaliptos de color gris azulado. Los árboles se hacían menos tupidos justo debajo de un afloramiento de granito que marcaba el límite superior de la propiedad.

La casa se parecía a otras de Gernika. Todos los años los muchachos se veían obligados a encalar los laterales de estuco que quedaban sobre la base de piedra y mortero y a repintar las molduras y postigos color sangre de toro. Cada alféizar de piedra acomodaba jardineras de geranios, lo que daba toques de rojo en ambos niveles. Incluso cuando era joven y soltero, Justo mantenía esos toques florales que tan importantes habían sido para su madre.

Como tantos *baserris* enclavados sobre una colina, la casa se situaba en la ladera. El piso de abajo, con amplias puertas dobles en la parte inferior, albergaba el ganado en los meses de invierno. El piso superior, que quedaba a ras del suelo en la parte de atrás, albergaba a la familia. El cobijar a las vacas y las ovejas en el mismo edificio protegía a los animales del frío, y ellos les devolvían el favor calentando el piso de arriba con el calor que emitía su cuerpo.

En el interior, una gran estancia central albergaba la cocina, el comedor y las zonas diurnas, con toscas columnas de roble sustentando las vigas de corte radial. La chimenea se extendía hacia dentro, en forma de L, desde un rincón de la cocina. En las vigas había clavadas semillas de maíz para que se secaran, y hierbas medicinales y para cocinar se curaban al calor encima de la chimenea. Ristras de pimientos rojos entrelazadas colgaban de la columna de apoyo más cercana a la cocina, junto a hileras de chorizos que perfumaban de ajo la sala.

Un antepasado desconocido había tallado el *lauburu* en el dintel que había sobre la puerta principal de la casa. Este símbolo de su raza, que tenía cuatro hojas, como una hoja de trébol que girara, enmarcaba sus vidas y aparecía en todas partes desde la cuna a la lápida.

Todos los antiguos amos de la casa le habían legado algo a Justo. Seguía apilando el heno en torno a altos palos de madera tallados muchas generaciones antes. Y las tijeras de esquilar que utilizaba en el cobertizo habían cortado la lana de las ovejas durante un siglo. Algunos objetos más pequeños ofrecían misterios sin palabras desde el borde de la repisa de la chimenea; había un pequeño caballo de bronce con la cabeza echada hacia atrás y una moneda de hierro que mostraba símbolos desconocidos.

Mientras Justo fue propietario, el delantal pasó a ser parte de esa memoria, colgado de un clavo sobre la repisa. Y antes de que él falleciera, la repisa también daría cabida a un mechón de pelo humano tan oscuro que absorbía la luz.

* * *

Azotando la grupa de un terco asno para que se decidiera a subir un sendero empinado, Pablo Picasso se rió entre dientes al pensar en cómo reaccionarían sus amigos parisinos si le vieran en esa situación. Que se acordara de ellos ahora, en los Pirineos, era un síntoma del problema. Había demasiadas cosas que se entrometían en su arte en París. Y ese sendero de montaña hasta Gósol, con la encantadora Fernande montada en burro a su lado, era el camino que le alejaba de todo eso.

Se hablaba demasiado de arte. Y cuando se hablaba tanto, el arte surgía de la cabeza, no de las tripas, y tanta cháchara acababa influyendo demasiado en su pintura.

Ahora no necesitaba París; necesitaba España. Necesitaba la gente y el calor y esa inquebrantable sensación de pertenecer a la tierra.

Ahora Fernande posaría para él y no le hablaría de sus cuadros. Sabía que no era el momento. Picasso había vuelto a España a tomarse un descanso; se dirigía a esa tranquila población de las montañas para despedazar el arte, para hacer algo que no se había hecho nunca, o que quizá se había hecho mucho tiempo atrás. Era un lugar donde podía *sentir* el arte. Le llegaba de la tierra y bajaba en oleadas desde el sol. Había llegado el momento de hacer trizas el arte y darle una nueva forma, como harías con los trozos de un cristal roto.

* * *

Justo les prometió a sus hermanos que nadie trabajaría más duro. Pero mientras hacía esa promesa, tuvo que reconocer que sabía muy poco de cómo llevar un caserío. De modo que comenzó a visitar a los vecinos, llevando las conversaciones hacia cuándo había que plantar ciertas cosechas o podar los frutales o cómo manejar el ganado. Casi todos los vecinos se mostraban comprensivos, pero no tenían mucho tiempo para preocuparse del caserío de otro... a menos que tuvieran una hija que fuera de su edad. Casi todos consideraban que Justo estaba lejos de ser bien parecido, pero había que reconocer que el muchacho poseía su propio *baserri*.

Justo les preguntó a los Mendozabel, que vivían al lado, qué podía hacer para tener sus propias colmenas de abejas con el fin de que le polinizaran los frutos y le dieran miel. La señora Mendozabel le informó de que estaría encantada de ayudarle y le comentó que, de hecho, «deberías venir a comer una buena cena, cosa de la que seguramente no disfrutas en muchas ocasiones en Errotabarri, al menos no de las que prepara nuestra Magdalena todas las noches». Justo llegó ataviado con sus ropas de trabajo, pasó la cena hablando exclusivamente del *baserri* y casi ni se fijó en Magdalena, que se había puesto su vestido blanco de domingo, ni en la «tarta especial» que ella le había preparado. Estaba demasiado ocupado para prestarle atención a Magdalena y a todas las Magdalenas que sucesivamente se vistieron, se empolvaron y se le pusieron delante para que las inspeccionara. Las cenas eran agradables, de todos modos, y la información le resultaba de ayuda, y sí, era cierto, en Errotabarri no preparaban tartas.

Los pequeños caseríos no se podían considerar negocios florecientes, aunque pocos se daban cuenta de la pobreza que había en las colinas que quedaban por encima de Gernika. Las familias comían, y todo lo que sobraba era enviado al mercado o se intercambiaba por aquellos bienes que ellos no podían producir. Justo envidiaba a los vecinos que disfrutaban de abundante ayuda de los niños. En comparación, él iba escaso de mano de obra. Josepe y Xabier ayudaban, pero ya no se implicaban tanto en las labores. Justo se levantaba aún de noche, trabajaba todo el día sin descanso y se quedaba dormido poco después de cenar cualquier cosa que aquella noche hubiera echado en la olla. Josepe nunca se quejaba de la comida; Xabier sólo lo hizo una vez.

Justo descubrió algunos trucos, pero nunca escatimaba en las tareas que afectaban a la tierra o los animales, sólo en lo referente a él. No cosía ni remendaba la ropa y nunca lavaba sus prendas ni las de sus hermanos, porque total, les decía, acabarían ensuciándose otra vez. Si sus hermanos querían limpiarlas ellos mismos, él no se quejaría, siempre y cuando las labores de la casa se llevaran a cabo.

—Esta mañana tenéis buen aspecto —le comentó una amable mujer a Justo cuando los tres muchachos aparecieron en misa parcialmente acicalados.

—Sí —le soltó Xabier—, pero nuestros espantapájaros hoy están desnudos.

Así pues, Justo no perdía ni un momento en su propia comodidad, y ni pensaba en entretenimientos ni diversiones.

A veces, en el campo, hipnotizado por el rítmico ir y venir de la guadaña, descubría que había estado hablando solo. Miraba a su alrededor para asegurarse de que ni Josepe ni Xabier se le hubieran acercado en silencio y oído sus palabras. En esos momentos comprendía cuál era el problema. Se sentía solo. Las tareas que tan apasionantes se hacían en presencia de sus hermanos ahora no eran más que puro trabajo.

El único descanso que se permitía era en los días de fiesta, cuando acababa las labores por la mañana y luego se iba al pueblo a participar en competiciones de tirar de la cuerda, cortar troncos o levantar piedras. Ganaba muchas por su impresionante fuerza. Y como trataba tan poco con los demás, intentaba compartir con todo el mundo los chistes y muestras de fuerza que a todos les pasaban desapercibidas durante su reclusión en Errotabarri. Si se ponía vanidoso o exageraba, lo hacía con gracia, y la gente del pueblo esperaba con gusto sus visitas y vitoreaba sus numerosas victorias. Para alguien habitualmente tan solitario, aquella atención que le dispensaban era como el primer día cálido de primavera.

En una de esas salidas conoció a una chica de Lumo que había bajado de las colinas para el baile. Se llamaba Mariángeles Oñati, y gracias a ella Justo Ansotegui se replanteó su higiene personal y su autoimpuesta soledad.

* * *

A Josepe Ansotegui le llegó el olor del golfo de Vizcaya antes de poder verlo. Tras haber recorrido a pie durante dos días la serpentina carretera de montaña que quedaba al norte de Gernika, pasando junto a las cuevas y la cantera de mármol, y tras rebasar los caseríos bien atendidos, bajó a paso firme en dirección a la brisa que transportaba el salobre almizcle de la marea baja. Cuando llegó al puerto de Lekeitio, a la suave luz del crepúsculo, grupos de mujeres con delantal y pañuelo en la cabeza extraían pececillos de las redes a lo largo del muelle. Hablaban y cantaban en agradable armonía.

Josepe estudió los barcos amarrados al perímetro del puerto, buscando alguna tripulación que aún trabajara. El primer hombre al que se acercó para pedirle trabajo le contestó con una carcajada y una sacudida de cabeza. El segundo le dijo que los pescadores venían de familias de pescadores, que los que trabajaban en los caseríos debían quedarse allí, como era ley de vida.

—Mi hermano mayor lleva ahora el *baserri* de la familia, así que he pensado en probar con la pesca —explicó Josepe—. Me han dicho que en un barco siempre hay trabajo que hacer.

—Tengo un trabajo para ti —le gritó un hombre desde el barco de al lado—. A ver si puedes levantar esta caja.

Con gran esfuerzo, Josepe alzó una caja rebosante de peces hasta las rodillas, luego hasta la cintura, y la descargó en el muelle. Se dio la vuelta con una sensación de triunfo.

—Sí, eres bastante fuerte —dijo el pescador—. No, no tengo trabajo para ti... pero gracias de todos modos.

En la popa del barco que quedaba más cerca de la boca del puerto había un solitario pescador escrutando el cielo.

—*Zori ona* —concluyó el hombre de su estudio del cielo cuando Josepe se acercó—. Los viejos pescadores buscaban *zori*, presagios, leyendo en qué dirección volaban los pájaros.

—¿Y esta noche los pájaros dicen algo especial? —preguntó Josepe, mirando un escuadrón de gaviotas que revoloteaban por encima del puerto.

—Creo que dicen que tienen hambre; vuelan alrededor de las fábricas de conservas, esperando que les echemos las sobras.

Se estrecharon la mano.

—Me llamo Josepe Ansotegui. Soy de Gernika y tengo diecisiete años, y la única vez que he pescado fue en un río con una cuerda y una aguja —dijo el muchacho—. Pero me dicen que soy listo, y busco trabajo.

—¿Cogiste algo con tu cuerda y tu aguja?

—Una vez cogí una trucha bien gorda, sí —contestó Josepe con orgullo.

—¿Le sacaste las tripas y la limpiaste?

—Sí.

—De momento, es todo lo que te hace falta saber de pesca. Estás contratado —dijo Alberto Barinaga—. Luego ya nos ocuparemos de tu inteligencia.

Barinaga, propietario del *Zaldun,* le dio la bienvenida a Josepe a bordo de su barco y de su casa. A lo mejor había leído en el vuelo de los pájaros que aquélla sería una relación productiva. Con el tiempo, Barinaga quedó impresionado por el relato de la vida de Josepe: que hubiera crecido en compañía de dos hermanos tras la muerte de su madre, y admiraba su fuerza y su actitud. Pero sobre todo llegó a agradecer su dedicación a aprender el negocio de la pesca. En su aprendizaje diario, mientras fregaba la borda o remendaba las redes, o mientras cenaba con la familia, Josepe asimilaba la enciclopedia de saber y cultura marítimos que le ofrecía el veterano capitán.

—Perseguíamos ballenas y bacalaos hasta las costas de América —peroraba Barinaga en la cena—. La *Santa María* era una de nuestras carabelas, y Colón tenía un oficial y una tripulación vascos.

—Por eso acabó en América en lugar de en las Indias —le pinchó Felicia, su hija mayor.

—Magallanes también tenía pilotos vascos —añadió el capitán—. Algunos han sugerido que somos tan expertos marineros porque nuestra raza nació en la isla perdida de la Atlántida.

Josepe, a su vez, se enteró de cosas de su *patroia* por lo que chismorreaban las tripulaciones de otros barcos. Barinaga era muy admirado entre la familia de pescadores. En diversas ocasiones su experiencia a la hora de navegar permitió que el *Zaldun* rescatara barcos que se iban a pique y tripulaciones en peligro. Josepe recibía aquellas lecciones con los brazos abiertos. Aprendió las canciones de los marineros y se unió a sus cánticos mientras remendaban redes los días en que la mala mar les condenaba a quedarse en tierra.

Josepe le devolvió a Alberto Barinaga su hospitalidad acostándose casi todas las noches con su hija, Felicia, en el dormitorio que quedaba justo debajo del de sus padres.

* * *

Una tarde en que Xabier regresó del colegio y se fue corriendo a ayudar a su hermano a voltear el heno para secarlo con los largos bieldos, Justo observó que tenía arañazos y verdugones en el dorso de las manos.

—¿Qué te ha pasado?

—Que he contestado en vasco —dijo Xabier.

Hacía años que Justo no iba a la escuela, pero se acordaba de que los maestros los denigraban a la menor oportunidad y utilizaban una regla o una rama de sauce para azotar a los alumnos que en clase hablaban vasco en lugar de español.

—Yo me encargaré de eso.

A sus dieciocho años, sin camisa debajo de su sobretodo sin lavar, Justo se fue a la escuela a la mañana siguiente. Una vez los alumnos estuvieron sentados, menos Xabier, Justo se acercó al maestro, un español con gafas y una caléndula en el ojal.

Delante de toda la clase, Justo levantó la mano lastimada de Xabier hacia el maestro y le dijo dos palabras:

—*Inoiz ez.* —«Nunca más» en vasco.

El maestro le replicó con un ostentoso desprecio, con la esperanza de que eso amilanara al muchacho.

—¡Vete! —le exigió en español, señalando la puerta.

El maestro se mantuvo firme. Se volvió hacia la clase y vio que todos los alumnos estaban concentrados en el enfrentamiento.

—¡Vete! —repitió el maestro, levantando la barbilla.

Justo atacó tan deprisa que el maestro no pudo hacer nada. Le agarró el brazo que tenía extendido y se lo colocó entre las piernas. Se colocó a la espalda del maestro, ahora inclinado, y le cogió la muñeca de la otra mano, levantándolo de manera que el maestro quedara sentado en su propio brazo. En un segundo, el maestro pasó de señalar imperiosamente la puerta a quedar doblado por la cintura, con el brazo entre las piernas y apretado contra la entrepierna.

Justo aumentó la presión que ejercía en la muñeca del maestro y le levantó aún más. Éste quedó de puntillas para reducir el estrujamiento de su entrepierna y soltó un gruñido. Los alumnos estaban estupefactos, en silencio.

Justo se inclinó, miró la cara sudorosa del maestro y le dijo dos palabras:

—*Inoiz ez*.

Justo lo levantó aún más por un instante y a continuación lo soltó. El maestro cayó al suelo.

Aquella tarde, el capítulo más pintoresco de la leyenda de Justo Ansotegui pasó de alumnos a padres, y aquella tarde todos la repitieron a sus amigos en la taberna. El maestro no se presentó a la mañana siguiente ni a la otra, y fue sustituido. La siguiente vez que Justo apareció en el pueblo, de algunas tiendas salieron varios hombres a los que no conocía y le aplaudieron. Justo les dirigió una sonrisa y les guiñó un ojo.

Xabier nunca necesitó la ayuda de su hermano mayor para obtener buenas notas. Ni de lejos tan vigoroso como su hermano, Xabier sentía que se hacía más fuerte con toda la información que confiaba a su memoria. No tenía propiedades ni pertenencias, pero poseía datos: la historia, las matemáticas, la gramática. De manera que asumió el papel de estudiante aplicado. Si tenía que fingir que aceptaba las opiniones políticas de los maestros españoles, lo hacía con facilidad. A los dieciséis años había consumido todo lo que los maestros de la escuela pública tenían que ofrecerle.

Quien tomó la iniciativa fue Justo, y se la propuso con su típica franqueza mientras cenaban.

—Ya sabes, Xabier, que aquí no me eres de gran ayuda, y puede que algún día quiera casarme. ¿No has pensado en entrar en el seminario, quizá en Bilbao?

Xabier era tan devoto como cualquier muchacho, y desde luego no había hecho nada que supusiera un obstáculo a la hora de entrar en el clero; simplemente jamás se le había ocurrido. Admiraba al sacerdote de la parroquia, pero nunca había pensado en emularlo. No obstante, sería una manera de seguir aprendiendo.

—Los sacerdotes viven cómodamente; en el pueblo se les respeta —añadió Justo—. Además, con las mujeres no tienes nada que hacer.

Xabier no se sintió insultado y asumió que Justo tenía razón. Pero Justo era su hermano, no su padre, y no era quién para decirle qué hacer. Estaba a punto de poner en entredicho la autoridad de Justo cuando éste soltó la frase definitiva.

—A madre le habría gustado.

La cuestión suscitó una introspección que duró toda la noche. Y cuando Xabier se levantó al alba, estaba bastante seguro de que era una buena idea. Informó a Justo. Con reservas.

—Pensaba que tomar una decisión trascendental como ésta tendría algo más de dramatismo. Creía que los sacerdotes sentían una especie de llamada, que oían como voces celestiales.

Justo, con sus hombros y brazos musculosos sobresaliendo del delantal con volantes, sacó dos huevos de la sartén y los puso en el plato de Xabier.

—Y oíste una voz —dijo Justo—. La mía.

Capítulo
2

L a reputación de Justo Ansotegui alcanzó el pueblo de Lumo, donde Mariángeles Oñati oyó decir que era un defensor de los débiles y un bromista, aunque algunos sugerían que también era un celoso cultivador de su propia mitología. Mariángeles escuchaba a menudo que era en quien había que fijarse en las pruebas de fuerza de los días festivos. Un amigo afirmaba que había entrado en el pueblo con un buey a hombros y que luego había celebrado la proeza arrojando al animal al otro lado del río Oka.

—Sí —decía Justo cuando le preguntaban por la historia—. Pero era un buey pequeño, y casi todo el camino al pueblo era cuesta abajo. Y cuando lo arrojé me ayudó el viento.

Durante una de las fiestas, Mariángeles fue al baile con sus cinco hermanas. También decidió que había llegado la hora de presenciar las competiciones de los hombres, que habitualmente evitaba.

El hombre más voluminoso que estaba junto a un tronco descortezado al comienzo de la corta de troncos bromeaba con la concurrencia mientras se quitaba las botas y los calcetines grises. Descalzarse le pareció a Mariángeles un acto insensato para alguien que blandiría un hacha tan cerca de los pies.

—Después de tantos años de competiciones, aún tengo nueve dedos —dijo, meneando orgulloso los cuatro apéndices que le quedaban de un pie—. Pero éste es mi único par de botas, y no puedo permitirme estropearlas.

El hombre se dobló por la cintura y comenzó a hender el hacha en el tronco que tenía entre los pies. Cuando estaba a la mitad, dio un salto para volverse ciento ochenta grados y comenzó a trabajarse el otro lado. El tronco se partió debajo de él mucho antes que el de cualquiera de los demás que competían. Justo estaba sentado, con sus nueve dedos intactos, volviéndose a poner los calcetines y las botas, y el que acabaría segundo aún seguía dando hachazos.

En el concurso de bebedores de vino, Justo no impresionó tanto. Como tenía poca práctica en beber con bota, se derramó mucho vino por la cara. Después de toser y escupir, engulló lo que quedaba en la bota y lo echó a chorros en las botas de sus agradecidos amigos, que estaban con la boca abierta, como si esperaran el sacramento.

Pero con las *txingas* Justo no tenía rival. El «paseo del granjero» ponía a prueba la fuerza y resistencia del competidor, que iba y venía por un recorrido predeterminado con 50 kilos en cada mano hasta que se derrumbaba. El desplome solía ocurrir de manera parecida para todos los concursantes. En la segunda vuelta las rodillas comenzaban a doblarse aparatosamente, a veces en direcciones opuestas; en la tercera, la columna vertebral adquiría una peligrosa curva; y al final la gravedad atraía las pesas y al hombre al suelo.

Mariángeles se quedó cerca de la salida cuando llamaron a Justo. Éste cogió las anillas de las pesas, la cara tensa como si nunca fuera a levantarlas. Fue un falso momento de dramatismo, pues las alzó con facilidad y soltó un orgulloso *irrintzi,* el grito tradicional de la montaña, que fue subiendo de tono hasta convertirse en chillido con acelerados ululatos.

Justo marchaba sin esfuerzo, la espalda rígida. La espalda es el tronco del árbol, razonaba, los brazos tan sólo las ramas. Una vez rebasadas las marcas de donde los demás habían caído agotados, Justo Ansotegui le asintió a la multitud, haciendo gestos a los pequeños, quienes le elogiarían ante sus futuros nietos.

—¿No te duele? —le preguntó un muchacho al pasar.

—Pues claro, ¿cómo crees que he conseguido unos brazos tan largos? —le dijo Justo hablando como una metralleta, y en ese momento puso rectos los brazos contra los lados, un movimiento que hizo que se le subieran las mangas de la camisa y que sus brazos parecieran crecer un tercio en longitud.

El chico se quedó boquiabierto y aulló con la multitud. Justo se fue debilitando de una manera tan gradual que nadie lo notó. Ya era ganador por varias vueltas, así que decidió no demorar lo inevitable y dejó las pesas lentamente a sus pies.

Ocurrió que Mariángeles descubrió la necesidad de charlar con unos parientes cerca de la línea de meta después de la competición de Justo. ¿Y quién podía imaginar que una amiga diría algo tan gracioso, justo cuando Justo pasaba, que ella se descubriría dejando escapar su carcajada más femenina, como de campanillas al viento, y haría que Justo se volviera hacia ella? Y como aquello había sido tan divertido, era natural que ella aún tuviera en la cara su más amplia sonrisa, la que le marcaba más los hoyuelos de las mejillas, cuando Justo miró en la dirección donde se encontraba.

Justo le echó una mirada y siguió adelante.

—Mmm —murmuró Mariángeles. Éste debe de ser el más arrogante de Gernika.

Entre bastidores, Mariángeles rápidamente se las ingenió para entregar el premio, una oveja, al ganador del concurso de *txingas*.

—Felicidades —le dijo a Justo delante de la multitud. Ella le entregó el cordero y se acercó a su mejilla para darle el beso ceremonial. Miró de cerca la oreja derecha de Justo, deformada y cercenada, retrocedió un poco y se aproximó para besarle la otra mejilla.

—Gracias —dijo Justo, y le anunció a la multitud—: Con tanto ganar premios voy a inundar el valle con mi rebaño.

Justo saludó con la mano y aceptó las felicitaciones mientras recorría la multitud, con la oveja asomando de la pechera de su sobretodo. Mariángeles rodeó el gentío para que Justo tuviera que volver a pasar a su lado.

—¿Te gustaría bailar? —le preguntó Mariángeles.

Justo se detuvo. Se miró de arriba abajo, vio su sobretodo sucio. La miró a ella.

—Podemos encontrar a alguien que te aguante el cordero.

Le cogió el escuálido cordero y se lo acercó a la cara.

—¿Alguien te ha dicho que hagas esto? —preguntó Justo.

—No, he pensado que a lo mejor te gustaría bailar, si no estás demasiado cansado de cortar troncos y levantar pesos.

Pero no bailaron. Se sentaron y charlaron mientras el cordero retozaba en torno a ellos y regresaba para «amamantarse» en el dedo de Mariángeles cada vez que ésta le acercaba un nudillo a la boca. Sus hermanas los contemplaban, y mientras regresaban a casa votaron unánimemente en contra de que volviera a ver a ese chico.

Sí, concedió ella, no era el más apuesto de los pretendientes. Era tan robusto que casi daba miedo, y le faltaba la parte superior de la oreja derecha. Y a pesar de tanto presumir delante de la multitud, se había mostrado tímido cuando habían hablado a solas.

—Es un bruto —dijo una de sus hermanas.

—Tiene carácter —arguyó Mariángeles.

—Es feo —declaró una hermana menos generosa.

—Tiene su propio *baserri* —comentó la madre de Mariángeles desde detrás del grupo de chicas.

La franqueza de su madre calmó la cálida adrenalina que se había apoderado de ella desde que se presentara a Justo, e incluso su paso se hizo más lento con la trascendencia del momento. ¿Era eso lo que la hacía interesarse por ese hombre? Mariángeles tenía casi veinte años y era la mayor de seis hermanas y un solo hermano de nueve. Su padre se había lastimado las dos piernas a causa de una caída en el caserío, lo que lo había dejado debilitado y postrado en su mecedora como una tapicería ya hundida. ¿Coqueteaba con Justo porque le había llegado el momento de tomar una decisión en la vida? Regresó a casa en silencio mientras sus hermanas comentaban las muchas carencias de Justo.

Otros jóvenes interesados en Mariángeles le ofrecían flores o dulces cuando iban a verla, o buscaban pasar un rato a solas con ella. Justo llegó con las manos vacías y con sus ropas de trabajo. Le dio un vigoroso apretón de manos a la madre, unos golpecitos en la espalda al padre e hizo una pregunta que al instante conquistó a la señora Oñati y a sus hijas:

—¿Necesitan que les eche una mano en algo?

—¿Una mano? —preguntó la madre.

—Ayuda... por si necesitan levantar algo pesado, cortar leña, alguna reparación... cualquier cosa que sea demasiado dura para ustedes.

La madre de Mariángeles se sentó e hizo una breve lista. Justo le echó un vistazo y asintió.

—Ven, Mari, ponte la ropa de trabajo y acabaremos esto antes de cenar.

Cuando Mariángeles entró en la zona donde dormían las hermanas para cambiarse, su madre la siguió.

—¿Sabes?, se aprende más de una persona trabajando una hora a su lado que en un año cortejando —dijo la madre.

Tras una tarde de trabajo, se sentaron todos relajados a cenar, y fue como si Justo ya formara parte de aquella familia. Las hermanas, que ahora ya no tendrían que reparar el tejado del cobertizo de las ovejas, coincidieron en que Justo era un pretendiente más interesante de lo que habían pensado al principio. No era apuesto, desde luego, pero sí un buen partido. Y, bueno, la belleza no lo es todo.

Un mes más tarde, en la siguiente feria del pueblo, Mariángeles estaba en la primera fila en la carrera de *txingas*. Justo hizo la clásica comedia previa a la competición, se paseó un poco por la pista antes de pararse justo en medio, girar bruscamente a la izquierda y dirigirse directamente hacia Mariángeles.

Cogió las asas de las dos pesas con su enorme mano izquierda, casi sin tener ni que ladearse para mantener el equilibrio, y con la derecha sacó un anillo de oro del bolsillo del pantalón.

—¿Quieres casarte conmigo? —le preguntó a la estupefacta Mariángeles.

—Sí, naturalmente. —Se besaron. Justo repartió el peso en ambas manos y regresó a la competición. Mientras éste caminaba, un hombre que supervisaba la carrera se le acercó como asustado y anduvo a su lado.

—Justo, te has salido de la pista, estás descalificado —le informó el juez.

Justo cruzó la señal de meta para demostrar que podría haberlo hecho de todos modos y regresó con su futura esposa, disculpándose ante ella por no haber podido añadir otra oveja al rebaño.

* * *

Justo tenía razón, en el seminario los estudios se le daban bien a Xabier, que mostraba una excepcional memoria para los datos y los detalles. Y algo más importante para su futuro, una actitud que inspiraba la confianza de la gente. A medida que pasaba de los estudios laicos a los estrictamente clericales y se iba familiarizando con las tareas que debía desempeñar un sacerdote, se sentía más seguro de su vocación. Muchos seminaristas se plantean los costes personales, pero Xabier no tuvo ningún problema en ese aspecto. Lo que más despertaba sus dudas, por el contrario, era si poseía la capacidad de ayudar de verdad a aquellos que se le acercaban tremendamente necesitados de consuelo.

Su mayor frustración procedía de la inestable relación que advertía en ocasiones entre lo que es el protocolo sagrado y lo que es la simple existencia humana, pues a veces se daba cuenta de que no era posible aplicar la doctrina a la realidad cotidiana. Descubrió que los sacerdotes pasaban muchas horas anestesiando las mentes de adultos inseguros y confortándolos con palabras basadas a veces en una fe vaporosa. No albergaba dudas de que su fe era profunda; estaba más seguro que nunca. Pero ¿cómo podía utilizarla en beneficio de los demás?

Le enseñaron que le dijera a la gente que la muerte y las penalidades eran pruebas. Y cuando la gente se atrevía a pedir razones y evidencias, había de sacar el definitivo as bajo la manga del clero: «Los designios del Señor son inescrutables». Xabier decidió que si alguna vez se oía repetir esa frase, que equivalía a la salida más fácil, abandonaría los hábitos y se haría pescador con Josepe. De manera que por la noche se ponía a prueba, concibiendo tremendos escenarios en los que se le acercaban unas caras atribuladas implorándole respuestas.

Una afligida madre imaginaria, detrás de un velo negro, levanta los ojos de la tumba de su bebé y pregunta: «¿Cómo es posible que un Dios bondadoso haya permitido que esta enfermedad se llevara a mi hija?».

Xabier decidía abrazarla y le susurraba su fe al oído.

—La verdad es que no sé cómo ha podido ocurrir, pero yo... yo creo que su hijita ahora está en brazos de Dios, donde ya no siente dolor, donde está sana y es feliz. Y permanece en nuestros corazones, de donde nunca la podrán arrancar. —Abrazaría a la mujer y escucharía sus sollozos y absorbería sus lágrimas con su hombro hasta que la mujer estuviera en condiciones de marcharse, por mucho que tardara.

Una mujer encorvada y sin dientes, apoyada contra la pared y con un olor a sepsis que sube de su mano agarrotada, pregunta: «¿Dónde está la misericordia de Dios para los pobres?».

En su imaginación, Xabier se sentaba en el suelo a su lado. «¿No tienes familia que pueda ayudarte?». Si la respuesta era sí, él la encontraría y los instaría a encargarse de ella. Si la respuesta era no, entonces él sería su familia. «Ven conmigo, hermana, y encontraré un lugar para ti». Aunque la mujer fuera pobre, estaría atendida.

Un hombretón de forma confusa y cara oculta le pregunta desde detrás de una esquina a oscuras: «¿Es pecado vengarse de una ofensa grave?».

Xabier le diría: «Si es una cuestión de orgullo, prívate de ella. Si es una cuestión de honor y auténtica fe, entonces pregúntate: "¿Cuál es el coste de ese honor?". Creo que descubrirás la respuesta».

Xabier sabía que se idealizaba al presentarse como irresistiblemente noble en esas situaciones imaginarias (también se presentaba considerablemente más alto y guapo), pero cuando repetidas veces llegaba a respuestas compasivas, se sentía seguro de que no había nada más que pudiera hacer con su vida que tuviera una influencia semejante en los demás. También se daba cuenta de que sus respuestas a menudo tenían poco o nada que ver con la fe, la religión, la doctrina, el catecismo o el decreto papal.

Las comadronas reunidas en Errotabarri prestaban
tanta atención a Justo Ansotegui como a su esposa,
Mariángeles, de cuyo inminente parto ya se encargaban com-
petentemente su madre y sus cinco hermanas. De comple-
xión ligera, Mariángeles no sabía dónde colocar a todas las
mujeres que rodeaban su cama.

Relegadas a la habitación principal, las señoras que habían ido a ayudar y ya no cabían preparaban infusiones de
menta y acedera para Justo. Le aplicaban paños fríos y hú-
medos en la nuca, mientras otras le frotaban la parte carno-
sa de entre el pulgar y el índice. No tenía valor curativo, pero él no lo sabía y eso lo distraía. Todas tenían teorías acerca
de cómo tratar y manejar a los angustiados padres primeri-
zos. Pero su principal función era mantenerlo concentrado
mientras, en el dormitorio, Mariángeles hacía toda la labor.
Dos de aquellas comadronas habían atendido a la madre de
Justo, Ángeles, y en otras habitaciones entre susurros evo-
caban tristes recuerdos. Pobrecilla. No es de extrañar que el
padre esté tan nervioso. Vio a su madre, ¿verdad?

No hacía ni un año desde que Justo Ansotegui y Mariángeles Oñati se habían casado. No era una pareja perfec-

ta, pero se respetaban mutuamente y estaban tan entusiasmados con su matrimonio que no pensaban en mucho más. Les encantaba asumir cada uno su papel —esposo trabajador, amante esposa—, y también disfrutaban desafiándolo. Él hacía de esposo bromista (ponerle un cordero bajo la cubierta de la cama una noche), y ella de esposa juguetona (montaba las vacas, saltaba alocadamente al almiar desde el tejado del cobertizo). El matrimonio y el caserío progresaban sin sobresaltos, y era el entorno ideal para producir niños equilibrados y felices. Aunque ése fue el origen de su primer desacuerdo.

Mariángeles jamás dudó de que Justo la protegería, cuidaría de ella, la alimentaría, no permitiría que le ocurriera nada y le daría una casa llena de niños fuertes y sanos. Mariángeles, que procedía de una gran familia por lo general feliz, había concebido una vida semejante para ella. Pero como el parto se había prolongado más de un día, Justo, agobiado por los fantasmas de su imaginación, expuso su primera exigencia cuando Miren tenía tres días:

—Ya está... No quiero más —dijo.

—¿No más qué?

—Niños.

Mariángeles estaba dando de mamar a Miren y aún se sentía dolorida por el parto y la falta de sueño, así que no se encontraba con ánimos para discutir.

—Es algo que te pone en peligro —explicó Justo—. No quiero que pases por esto diez veces más, ni cinco... ni dos. Puede que tú sobrevivieras, pero yo no.

—Justo, mi madre no tuvo ningún problema, y estoy segura de que yo no los tendré —respondió Mariángeles.

—Sí, tu madre no tuvo problemas —dijo él levantando la voz—. Y la mía tampoco, hasta que murió en esa cama.

Pasaron un día esquivándose y sin hablarse.

Volvieron a encontrarse cuando Miren se despertó de la siesta. Justo se la entregó a Mariángeles, que se echó en la cama para amamantarla. Por primera vez Justo le contó los detalles de cuando estuvo ahí mismo, viendo a su madre, viendo a Xabier llorando en el suelo, viendo cómo su padre se desvanecía en la distancia. Mariángeles extendió el brazo que no utilizaba para amamantar al bebé. Acercó a Justo hacia sí y él se tendió junto a ella, apoyando la cabeza en su hombro.

* * *

Manfred von Richthofen se despertó congestionado. El clima, húmedo y frío, no le ayudaba mucho, y soplaba un gélido viento de levante. Sus alergias complicaban el asunto, pues le atacaban todas las primaveras. Se medicaba para aliviar la congestión. Después de todo, no estaría bien que el Barón Rojo, que reivindicaba setenta y nueve derribos y ochenta la noche anterior, fuera por ahí sorbiendo por la nariz.

Agresivo y letal en la cabina de mando, el Barón Rojo era admirado sin embargo por su caballerosidad, heredada de las costumbres decimonónicas que guiaban su casta de nobles prusianos. Se contaba que escribía cartas de sincero pesar y condolencias a las viudas de las víctimas. Un piloto inglés herido fue conducido por Von Richthofen a una base alemana para quedar prisionero. El segundo día que estaba en el hospital de campaña alemán, el piloto inglés recibió media docena de puros... regalo del Barón Rojo.

Su «Circo Volante» recientemente había añadido otro Richthofen. Además de su hermano Lothar, un as veterano que se había ganado su propia fama, Von Richthofen ahora también comandaba a su joven primo Wolfram von Richthofen. Aunque novato a la hora de volar, a Wolfram le habían dado un precioso Fokker triplano.

—Si nos tropezamos con los «lores», da vueltas por encima de la acción —le dijo el Barón Rojo a su primo, utilizando el sobrenombre que se aplicaba a los aviadores ingleses—. Fíjate y aprende. —Los veteranos les decían a los nuevos pilotos que podían volar por encima de las escaramuzas para no ser atacados; así era como los jóvenes pilotos de los dos bandos se acostumbraban al combate.

Los aviones de la Royal Air Force del aeródromo de Bertangles, cerca del río Somme, en el norte de Francia, detectaron nueve Fokkers triplanos y entablaron combate. Cuando los pilotos se encontraron y se separaron formando parejas letales, el Barón Rojo cogió la cola de un Sopwith Camel inglés y abrió fuego, pero le fallaron las ametralladoras. Encima de él, Wolfram von Richthofen se había acercado demasiado a la batalla, y un joven e impaciente piloto enemigo no pudo resistirse a atacarlo. Al ver a su primo en peligro, el Barón Rojo se separó de su pareja para quitarle de encima al atacante inglés, que viró bruscamente hacia el canal del Somme.

El Barón Rojo, quizá incapaz de accionar sus armas, quizá lento a causa de la medicación que había tomado, no consiguió abatir la presa. El habitualmente omnisciente Von Richthofen tampoco se dio cuenta de que un Camel aparecía a su espalda y se lanzaba en picado hacia él. A poco más de cien metros del Fokker rojo de Von Richthofen, el piloto de la RAF abrió fuego. El Barón Rojo, herido, se dirigió hacia un terraplén que se alzaba a su derecha.

Ya fuera por el fuego del avión o por los disparos de las fuerzas de infantería aliadas de las inmediaciones, el Barón Rojo estaba herido de muerte. Consiguió aterrizar el Fokker en un prado cercano a la fábrica de ladrillos de Saint Collette. Los soldados ingleses y australianos corrieron hacia el avión mientras Von Richthofen se quitaba las gafas y las arrojaba a un lado de la cabina. Apagó el motor para reducir el peligro de incendio. Cuando los soldados llegaron, el afamado Barón Rojo los miró con resignación y pronunció su última palabra.

—*Kaputt.*

* * *

Naturalmente oían a su hija Felicia colarse todas las noches en la habitación de Josepe Ansotegui, y reconocían los sonidos de los frustrados intentos de los frenéticos amantes por no hacer ruido. Los gemidos amortiguados por almohadones no se pueden confundir con ningún otro sonido. Alberto Barinaga y su esposa reconocieron que Felicia se acercaba a los dieciocho años y que Josepe era un buen hombre, de modo que procuraron no referirse a sus acoplamientos y consiguieron aparentar sorpresa cuando los dos anunciaron sus planes de casarse.

Todas las tripulaciones de Lekeitio asistieron a la ceremonia. Al lado de Josepe estaban sus hermanos, Justo y Xabier, con la ropa limpia y planchada, ataviados con camisas blancas y almidonadas que Justo había comprado para la ocasión.

Luego los hermanos posaron para la fotografía: Felicia sentada con su traje de boda, Josepe de pie junto a ella, la mano en el hombro, y Justo y Xabier a los lados. El protocolo exigía expresiones serias para esas fotos, pero los tres hermanos pusieron esas típicas sonrisas Ansotegui que les dejaban los ojos en poco más que dos oscuras ranuras.

—Miren el pajarito —dijo el fotógrafo, juntando los dedos de la mano derecha con el pulgar para llamar su atención. Era la primera foto que les tomaban.

Varios años después, la pandemia de gripe mató a Alberto Barinaga. Tras haber sido un aplicado aprendiz, Josepe Ansotegui pasó a ser el propietario del barco de Barinaga, cosa que no aseguraba de manera automática que el terco grupo de pescadores lo aceptara. Que con el tiempo acabaran considerándolo *patroia* de *patroiak* fue un gesto de respeto hacia la buena disposición hacia el trabajo de Ansotegui, engendrada en el caserío, que no le iba a la zaga a ninguno de la tripulación cuando estaba a bordo, y hacia su sensatez y visión en las cuestiones relacionadas con su colectividad.

Aunque era de los capitanes más jóvenes, muchas veces demostró que le preocupaba el bienestar comunitario. Pero Josepe reconocía motu proprio que él no poseía la formación en el negocio de la pesca de que gozaban muchos otros *patroiak*. Descubrió que no tenía que ir muy lejos para encontrar una inagotable reserva de sabios consejos: sólo tenía que cruzar la estrecha calle Arranegi, de hecho, hasta la casa de José María Navarro.

Navarro era el *patroia* del *Egun On* («Buenos días»: un nombre estimulante para los pescadores que se levantaban temprano). Desde niño, Navarro había pescado con su padre, quien desde que era niño había pescado con su padre, en una ininterrumpida madeja de filamentos genéticos que se remontaban a tiempos inmemoriales. Cuando llamaban a Josepe por cualquier cuestión administrativa que requería saber algo que escapaba a su comprensión, lo consultaba con José María Navarro, a bordo del *Egun On,* o por la noche cruzaba la calle con una botella de vino.

José María nunca pretendió tener mayores responsabilidades en la comunidad. Ansotegui fue bien recibido a la hora de cargar con la tarea de ser el líder de la flota, pues Navarro estaba ya bastante ocupado, en concreto con la educación de dos hijos y un par de hijas más pequeñas.

Eduardo era el polvorilla de la familia, y su hermano Miguel, cuando estaba aprendiendo a hablar, lo llamaba cómicamente «Dodo». Las dos hijas, Araitz e Irantzu, llegaron en la segunda oleada.

Mientras Josepe Ansotegui y José María Navarro juntaban sus fuerzas de manera complementaria para guiar a la comunidad, sus respectivas esposas, Felicia y Estrella, llegaron a ser tan íntimas como hermanas. Los maridos fabricaron unas poleas sujetas a los marcos de las ventanas del segundo piso que permitían a Felicia y Estrella tender y recuperar la colada en tendederos adyacentes por encima de la calle, y charlaban a través de las ventanas del pasillo acerca de niños, sus maridos y las noticias que venían de la ciudad.

—Oh, tengo que empezar a hervir las judías para esta noche —decía una, y la otra coincidía en que ya era hora de comenzar a hervirlas. Acababan alguna tarea y se encontraban en la calle para ir al mercado, donde veían acelgas o alguna col que les gustaba y las dos compraban el mismo producto. De misa diaria, se sentaban la una junto a la otra. En tándem, del brazo, se paraban en la plaza para visitar a otras madres. Cuando una hablaba, la otra asentía permanentemente. Eran como gemelas conectadas por el tendedero. Y en los días de viento, las sábanas, las camisas, los pantalones y las faldas de los Ansotegui y los Navarro flotaban juntas como banderines rebosantes de color.

Capítulo
4

Los animales que vivían en la planta baja de Errota-barri casi nunca molestaban a los habitantes del piso de arriba. La lumbre de la chimenea, con sus casi imperceptibles explosiones de perfumadas bolsas de brea, y los chorizos y los pimientos que se secaban en la cocina tapaban casi cualquier olor que pudiera subir del piso inferior. Eso no le impedía a Justo echarle la culpa al ganado de manera teatral siempre que sus intestinos cometían una indiscreción.

—Qué vacas tan vulgares —gritaba, mirando al suelo.

—Y bien vulgares que son —replicaba cada vez Mariángeles, provocando la risa de ambos, como si fuera la primera vez que compartían ese diálogo.

Miren disfrutaba compartiendo residencia con los animales, con los que mantenía una estrecha relación: ayudaba a ordeñar las vacas por la mañana y por la noche, apoyaba la cabeza en sus flancos gruesos y cálidos y les contaba cómo le había ido el día, entrando en detalles siempre que una de ellas giraba la cabeza para expresar interés.

Por la noche, los suaves gruñidos de los animales y el susurro de la paja se filtraban entre los tablones del suelo, ofreciendo un relajante sonido de fondo. Y a medida que Miren se iba quedando dormida, a veces confundía las estruendosas flatulencias del ganado alimentado a base de hierba con los truenos de una tormenta en las montañas. Eran animales pacíficos que contribuían a la empresa común que era Errotabarri.

Cuando Miren no podía dormir, a menudo se bajaba de la cama y en la oscuridad les susurraba a los animales a través de las fisuras de las tablas. Las ovejas, plácidas en cualquier circunstancia, ni se enteraban de lo que ella les confiaba, y nunca se pararon a pensar en la importancia de los mensajes que llegaban desde arriba. Dormían en esponjosos grupos, y una suave voz humana no podía despertarlas.

Las vacas, no obstante, eran afablemente curiosas. Miren las llamaba suavemente, a veces imitando su muuu, y la que estaba justo debajo inclinaba la cabeza, dejando que sus enormes ojos marrones escrutaran el origen de esa voz incorpórea. De haber sido su naturaleza reflexionar y elaborar sus pensamientos, esos momentos podrían haber sido la génesis de un movimiento religioso bovino.

A veces les susurraba sus secretos a esos amigos, percibiendo el alivio que procede de expresar las palabras en voz alta, aunque sea a unos animales. Pronunciaba el nombre del muchacho que le gustaba en ese momento, o les confesaba sus dudas y esperanzas. Las vacas eran generosas con su atención, y sus ojos, vueltos hacia arriba, se mostraban sensibles y algo comprensivos. Parecían decir: «Adelante, querida, te escucho». En los meses de calor, cuando el ganado pacía y dormía en los pastos del norte, Miren echaba de menos su compañía y durante semanas le costaba dormirse sin sus apagadas nanas.

Durante una época, Justo crió asnos, cuyas crías vendía en el mercado. Cuando las hembras parían, Mariángeles y Miren hacían de comadronas. El parto era terrible, pero los potrillos, con su zanquilargo retozar, tan juguetones y torpes, hacían las delicias de Miren. Llegaban al mundo como una cosa peluda de orejas desmesuradas y piernas temblorosas, y Miren no podía evitar besar constantemente su hocico de bigotes peludos y acariciar su melena, que era como un cepillo de cerdas.

Adoraba su vigor y la manera en que sus torpes carreras daban a entender que aspiraban a algo más que vivir como simples burros. Cuando apenas tenían semanas de edad, se amamantaban en los prados hasta que de pronto, como si un rayo invisible los hubiera golpeado, se soltaban con su rebuzno de bocina y silbato y, trastabillándose, se ponían a dar vueltas alrededor de la madre. Con la imaginación más rápida que las piernas, se despatarraban, rodaban, se empinaban y soltaban coces, cayendo redondos y levantándose sin vergüenza para volver a correr en círculos, quizá recordando su relación con lejanos antepasados cuya estirpe había dado lugar a los sementales árabes. Y tras un par de frívolas carreras, de repente se paraban y regresaban a la leche de sus madres, alimentándose para la próxima carrera imaginaria por las arenas de grandes dunas olvidadas.

Aquellas piruetas entretenían a Miren durante horas, y siempre quería ser ella quien se encargara de los burros. Una vez le preguntó a su padre si podría tener un potro para que durmiera con ella, en su cama. El padre no rechazó la idea porque el animal necesitara estar con su madre y le asustara esa situación. Conociendo el carácter enérgico de su hija, le tomó el pelo diciéndole que no dejaría dormir al potrillo con sus atenciones... y todo el mundo sabe que un burrillo, un *astokilo,* necesita descansar. Para Miren eso era sensato, y con su natural preocupación por el bienestar del potro, concedió que no sería juicioso.

La única parte realmente desagradable de compartir la casa con animales domésticos llegaba en los meses más fríos, cuando su padre sacrificaba los pollos en el primer piso en lugar de hacerlo fuera desafiando el tiempo inclemente. La decapitación era ruidosa y los pollos morían sin dignidad. Había sangre por doquier.

Había un muchacho que vivía al lado y que a veces ayudaba a su padre al que le encantaba recoger los pies de pollo amputados, agarrarlos por el tendón a la vista y perseguir a la pequeña Miren como un loco. Ésta sabía que se trataba tan sólo de pies cercenados de pollo, pero seguía saliendo al frío para escapar. Esas noches se despertaba atosigada por sueños de garras que la cogían. Se daba la vuelta, oía el confortador sonido de una vaca meando de manera infinita y regresaba suavemente al sueño.

* * *

Picasso divisó a la joven delante de un escaparate en las Galerías Lafayette del Boulevard Haussmann y deambuló por delante de los grandes almacenes hasta que salió la atractiva compradora de pelo claro. Se dirigió apresuradamente hacia ella antes de que pudiera cruzar la calle.

—*Mademoiselle,* tiene usted una cara interesante. Me gustaría pintar su retrato —le propuso. Era una invitación que casi nunca fallaba—. Tengo la sensación de que haremos grandes cosas juntos.

Ella examinó a aquel hombre de alborotado flequillo de pelo ralo y ojos oscuros, que no se había molestado en presentarse antes de prometerle una relación futura y productiva. Él percibió su renuencia inicial y, como si eso lo explicara todo, añadió:

—... Soy Picasso.

Marie-Thérèse Walter era rubia, tenía diecisiete años y consintió en posar para el artista. Para celebrar su llegada a la mayoría de edad al año siguiente, consumaron su relación. Marie-Thérèse se convirtió en el rostro de muchos cuadros y su carácter amable y plácido quedó plasmado en numerosas obras. En su cuadro más famoso aparecería con el rostro afligido.

* * *

Dodo Navarro denominaba a su juego «El Circuito». A Miguel no le interesaba esa competición, pero era difícil rechazar el reto de un hermano mayor. Y en última instancia le proporcionó una primera victoria, una sensación de pez en el agua, y un conocimiento del puerto de Lekeitio que un día le haría conservar la libertad.

Cuando Dodo y Miguel eran adolescentes, el Circuito no era más que dar vueltas por el puerto. Cruzaban la boca del puerto, subían los peldaños del rompeolas, de poca altura, y corrían a través del peligroso guantelete de anzuelos voladores que arrojaban quienes pescaban en el puerto. Mientras Dodo se metía con Miguel a cada zancada, corrían a través de las familias que hacían vida social en la plaza de la Independencia, se lanzaban a toda velocidad por el trecho que estaba en lo alto del muelle, doblaban las cajas de redes y los carros de pescado que quedaban en la esquina norte, cerca de las fábricas de conservas, y hacían un último *sprint* bajando por la parte más alta del rompeolas. El primero en completar el circuito y zambullirse en el agua ganaba.

Dodo, más fuerte y maduro, dominaba al principio las carreras. Miguel le acusaba de hacer trampas, pues Dodo a menudo alteraba el trayecto o se saltaba algún tramo.

—Las únicas reglas son hacer lo que haga falta para ganar, hermano —respondía Dodo.

Pero cuando Dodo saltó por encima de un cochecito de niño en la plaza para sacar ventaja y aquella tarde, en el muelle, una agitada *amama* le soltó un sermón a su padre, Dodo tuvo que disculparse. Rápidamente se inventó una nueva carrera. La ruta siguiente no fue más que una carrera nadando hasta la isla de San Nicolás, que se alzaba delante de la salida del puerto como una ballena jorobada inmóvil en mitad del hueco.

—Sólo tengo una pregunta —dijo Miguel—. ¿Por qué tienes que elegir tú?

—Porque soy el mayor. Yo he de tomar las decisiones. Así es como funciona. Si quieres correr con tus hermanas, tú eliges la ruta.

—Ni siquiera quiero correr contra ti —admitió Miguel.

La isla de San Nicolás, que recibía el nombre del patrón de los marineros, estaba recubierta de esbeltos pinos y algas enmarañadas arrojadas por el viento. Desde la boca del puerto, la isla era un trayecto de casi un cuarto de milla a nado y estaba protegida por una viva marea y la espuma blanca y ondulada.

La isla, en conspiración con la marea, poseía un secreto que parecía casi mágico. Como la marea subía y bajaba al menos tres metros y medio casi todo el año, la isla tenía dos personalidades. Exceptuando dos épocas del año, San Nicolás estaba tan protegida como cualquier isla costera. Podía visitarse en barco o a nado si uno estaba fuerte, pero su perímetro rocoso desalentaba incluso esas incursiones. Con la marea baja, sin embargo, el mar se retiraba para revelar un sendero umbilical que serpenteaba desde la playa de Isuntza hasta la punta más meridional de la isla. Durante poco más de una hora, dos veces al día, se podía acceder a la isla mediante un sendero resbaladizo de granito que parecía una invitación a explorar un lugar por lo demás protegido y prohibido. Si esa hora coincidía con un ocaso de verano en el que el sol se ocultaba sangrando al otro lado de las colinas que quedaban detrás del pueblo, mientras la brisa perfumada por el mar hacía susurrar la hierba, una atmósfera romántica inundaba a las parejas jóvenes que se aventuraban a ir a la isla en busca de intimidad.

Mientras la isla los seducía a quedarse y a conocerse mejor, el mar hacía de intolerante carabina. Si la pareja se abandonaba en exceso a sus devaneos, el sendero volvía a sumergirse y tenían la opción de nadar hasta la orilla o pasar allí una fría noche, rodeados del mar implacable, sin ninguna excusa que presentar a los padres, aparte de la evidente.

Incluso al principio de su adolescencia, Miguel era tan alto como Dodo y más delgado, con unos músculos fibrosos que accionaban las prolongadas palancas de sus brazos y piernas. Miguel llegaba a la isla y emprendía el camino de vuelta antes de que Dodo hubiera tocado las rocas de la isla. Cuando Dodo por fin llegaba junto a su hermano en el rompeolas, por lo general congratulaba a Miguel volviéndolo a tirar al agua de un empujón, un gesto que Miguel consideraba absurdo, pues ya había demostrado que sabía nadar, y, de hecho, mucho mejor que su hermano.

En una ocasión Dodo intentó sacar ventaja nadando a la isla y regresando a la carrera por el camino que quedaba al descubierto hasta la playa, pero resbaló en la superficie musgosa y acabó de nuevo en el agua, y por pocos centímetros su cabeza no dio contra el cemento. Había estado seguro de que la treta funcionaría y había programado la carrera para que coincidiera exactamente con la marea más baja, cuyo horario estaba grabado en la mente de cualquier hijo de pescador.

* * *

A Miren le preocupaba la opinión de Dios. Por mucho que adorara bailar, hacerlo en un convento, delante de las hermanas enclaustradas, parecía un riesgo injustificado. La inquietaba que pudiera quedar como un demérito cuando tuviera que rendir cuentas al cielo.

—¿Estás segura de que quieren que bailemos en el convento? —le preguntó Miren a su madre por tercera vez aquella mañana.

—La hermana Teresa nos ha invitado —le contestó Mariángeles Ansotegui—. No nos lo habría pedido si estuviera prohibido.

Teresa, la prima de Mariángeles, era una hermana ya veterana en el convento de Santa Clara, situado detrás de la Casa de Juntas, el edificio del parlamento, y del roble de Gernika, en la colina que se encontraba tras el mercado. Entre sus mejores recuerdos del mundo laico estaba el ver bailar a su prima. Teresa había bailado con ella en grupos, y aunque sabía los pasos y conocía el ritmo, nunca era capaz de seguir a Mariángeles, que parecía formar parte de la música. Su talento no se había desvanecido con el tiempo y era un don que había pasado a su hija Miren.

La hermana Teresa opinaba que presenciar bailes folclóricos durante una tarde sería una diversión aceptable para el ritual monástico del convento. Además, hacía meses que no veía a Miren, que ahora tenía catorce años.

—¿Es que no puedes bailar sola? —le insistió Miren a su madre mientras se acercaban a la verja del convento.

—No seas tonta. ¿Es que crees que Dios no puede verte bailar en cualquier parte? Casi no hay un momento del día en que no bailes. ¿Cuándo no bailas? ¿Cuando duermes?

—No, bailo en sueños. En sueños bailo mejor.

—Bueno, si a Dios no le ha importado hasta ahora, entonces no creo que a las hermanas les moleste.

Se vistieron con el traje tradicional: chaleco de terciopelo negro y mandiles de satén sobre una blusa blanca de manga larga; falda de satén escarlata con franjas negras horizontales en el dobladillo. Llevaban el pelo echado hacia atrás y sujeto por un pañuelo blanco. Las cintas de sus zapatillas de campesina se enroscaban por sus medias blancas hasta el extremo de las pantorrillas y se anudaban bajo las rodillas, acentuando su delgadez.

La hermana Teresa las guió por el patio exterior hasta una antecámara vacía del edificio principal. Siguiendo el muro interior, una puerta doble con rejas dejaba pasar la luz hacia el comedor de las hermanas. A través de la verja de hierro forjado en arabesco, Miren pudo ver las figuras borrosas y oscuras... un grupo de sombras mudas y ominosas, inmóviles como estalagmitas. Miren había bailado en las fiestas delante de todo el pueblo; había bailado sin angustia alguna delante de borrachos y desconocidos, y en medio de las fijas miradas de los jóvenes. Pero temía que hacer girar las faldas para las Esposas de Jesús era otro cantar.

Cuando María Luisa, una de las hermanas de Mariángeles que la acompañaban al acordeón, sacó las primeras notas de los fuelles, Miren dejó de pensar en el público y en las consecuencias. Si algún día san Pedro le pedía explicaciones, le bailaría una jota y le dejaría que él mismo juzgara.

Madre e hija giraban en órbitas simétricas, cobraban velocidad, daban la triple patada y giraban, daban la patada lateral y giraban, con los brazos levantados y chasqueando los dedos. A cada giro las faldas se levantaban, y sólo volvían a bajar cuando se paraban y cambiaban el sentido del giro, creando remolinos de satén rojo.

Entre baile y baile, Miren observaba a una chica, quizá de su misma edad, que había entrado en la sala por una puerta lateral del fondo. Vestida con camisa de trabajador y falda de campesina, con un delantal lleno de lamparones, la chica comenzó a moverse cuando se reanudó la música. No giraba, ni daba patadas, ni chasqueaba los dedos, sino que se meneaba en un ritmo sensual. No era monja ni novicia, y Miren tampoco la había visto en la escuela ni en el pueblo.

Después de varias danzas, la hermana Teresa le hizo seña a María Luisa de que una más era suficiente. Por primera vez, Miren se concentró en las figuras que había detrás del arco con rejas. Cuando sus giros las dejaban dentro de su campo de visión, Miren detectaba movimiento detrás de la reja. Las hermanas ya no eran sombras negras y ominosas, sino destellos de movimiento, los brazos levantados, bailando. La hermana Teresa no le había hablado de eso. Sí, eran monjas, totalmente devotas y dispuestas a renunciar al placer y acatar una vida de privaciones. Pero también eran vascas, y cuando se tocaba una jota en un acordeón, se veían obligadas a girar ataviadas con sus hábitos, el griñón tembloroso, chasqueando los dedos.

Con esa imagen, Miren se sintió absuelta; no estaba ofendiendo a las hermanas, estaba actuando delante de otras bailarinas. Le dijo a su madre que estaría encantada de volver a bailar en el convento siempre que se lo pidieran. Miren se sintió especialmente impaciente por volver a actuar, y decidida a saber más de la curiosa muchacha que bailaba siguiendo su propio ritmo en un rincón del cuarto.

* * *

El pez atacó mientras Miguel dormía. Caballas gigantes abrían sus fauces y lanzaban chorros de cieno cáustico y fétido. Fantasmas de criaturas marinas sacrificadas lo visitaban con formas exageradas y distorsionadas. Pulpos provistos de docenas de tentáculos adhesivos lo agarraban y lo envolvían con sus enormes cabezas blandas, y cuando se despertaba se encontraba atenazado por sus propias mantas, la cabeza enterrada en el almohadón.

Nunca se lo dijo a su familia, pero a Miguel Navarro le repugnaba el pescado, vivo o espectral.

Después de esos ataques le era imposible volver a dormirse, sabedor siempre de que al poco rato tendría que salir de la cama y enfrentarse a una realidad que era sólo un poco menos grotesca que sus pesadillas. Más que el olor que subía de la bodega, donde cientos de peces se deslizaban en su propio cieno, lo que le desasosegaba eran las aguas onduladas desde el momento en que el *Egun On* pasaba junto a la isla de San Nicolás, a pocos minutos del malecón del puerto de Lekeitio.

Cuando había mala mar y el barco llegaba a lo alto de una ola, Miguel se quedaba flotando en un instante de ingravidez antes de verse impulsado de nuevo al suelo con una fuerza que le doblaba las rodillas en el momento en que el barco caía al seno de la ola. Casi todos los marineros aprendían a absorber el movimiento con las piernas, como los que montan a caballo. Y después de regresar a tierra, durante varias horas parecían caminar con un ligero meneo que compensaba el movimiento del que carecía la tierra. Eso no le ocurría a Miguel, sin embargo, y en la primera media hora en que estaba en el barco se paseaba por el espejo de popa y se inclinaba una y otra vez, como el mango de una bomba, para echar el desayuno a las turbulentas aguas del golfo de Vizcaya.

—No mires las olas ni la cubierta —le había dicho su padre—. Mantén los ojos en el horizonte.

Pero el horizonte bailaba y se inclinaba sobre los balancines.

—Reza a san Erasmo —decía Dodo, tras intentar ayudar a su hermano preguntándole al sacerdote el nombre del patrón de los que tenían el estómago revuelto.

—San Erasmo, por favor, ayúdame —comenzaba a menudo Miguel, pero a veces tenía que irse corriendo al espejo de popa antes de poder acabar la breve oración. El único alivio de Miguel procedía de los caramelos de limón que su padre le daba, que no le impedían vomitar pero le daban a la bilis un sabor más soportable mientras salía disparada hacia el mar.

A Miguel todo eso le parecía de una angustiosa monotonía. Cuando miraba las manos de su padre, con los surcos de quemaduras blancas causadas por los sedales y las redes y las cicatrices rojas de cuando se le había resbalado el cuchillo, y las zonas resecas que, como percebes, tenía en la piel a causa de los vientos salobres, dudaba que ningún rasgo físico revelara más acerca del oficio de una persona que las manos de un pescador.

Que todo aquello le perturbara hacía que Miguel se sintiera como un traidor a su apellido y a su raza.

—Los vascos no se marean —decía Dodo—. Igual que los españoles no son valientes ni los portugueses inteligentes. Son cosas que no pasan.

Miguel estaba orgulloso de la historia marinera de la familia; la dedicación diaria de su padre, la capacidad de Dodo de trabajar sin cansarse, sin congelarse, sin vomitar, continuamente cantando y contando chistes y gastando bromas a todos los del barco.

Incluso la relación de su madre con el negocio lo inspiraba. Todos los días, a las dos de la mañana, el hombre del tiempo del pueblo escrutaba el horizonte oscuro y oliscaba los vientos para decidir si el mar estaría lo bastante calmado como para mandar a la flota a faenar sin peligro. A veces se reunía un pequeño comité de jubilados para dar su opinión. No tenían mucho más en qué basar sus opiniones que la época del año, las nubes y el valor meteorológico que pudiera tener chuparse un dedo y sostenerlo pensativamente en el aire. Cuando se llegaba a un consenso, se transmitía a los que iban a llamar a la tripulación, quienes se dirigían hacia la húmeda oscuridad de sus residencias y les salmodiaban:

—¡En nombre de Dios, levántate!

La madre de Miguel, Estrella Navarro, era una de ellos. Su poderosa voz rebotaba por las fachadas de las casas y las aceras de unas calles tan estrechas que sólo se podía andar de tres en tres. Su «llamada de despertar» la cantaba en un agradable vibrato que daba ganas de levantarse. A menudo, de todos modos, Miguel ya estaba despierto antes de la llamada, desenmarañándose del pulpo de su cama.

Apenas era un secreto que Miguel no estaba destinado a ser un futuro capitán de barco. Una mañana, las contracciones de su estómago fueron tan fuertes que no consiguió llegar a tiempo a la borda. Vomitar sobre la cubierta de su padre sería una imperdonable profanación. Miguel no tuvo más opción que sacarse la *txapela* de la cabeza y echarlo dentro. Cruzó la cubierta y arrojó el sombrero hinchado por la borda. Se alejó flotando como una amenazante medusa negra. Pasaría mucho tiempo antes de que volviera a llevar *txapela*.

* * *

José Antonio Aguirre le confesó unos cuantos pecados vulgares al padre Xabier Ansotegui, un joven sacerdote de la basílica de Begoña de Bilbao. Pero antes de que el sacerdote pudiera imponerle las avemarías, Aguirre comenzó a hablarle de la inestabilidad política de España.

—Los esbirros de Primo de Rivera en la Guardia Civil gozan de demasiada libertad —dijo—. En algunas zonas son ellos quienes se encargan del orden en lugar de la fuerza nacional de policía, y llevan décadas odiándonos y acosándonos. Y a este ritmo nunca habrá derechos para los obreros, ni para las mujeres, ni, desde luego, para los vascos. Dios te asista si eres una obrera vasca.

—Creo que yo soy aquí quien pronuncia los sermones —dijo Xabier, mirando por la celosía—. ¿Quién es usted?

Aguirre se presentó y el padre Xabier reconoció el nombre. Aguirre, un antiguo astro del fútbol nacido en una familia de fabricantes de chocolate de Bilbao, era alcalde de la vecina Getxo, y se rumoreaba que era el principal candidato a presidente si los vascos lograban alguna vez la independencia.

—Lo siento, me he dejado llevar —contestó Aguirre.

Xabier reconoció que ése era también uno de sus defectos.

Cuando Aguirre se enteró de que el sacerdote era de Gernika, emprendió un discurso digno de pronunciarse en campaña electoral.

—Hace más de cuatro siglos, los vascos celebraron su consejo bajo el árbol de Gernika —comenzó a un volumen demasiado alto para un confesionario—. Declararon que todos los vascos eran iguales ante la ley sin excepción. Y que cualquier ley, ya fuera dictada por un rey o una corte, debía ser desacatada si iba en contra de la libertad...

—Sí, lo sé —le interrumpió el sacerdote—. ¿Tiene algún otro pecado que debamos discutir?

No tenía más pecados, pero durante media hora comentaron los problemas laborales, las cuestiones sociales, los mandatos de la Iglesia, la graduación alcohólica del vino de misa, los mejores lugares para comer a ambos lados del Nervión, y hablaron de poesía. Aguirre era amigo del poeta y periodista local Lauaxeta; el padre Xabier admiraba al poeta y dramaturgo andaluz García Lorca. A través de la celosía, Aguirre citó a Lauaxeta de memoria, y el padre Xabier le soltó un verso de Lorca en el que el poeta quiere «comprender el alfabeto Morse que habla al corazón desde su corazón».

—Sí, pero no es vasco, por lo que desgraciadamente es inferior —dijo Aguirre.

—Pareces mi hermano. —Eso les llevó a hablar de Justo, de los caseríos, del fenómeno de los hermanos mayores y la influencia que tiene el lugar que ocupas entre los hermanos.

Cuando Aguirre se marchó, tras haber cumplido su penitencia, la anciana que esperaba para entrar en el confesionario negó desdeñosa con la cabeza. ¿Qué pecados habría cometido ese hombre para estar ahí tanto rato?

* * *

A Miguel le encantaba el ritual de ser pescador aun cuando apenas tolerara la práctica. Incluso disfrutaba de levantarse antes del alba e ir andando a la misa de Santa María de la Asunción por los resbaladizos adoquines, con el rocío de la noche que se alzaba del puerto.

Una sensación de paz invadía a Miguel cuando cruzaba la puerta de aquella iglesia que tenía siglos de antigüedad. Los suelos de madera respondían a sus pisadas con un gruñido en el mismo dialecto que hablaban las planchas de cubierta de su barco. La tripulación de los Navarro se reunía en la parte delantera de la iglesia, cerca de una pequeña capilla lateral dominada por un retrato de san Miguel sometiendo a una temible serpiente marina. A su izquierda, el arcángel Rafael sostenía orgulloso un gran pez como trofeo. Los Navarro lo consideraban como un recordatorio diario de su meta, coger peces grandes, y reflejaba su esperanza de que las divinidades controlaran cualquier amenaza que se les pudiera presentar en el mar. La devoción no garantizaba nada, pero antes de marcharse, todas las mañanas, Miguel le hacía una reverencia a san Miguel, se hacía la señal de la cruz en el pecho, se besaba el pulgar y señalaba al cielo.

Todas las mañanas, en el breve trayecto de la plaza hasta el puerto, Dodo se echaba un pedo orgulloso, como si representara una comedia, pero los demás estaban demasiado dormidos para protestar. En la oscuridad, incluso las parlanchinas gaviotas dormían, posadas juntas cerca de la cúspide de la isla de San Nicolás. Pero sin ellas ya había bastante ruido con el gruñido de las jarcias y los neumáticos con sus chillidos de goma cuando los hombres subían a bordo y balanceaban la embarcación.

Desde diversas partes del puerto, en una primitiva comunicación sin palabras, llegaban las toses de los marineros. Años de húmedas mañanas y días en la mar inflamaban sus sistemas respiratorios. Cada tos era distinta y, sin levantar la cabeza de lo que estuviera haciendo en el frío de antes del alba, Miguel reconocía quién estaba a bordo de las diversas embarcaciones por su rúbrica bronquial.

Mientras los hijos de José María Navarro se encargaban del trabajo físico de la preparación de las redes, él se sentaba en la regala aspirando profundamente su último cigarrillo antes de arrojarlo. Cada aspiración encendía la punta, que lanzaba un resplandor rojo sobre la extensión de su cara. A la luz ámbar se veían sus ojos entrecerrados de placer y contrastaba con las arrugas que le salían de las comisuras de los ojos, como estelas de diminutos botes, profundamente labradas después de años mirando al sol que rebotaba en el agua.

Mientras soltaban amarras, Miguel ya oía el llanto de las olas. Y pasado el rompeolas las veía alzarse, rizarse y morir blancas contra las rocas costeras de la isla. El *Egun On* salía del puerto dejando una estela que se extendía y desvanecía mientras se dirigían al mar aún oscuro. En ese momento, una oleada de temor comenzaba a hincharse en el estrecho desfiladero de la garganta de Miguel.

Cuando Miren Ansotegui preguntó por la chica del convento, la hermana Teresa le relató la historia de la ceguera de Alaia Aldecoa y de cómo sus padres la habían abandonado. Y lo hizo con un motivo.

—Es muy independiente —dijo la hermana Teresa—. Tiene tantas preguntas que le da miedo formulárnoslas. Tenemos la esperanza de encontrar a alguien que se la lleve para ver cómo le iría en la ciudad. Nos sentimos felices de tenerla, y puede quedarse siempre que quiera, pero creemos que preferiría vivir fuera de estos muros.

De manera intencionada, las hermanas no adoctrinaban a Alaia acerca de su tipo de vida. Si ella sentía la vocación, pues bien, pero no la animarían. Estaba allí secuestrada por la negligencia de los demás, no por voluntad propia. Ellas habían renunciado al mundo; a ella se le había negado. Le enseñaron a fabricar jabón como futura profesión, y le enseñaron a valerse muy bien por sí misma. Tras haber sido criada dentro de un recinto sencillo y cerrado, Alaia no necesitaba otra guía que un bastón. Con esa experiencia dentro de un entorno cerrado, desarrolló un instinto para localizar obstáculos y peligros que le sería útil fuera del convento.

—¿Les importaría que la llevara al pueblo? —preguntó Miren.

La hermana Teresa había estado esperando esa oferta sin querer imponérsela.

Lo que Alaia descubrió en los primeros momentos fue que Miren Ansotegui era un reto mayor que los espacios abiertos y desconocidos. Fuera de los muros, Alaia hablaba con la misma deliberada lentitud que caminaba. Miren era lo opuesto, brincaba, daba vueltas, gesticulaba y planteaba opciones a una tremenda velocidad.

—Primero iremos al mercado y compraremos fruta —anunció Miren—. Ahora las manzanas están estupendas.

—Eso me... —dijo Alaia.

—Y luego iremos a visitar a algunas amigas, para que las conozcas. Y luego nos pararemos en el café a almorzar. Y luego podemos ir a la plaza.

—... encantaría —continuó Alaia.

—Quizá pueda encontrar a alguien con un acordeón y te enseñe algunos bailes.

Alaia se apartó de Miren, como si la distancia la protegiera de la avalancha de palabras. En el convento se pasaba meses sin tener que afrontar tanta conversación, y nunca había tenido que elegir entre tantas posibilidades. Sí, era emocionante, pero, por favor, ya era suficiente.

El que Alaia se apartara hizo que Miren hablara más fuerte.

—Y luego iremos a cenar a mi casa —añadió Miren—. Y conocerás a mi familia. Y puedes dormir en mi habitación.

—Miren... —la interrumpió Alaia—. No estoy sorda.

* * *

Gernika abrazó a Alaia Aldecoa. No la perjudicó ir a remolque de Miren Ansotegui, la grácil bailarina que era también la hija del conocido forzudo del pueblo y de la muy admirada Mariángeles Oñati. La curiosidad que les provocaba la ceguera de Alaia dio paso a la admiración cuando vieron cómo se abría a los demás, cómo se adaptaba y cómo compensaba su discapacidad. Parecía no tener miedo, ir por ahí como si nada. Cuando las dos chicas salían de una tienda o un café, los que estaban dentro a menudo se sometían a la prueba de la ceguera; cerraban los ojos e intentaban dar unos pasos hasta que se daban con el dedo o la pierna contra los muebles, o cedían a la tentación de entreabrir los ojos. Qué pena, decían, y en una chica tan guapa. ¿No asomaban ya las protuberancias femeninas dentro de ese vestido de tela de saco con una cuerda a la cintura?

Miren calificaba a Alaia como «la persona más extraordinaria de Gernika» y alardeaba de amiga como si fuera una posesión suya. Alaia, en lugar de sentirse ofendida porque la trataran como a una mascota, disfrutaba de abrirse al mundo, y no pasó mucho tiempo antes de que fuera capaz de ir por el mercado y diversos lugares sin tener que agarrarse del brazo de Miren, utilizando sólo el bastón que le habían tallado las hermanas. Cuando éstas se enteraron del éxito de sus salidas, se sintieron como si hubieran alimentado a un animal huérfano, le hubieran hecho recuperar la salud y estuvieran a punto de devolverlo a su hábitat.

En sus primeras salidas, Alaia descubrió que Miren era tan frenética como contenidas eran las hermanas, y que su hiperactividad estaba tan lejos de su propio ritmo como las meditaciones y oraciones de las hermanas. Había pasado de la compañía de corderos soñolientos a ser guiada por un cachorro juguetón. Miren, tras percibir que Alaia a veces se retraía, comprendió que su amiga necesitaba que aflojara el paso y hablara más bajo, y sus paseos se hicieron más relajados. No obstante, Alaia intuía que el espíritu de Miren vibraba en un tono que casi podía oírse de lejos, igual que las vísperas de las hermanas.

* * *

Ni una fracción de segundo separó el devoto «amén» de Justo Ansotegui de antes de comer del comienzo de su detallada biografía personal, que le relataba a la nueva amiga de su hija.

—Deja que te explique una cosa, muchacha —dijo mientras comenzaba a cortar la hogaza de pan.

Mariángeles y Miren rezongaron a coro.

—Todos saben que soy el hombre más fuerte de Gernika, y sospecho que casi todas las mujeres coincidirían en que también soy el más apuesto del País Vasco.

—¡Papá!

—¡Justo!

—Un momento, señoras. Esta muchacha bien tiene que comprender la importancia del momento —alegó—. Pero debe prometer no informar a las hermanas de mi atractivo, o por la mañana el convento estará vacío y Errotabarri estará lleno de mujeres ataviadas de hábito negro venidas a glorificar mi forma masculina.

—¡Justo, eso es un sacrilegio!

—¡Papá, eso es muy desagradable!

—Alaia, no le prestes atención a este hombre —dijo Mariángeles mientras ponía otro plato de verduras en la mesa—. Si es el más «algo» del país, es el más presuntuoso.

—Ven aquí, mujer, déjame oler esas manos —le pidió Justo a Mariángeles.

Justo enterró la cara en las palmas de su mujer y aspiró, alejándolas enseguida como si se hubiera embriagado.

—Me encanta el olor de una mujer que acaba de cortar perejil —declaró. Alaia identificaba cada uno de los olores que llegaban de los platos que Mariángeles ponía en la mesa. Intentaba memorizar los olores del cordero con salsa de menta, el pan untado de mantequilla casera, las judías, las patatas con pimentón, los espárragos y los pimientos empapados en aceite de oliva y ajo. Y, para postre, devoró el flan que varias veces se le escapó de la cuchara antes de poder localizarlo.

A Mariángeles le encantaba lo mucho que Alaia disfrutaba comiendo. Era una de las cosas que siempre le atrajo de Justo. Incluso sus eructos parecían un cumplido.

—Alaia, encanto, puedes venir a cenar cuando quieras —dijo Mariángeles.

—Sí, tienes que volver —añadió Justo, eliminando concienzudamente los restos de comida de su bigote—. Tengo muchas proezas de fuerza que contarte.

—¡Papá!

—¡Justo!

Alaia no se sintió ofendida. De hecho, fue esa cena lo que más la convenció de que debía abandonar el convento. Ese cordero. Esa salsa de menta. Esas verduras. Mantequilla. Más mantequilla, por favor. Y ese flan. Dios mío, qué flan. ¿Conocían el flan las hermanas? ¿Cómo podía alguien renunciar al flan?

Cuando Miren se levantó para conducir a Alaia a su habitación, Justo se puso en pie y las abrazó a las dos, una en cada uno de sus poderosos brazos. Las apretó contra sí, cerró las manos a su espalda y las meció rítmicamente. Miren se retorció como haría cualquier hija, pero Alaia le devolvió el abrazo.

—Nos sentiremos muy decepcionados si no vienes a menudo a compartir nuestra comida y nuestra amistad —dijo Justo, besando a Alaia en la coronilla—. Mi pequeña necesita la compañía de alguien que no sea su presuntuoso padre y sus vacas y burrillos.

* * *

—Alaia, te presento a mi queridísima amiga, Floradora —dijo Miren, poniendo en las manos de Alaia la muñeca de trapo que compartía su cama desde que era pequeña—. Tiene un reluciente pelo rubio [hilo marrón], un esbelto cuello [delgado de tanto abrazarlo por la noche], un cuerpo bien formado [trapos dentro de un calcetín], una piel preciosa [lana raída de tanto acariciarla], una hermosa sonrisa [pintura roja] y unos bonitos ojos oscuros [abalorios negros].

Alaia tocó los abalorios.

Se colocaron en la cama, una en cada punta. Miren con la cabeza apoyada en el cabezal y Alaia en ángulo, con un almohadón contra el pie. Un brasero pequeño lleno de brasas traídas de la chimenea de la cocina calentaba la habitación y emitía una fina columna de incienso que perfilaba las vigas. Miren quería saber cosas de la ceguera y Alaia de lo que era ver. Miren, sensaciones; Alaia, visiones. Miren, sonido; Alaia, colores. Miren, la soledad del huérfano; Alaia, el consuelo de las cosas familiares.

Miren: ¿Qué es lo peor de ser ciego?

Alaia: Tener que explicarle a la gente lo que es.

Miren: ¿Tienes mejor oído que los demás?

Alaia: ¿Qué?

Miren: ¿Tienes mejor... mmm, olfato?

Alaia (inclinándose hacia los pies de Miren): Sí, y tus pies huelen fatal.

Miren: ¿No ves ninguna luz?

Alaia: No, sólo algunas sombras.

Miren: ¿Ves todo el día oscuro?

Alaia: La verdad es que no distingo la oscuridad de la luz.

Miren: ¿Te molesta no poder ver?

Alaia: Molestar no. Me alegra poder hacer otras cosas.

Miren: ¿Cómo perdiste la vista?

Alaia: Las hermanas me dijeron que nací antes de hora, y que probablemente ésa sea la razón. Todavía no estaba desarrollada. Mis ojos no son la única parte que no funciona. Tampoco tengo las visitas mensuales de las que me hablaron las hermanas.

Miren: Tienes suerte.

Alaia: Las hermanas me han dicho que eso significa que no puedo tener hijos.

Miren: Oh, no. Lo siento. Pues yo sí quiero tener, pero me da miedo. Mi *amama* murió después de tener un bebé.

Las dos chicas se quedaron hablando gran parte de la noche. Alaia nunca se atrevía a decirles a las hermanas lo limitada que se sentía en el convento, que para ella era como vivir dentro de una caja. Pero podía compartirlo con Miren. No podía preguntarles a las hermanas cómo era ella físicamente, si era guapa, pero podía preguntárselo a Miren. No podía contarles a las hermanas lo maravilloso que resultaba ir al pueblo y conocer gente, y saber que su ceguera la hacía especial para ellos. Eso podría provocar que comenzaran a plantearse su decisión de renunciar a la calidez de los demás. Sabía que cuando la gente la conocía, ya no la olvidaba. Pero no podía contárselo a las hermanas, pues haría que se sintieran como olvidadas una vez se metían tras esos muros.

Y luego hicieron una guerra de almohadones y mantas.

—Eh, no es justo —dijo Alaia—, tienes que cerrar los ojos.

Y Miren lo hizo, para ser justos.

Aquella guerra fue una relación bien recibida por ambas, una excusa para sentir otro cuerpo como el suyo pero que no era el suyo; para juzgarse en comparación con otra mediante el tacto, el tamaño, el peso, la fuerza; para sentir la suavidad de la piel y el pelo de la otra. Dos chicas no podían tocarse la una a la otra de esa manera si no era disfrazándolo de un juego. Alaia comenzó cogiendo el pie que tenía al lado y sacudiéndolo, y Miren la imitó vacilante una vez quedó claro que luchar así con una ciega no sólo se toleraba, sino que se agradecía.

Mientras se calmaban, Alaia se concentró en la colcha de Miren, palpó las variadas texturas de los cuadros de colores, la lana, el lino, el algodón, el terciopelo, todos juntos mediante nudos de hilo almohadillados. En el convento dormía con sólo una manta de lana.

Cuando ya se dormían, Miren preguntó:

—¿Qué se siente al no tener familia?

Alaia tardó tanto en contestar que Miren supuso que no la había oído. Cuando Miren comenzaba a dormitarse, Alaia respondió en voz baja:

—Nadie te toca.

Por la mañana, cuando Alaia se preparaba para volver al convento, Miren le puso a Floradora entre las manos.

—Ahora es tuya —dijo Miren solemnemente—. Necesitas compañía más que yo.

Alaia abrazó la muñeca y le tocó la cara.

Aquella mañana Miren había quitado los abalorios, dejando sólo unas puntadas horizontales donde habían estado los ojos.

* * *

La camarera tenía cuarenta y pocos años, y aunque su prominencia en la cubierta de proa atraía a los miembros más jóvenes y ligones de las tripulaciones que acudían al Café del Marinero de Lekeitio, la mujer estaba fuera del alcance de los afectos de aquellos muchachos. Inexpertos en los matices románticos, la acribillaban con sugerentes referencias, y se les rechazaba con unas pícaras burlas que formaban parte del juego. Les servía como práctica de cortejar, pues ponían a prueba tácticas que podrían utilizar cuando el objetivo fuera una mujer realmente casadera. Pero aquellos jóvenes estaban más familiarizados con la práctica de arrojar redes que con el uso sutil de los cebos.

—Podría hacerte la camarera más feliz de Lekeitio —decía Dodo.

—¿Cómo? ¿Dejando propina?

Dodo le guiñaba un ojo y fruncía los labios como para un beso.

—Amigo mío, tu olor se parece demasiado al de mi marido —continuaba ella—. Y estás demasiado hambriento. Las mujeres olemos la desesperación... incluso en un pescador.

Se volvía y señalaba la nuca de Miguel.

—Pero tú, el silencioso, romperás muchos corazones cuando te llegue el momento.

Dodo soltaba un fuerte gruñido y le daba un puñetazo a su hermano en el hombro, envidioso del comentario de la camarera.

—Tú —le indicaba la camarera a Dodo— deberías aprender de él.

Miguel se sonrojaba azorado, algo que, sabía, nunca le pasaba a Dodo.

—Sólo bromea para darte celos —decía Miguel.

Eduardo se reía de su cándido hermano.

—Éstas no son aguas para encontrar mujeres, Miguel —racionalizaba Dodo.

Miguel había sido testigo de la breve y triste historia de Eduardo con las muchachas de Lekeitio. Era travieso como un cachorro hasta que comenzaba a echar fuego con sus ideas políticas. Su flexibilidad emocional erosionaba las relaciones rápidamente.

La camarera regresó con un cestillo de pan y puso una mano conciliadora en el hombro de Dodo, el cual, malinterpretando el gesto, como era habitual, le rodeó las caderas con las manos. La camarera le soltó una bofetada tan fuerte que los demás se volvieron. Dodo dejó escapar una sonora carcajada para dar a entender que había sido en broma. Pero había recibido el mensaje.

Rechazado, Dodo pasó a su segundo tema favorito, la política española, y le soltó un sermón a su hermano pequeño acerca de los diversos programas de socialistas, republicanos, fascistas y anarquistas.

Miguel le escuchaba al tiempo que comía, mientras que Dodo utilizaba el tenedor sobre todo para gesticular, especialmente cuando reiteraba la narración de los conflictos que se estaban haciendo cada vez más ponzoñosos en toda España.

—Esto no ha salido en los periódicos, pero me lo contó una tripulación del sur —dijo Dodo entre bocado y bocado—. La Guardia Civil disparó contra una multitud de campesinos que se manifestaban en Extremadura. Mataron a un hombre e hirieron a dos mujeres, y el resto de la gente rodeó a los guardias civiles y los mató con piedras y cuchillos. ¿Te lo imaginas?

No, Miguel no se había enterado de eso, y se preguntaba si podía ser cierto. Dodo era capaz de contar cualquier cosa para apoyar sus argumentos.

—Volvió a ocurrir en una protesta, una protesta pacífica, en Arnedo —prosiguió Dodo—. Los guardias civiles mataron a cuatro mujeres y un bebé e hirieron a treinta personas que sólo estaban allí mirando.

—¿Y por qué no nos hemos enterado? —preguntó Miguel.

—Porque no quieren que te enteres, por eso. La gente tiene miedo de hablar. Tiene miedo de lo que les pueda suceder. Y por eso tenemos que estar preparados.

La camarera, de pie detrás de Dodo, escuchaba sus historias. Negó lentamente con la cabeza y le dijo a Miguel:

—No le escuches, cariño, no se enfadará tanto cuando encuentre una chica.

* * *

Si los ciudadanos de Gernika hubieran tenido que votar a la persona más popular del pueblo, Miren Ansotegui no habría tenido rival. Sólo tenía dieciséis años, pero parecía animar a la gente a compartir su juventud más que a envidiarla. Les recordaba cómo era la vida antes de parecer tan complicada.

Era algo más que su manera de caminar como si flotara por las calles del pueblo, tan esbelta y con tanto desparpajo, su trenza negra como un péndulo que le iba de una cadera a otra a cada paso. Más atractiva era aún su habilidad para desarmar a la gente, para ganárselos, como si los iniciara en el club de los que siempre tienen buenas intenciones.

Su única arma era la bondad. Mientras esparcía cálidos saludos a todo aquel que pasaba, era asombroso cómo conseguía preguntar a cada uno por la parte de su vida de la que más orgulloso se sentía. Siempre abría la puerta a ese lugar que cada uno desea visitar. Y entonces escuchaba.

—¿Le quedan pimientos de esos tan buenos, señora Aldape? —le preguntaba a la anciana verdulera—. La última vez que le compré no podía parar de comer. Los mejores pimientos que he probado.

O se acercaba a la tienda de ropa de Arana y decía:

—Señora Arana, vi a su nieta el otro día en el mercado y debe de ser el bebé más precioso que he visto. ¿Ya anda?

—Daba pie a que los demás alardearan sin caer en la inmodestia. Era ella quien había preguntado, caramba, y sería grosero contradecirla o no contestarle. Mientras Miren se iba encontrando con uno y con otro, su sendero de amables preguntas dejaba una estela de buena voluntad. Sus conocidos se sentían mejor después de que ella se hubiera ido, e impacientes por volver a verla. Después de todo, ella querría saber muchas más cosas de ellos.

Podía mencionar los pormenores de cualquiera con quien se mostrara caritativa en ese momento. Si Miren Ansotegui iba a estar presente, sería divertido, y quedaba garantizado que muchos otros se verían seducidos por sus planes, y el hecho de que éstos participaran les permitiría relatar su generosidad, al día siguiente, en las tabernas y los cafés, y también, presumían, les colocaría en la lista oficial de Colaboradores de las Causas de Miren.

Cuando la casa de Aitor Arriola ardió hasta los cimientos después de que una brasa de la chimenea volara hasta la pila de astillas, los vecinos contribuyeron a que la familia volviera a levantar cabeza. Pero, debido a las quemaduras que Aitor había sufrido mientras intentaba combatir el incendio, sus intentos de reconstrucción se demorarían hasta después del otoño, cuando comenzara el mal tiempo.

Miren se puso a buscar a todos los hombres solteros de la ciudad, fuera cual fuese su edad, y les prometió un baile especial en la próxima *erromeria* si trabajaban una hora ayudando a los Arriola. Engatusó a una docena de hombres de entre quince y setenta y cinco años. Cuando llegaban con sus herramientas, Miren anotaba ostentosamente sus nombres en una lista, haciéndoles prometer que asistirían al baile del domingo por la noche para ser recompensados. Aunque algunos llegaron tímidamente, todos los que ayudaron a la reconstrucción aparecieron para hacer efectiva la promesa. Los que no bailaban dijeron que sólo habían venido a pasar un rato con ella, aun cuando hacía años que no asistían a la *erromeria*. Y Miren arrastró a la pista de baile a algunos, enseñándoles con paciencia los pasos más elementales del vals.

La señora Arana, conmovida por que Miren fuera de tienda en tienda y de amigo en amigo recabando ayuda, la apodaba *Tximeleta:* «Mariposa». Fue una imagen de la que Miren se despojó durante un baile de finales de verano.

Tenía un grupo de una docena de bailarinas que se habían reunido en una placita que había detrás de un café para ensayar su inminente actuación. Los amigos de las bailarinas estaban sentados en bancos debajo de los plátanos y en algunas mesas situadas bajo el toldo a rayas que cubría el patio trasero del café y les aliviaba del calor de la tarde. Miren había colocado a su amiga Alaia Aldecoa en una silla en el patio y le había pedido un vaso de sidra fresca.

El grupo ensayó una danza en la que las chicas tenían que moverse cada vez a mayor velocidad, haciendo chocar sus aros de bambú cada vez con más fuerza a medida que los pasos se complicaban. Alaia se levantaba a menudo para cimbrear el cuerpo sin moverse del sitio cuando la música sonaba, pero aquella noche parecía estar esquivando a un hombre del café que no paraba de hablarle. Miren no lo conocía, y se acercó a los dos en una pausa.

—¿Hay algún problema, Alaia?

—Sólo le pedía a esta señorita que bailara conmigo —dijo el hombre, volviéndose hacia Alaia.

Miren contempló a Alaia, que parecía incómoda, tras haberse alejado un poco de él.

—Y ella, ¿le ha dicho que no quería bailar?

—Eso ha dicho.

—Es mi amiga, señor, y por si no lo ha notado, es ciega.

—Pues yo no le veo ningún defecto.

Miren reprimió su cólera y sonrió para aliviar la tensión.

—Señor, quizá ha tomado demasiado vino, así que estoy segura de que prefiere marcharse, ¿verdad?

—Mira, chavala, tu amiga ya es lo bastante mayor para cuidarse sola.

La sonrisa falsa de Miren se desvaneció. Entrenada involuntariamente para ello a causa de sus prácticas de baile, Miren golpeó la mesa con su aro, haciendo que el hombre se pusiera en pie.

—¡Eh! —gritó el hombre al tiempo que daba un salto.

Miren retrocedió y volvió a golpear tan rápidamente que el bambú silbó en el aire. Pero no le tocó con el arma decorativa. El bambú impactó en la mesa que tenía delante, luego en la pata de la mesa, acto seguido en el respaldo de la silla y después en el soporte del toldo que quedaba justo detrás de la cabeza del hombre. Golpe tras golpe, con el bambú restallando como fuego de fusil, Miren repitió el circuito de golpes alrededor del hombre mientras éste se arredraba, con la intención de reducir la superficie que ocupaba. Dada la energía del ataque, Miren podría haber despellejado al hombre de haberlo querido tocar.

—Llame a la Guardia Civil —chilló el hombre cuando Miren retrocedió.

—¿Y qué les digo? —preguntó el dueño del café—. ¿Que una chica que pesa cincuenta kilos le ha asustado con el arco con el que baila?

—No me importa lo que les diga. Hay que hacer algo.

—Le haré un favor, amigo, puesto que no es de aquí. Y es decirle esto: su padre es Justo Ansotegui, el hombre más fuerte de Gernika, quien alegremente le arrancaría las entrañas con sus propias manos si se enterara de lo que ha pasado.

El propietario del café le entregó a aquel aturullado sujeto un paño de cocina para que se secara el sudor de la cara. Cuando el tipo dio media vuelta y se marchó, con el paño en la cabeza, el resto de compañeras prorrumpió en *irrintzis* y vítores. Mientras las bailarinas se congregaban en torno a ella y le expresaban su respeto por su valentía, Miren sintió el mareante abandono de la adrenalina después de un conflicto. Le avergonzaba no haber podido encontrar una solución mejor. Debería haber sido más inteligente, se dijo. No le mencionó el incidente a su padre, por temor a que buscara al hombre y lo descuartizara. Pero a la mañana siguiente la mención de su arrebato era la comidilla del pueblo.

Y, si era posible, la comunidad adoró a Miren Ansotegui aún más que antes. Con una diferencia: ya no la llamaban «Mariposa» tanto como antes.

De vez en cuando, José María Navarro le imponía sus consejos a su amigo Josepe Ansotegui. En este caso, con relación a su hijo pequeño, Miguel.

—Cada día se marea más en el barco —le dijo Navarro a Ansotegui una tarde, mientras recorrían el muelle después de atracar.

—Lo sé. Todas las mañanas la tripulación hace apuestas acerca de cuánto tardará en echar las papas. Pero Dodo amenaza a cualquiera que se ría de él.

—Él no abandonará, Josepe. Sé que pensaría que me está decepcionando. Si no encontramos otra cosa para él, seguirá subiendo a la barca y mareándose el resto de su vida. Pero si le obligo a dejar la pesca, nunca me perdonará el insulto.

—He oído que Alegría, el del astillero, busca un aprendiz —dijo Ansotegui—. ¿Crees que Miguel sería más feliz construyendo barcos?

Navarro se rió ante lo evidente de la respuesta.

—Desde luego, aunque, conociéndolo, temería decepcionarme. Y supongo que tampoco quiero que parezca que pretendo librarme de él.

—Menciónale que has oído hablar de ese empleo. Si lo quiere, te lo hará saber. Yo hablaré con Alegría.

Aquella noche, mientras Estrella Navarro quitaba los platos después de la sobremesa, José María le mencionó a su esposa que Alegría buscaba un aprendiz para el astillero.

Miguel lo oyó.

—¿Un aprendiz del astillero tiene que ir embarcado? —preguntó.

—No, nunca, si no quiere. A lo mejor tendría que pasar cierto tiempo a bordo, acabando el trabajo en el puerto.

—Soy su hombre —gritó Miguel al tiempo que se ponía en pie y levantaba los brazos como si le hubieran conmutado una pena de cárcel—. Si te parece bien. Si puedes arreglártelas sin mí. *Patroia,* si te he de decir la verdad, salir a pescar me marea.

Aunque Miguel no había construido nada en su vida, era el hombre para esa labor. Al cabo de un año no sólo era tremendamente competente, sino que había desarrollado una gran afinidad con el proceso. Le encantaban las excursiones a los bosques de las colinas para ir a cortar y serrar los robles, y disfrutaba descubriendo maneras de cortar la madera según le conviniera. Comenzó a añadir sus propios toques, florituras quizá no necesarias para el diseño, pero que le añadían distinción.

Tallaba eses al extremo de las barandillas o las bordas y cogía fragmentos de aliso y fresno para crear incrustaciones decorativas con la rosa de los vientos en la madera cercana al timón. Esos extras se convirtieron en la marca distintiva de su trabajo. Los hombres de los barcos eran muy sobrios, pero teniendo en cuenta las horas que pasaban embarcados, un poquito de clase también era apreciado.

Pronto, algunos capitanes encargaron el trabajo artesanal de Miguel que habían visto en otras barcas. Además, Miguel introdujo su arraigado horario cotidiano en el astillero.

Seguía asistiendo a la misa de los pescadores de las cuatro de la mañana, sentado junto a su padre y su hermano, y sólo se separaba de ellos cuando llegaban al puerto. En lugar de subir a bordo, seguía el muelle hasta el arsenal para comenzar a trabajar en las embarcaciones antes de que llegaran sus colegas. Le recordaba a su padre que construir barcas significaba permanecer en contacto con el oficio de la pesca. Sus manos no eran ajenas al legado familiar.

* * *

Un amigo de Miren le habló de una cabaña que sería perfecta para Alaia, emplazada en la linde del pueblo, en la parte de abajo del *baserri* del viejo Zubiri. El lugar llevaba muchos años sin habitar y era muy sencillo, poco más que una casita de pastor. El tejado estaba agrietado y cubierto de musgo, en una zona de turba, bajo una arboleda de alisos. Al principio costó separar la casa del bosque, pues las ramas estaban tan incrustadas en el tejado que parecía que los árboles pretendían abrazar la casita.

Cuando Miren se acercó a la cabaña, un sendero cubierto de maleza junto al río la condujo directamente a la puerta. Allí, al final del calvero, Alaia sólo tendría que elegir entre dos direcciones: colina arriba o colina abajo. Para subir tendría el prado adyacente, donde Alaia podría recoger hierbas y plantas para sus jabones; colina abajo, con el río a un lado, iría directamente y sin pérdida al pueblo y al mercado.

Miren habló con Zubiri para que permitiera quedarse allí a Alaia sin cobrarle alquiler, sólo a cambio de jabón. Miren señaló que llevaba tiempo deshabitada y que, al ser viudo, y como sus hijos hacía mucho que se habían ido de casa, no necesitaba el espacio. De hecho le sería beneficioso, le prometió Miren, pues repararían y mejorarían su propiedad.

Miren se encargó de limpiar y reparar la cabaña con la ayuda de media docena de hombres del pueblo. Despejaron el camino; los peldaños de entrada, ya combados, se construyeron; colocaron un sólido pasamanos. Mariángeles donó una colcha con un encaje que ella misma había cosido, y Justo utilizó el carro de bueyes para transportar leña para todo el invierno. Amontonó los troncos justo delante de la puerta trasera, en el lado norte de la casa, donde también serviría de aislante contra los vientos que bajaban por aquel terreno irregular.

Mariángeles colocó unos cuantos cacharros de cocina encima de la chimenea y Miren ordenó las ollas, tarros y utensilios de Alaia sobre la mesa de modo que pudiera utilizarlos para fabricar jabón. Durante un día, Miren llevó a Alaia por la casa de una habitación, la acompañó por los campos y bajaron hasta el pueblo varias veces para que se le grabara el paisaje en la memoria. También pasó con Alaia su primera noche en la cabaña, con la esperanza de mitigar la angustia que ella pudiera sentir tras haber dormido casi todas las noches de su vida dentro de los muros del convento. Era un sitio tranquilo, y el arroyo creaba un relajante sonido de fondo. Y, a medida que el fuego calentaba la cabaña, el musgo exhalaba un intenso olor orgánico.

—Nunca habría hecho esto sin ti, Miren —dijo Alaia a la mañana siguiente.

Miren se encogió de hombros.

—Estoy feliz por ti. Vendré a visitarte todos los días.

—Miren...

—Dime.

—Por favor, no vengas todos los días —dijo Alaia—. Nunca me las sabré arreglar sola si siempre cuidas de mí. Sé que lo haces. Somos muy buenas amigas, pero puedo hacerlo sola.

—Pero yo quiero... —comenzó a rebatir Miren, mas el sonido de las palabras «yo quiero» la detuvo—. Tienes razón, pero es que soy así. Tú me dices qué puedo hacer y yo me encargaré de que tú te encargues de todo lo demás. Te irá muy bien. Pero pasaré a echar un vistazo, y nos veremos continuamente en el pueblo. Zubiri está en lo alto de la colina, y Josu Letamendi, un chico de tu edad, vive en el *baserri* que hay al otro lado del riachuelo. Estoy segura de que estarán encantados de venir a echar un vistazo.

* * *

José María Navarro grabó la señal de la cruz en la corteza del pan. Sus hijos, Eduardo y Miguel, y su esposa, Estrella, se santiguaron dibujando bien el gesto. Las dos hijas, Araitz e Irantzu, dejaron la esgrima de tenedores para la seriedad de la bendición. Siguiendo los ejes de la cruz, José María dividió la hogaza redonda en dos mitades y luego en rebanadas gruesas. Sacó el primer trozo, lo dobló y lo colocó al borde de la chimenea.

—Para aplacar los mares tormentosos —dijo, observando un tradicional gesto marinero.

Eduardo aceptó la fuente y colocó una rebanada en su plato, junto a la rodaja de besugo, y se metió otro en el bolsillo de la camisa.

—Por si lo necesito para calmar el estómago tormentoso —anunció—. Tú también deberías coger otro trozo para luego, Miguel.

—La misa es a medianoche —dijo Estrella—. Y os aviso de que no lleguéis en un estado que nos avergüence. Hemos trabajado muy duro para hacernos un nombre, y al menos uno de vosotros no parece darse cuenta de la necesidad de conservarlo.

—*Corpus Christi... Sanguis Christi* —exclamó Dodo con exagerada devoción—. Sólo beberemos para presantificar el acontecimiento.

—*Et spiritus sancti* —añadió Miguel, volviendo a persignarse y levantando la mirada de su burlona oración para ver si su madre se había levantado para darle un tortazo. Le había dado tantas collejas en el lado izquierdo, afirmaba Miguel, que por eso tenía allí un remolino de pelo ingobernable.

—Bueno, si veis al Olentzero por ahí, por favor, mandadlo a nuestra casa con algo dulce —dijo Estrella, refiriéndose al «carbonero de la Navidad» (Josepe Ansotegui), que iba por el pueblo con un cesto y arrojaba dulces a los pequeños.

—¿Y dónde tendrá lugar esta presantificación? —preguntó José María.

—En el bar Guria... Vamos a ensayar las armonías de los himnos de esta noche —dijo Dodo.

—Ojo con lo que dices —le advirtió José María.

No era un consejo contra la profanación, era una advertencia de que vigilara con quién hablaba vasco, algo que podía llevarte a la cárcel según de qué humor estuviera la Guardia Civil.

—*Dominus vobiscum* —replicó Dodo.

* * *

El viento que llegaba del mar revoloteaba por los angostos callejones del barrio de pescadores con un silbido helado. Ciñéndose las chaquetas, Eduardo y Miguel se dirigieron hacia la procesión que acompañaba al Olentzero por debajo de las luces de colores del muelle. Cuatro hombres fortachones levantaron una silla de mimbre sobre los hombros y transportaron al Olentzero de casa en casa. Un grupo de cantantes de villancicos y de niños lo escoltaba de cerca, arrimándose más en busca de calor cuando se paraban para cantar y arrojar dulces.

—Olentzero, esperamos que en esta noche tan fría lleves una bota —le gritó Eduardo a su amigo—. Asustarás a los pequeños si llegas congelado.

—A lo mejor podrías traerme algo más si me quedo corto. Con tantos niños por ver, va a ser una noche larga —replicó el alegre carbonero, al tiempo que bajaba la voz y asentía con la cabeza hacia los que le seguían—. Mira, esta noche tenemos unos ayudantes especiales.

Al extremo de la reunión, merodeaba una pareja de guardias civiles.

—A uno de nuestros cantantes ya le han pedido amablemente que observe la festividad de esta noche entre rejas —dijo el Olentzero.

* * *

El vino alimentaba la furia de Eduardo Navarro. En el bar Guria se hablaba habitualmente de mujeres, y se exageraban las aventuras sexuales. Pero, mientras en dos mesas de mus se proferían enérgicos insultos entre oponentes y entre parejas, y otros cenaban de *pintxos* y se reían mientras tomaban un vino, Dodo parecía bastante ajeno al espíritu navideño de paz y hermandad.

—Esta noche, Iker Anduiza está en la cárcel —protestaba Dodo en voz lo bastante alta como para que sus compañeros de mesa agacharan la cabeza—. A Domingo Laca se lo llevaron la semana pasada porque un vecino lo denunció por enseñar nuestra historia a los niños de la escuela.

Sus amigos Enrique y José Luis Elizalde habían oído perorar a Dodo en numerosas ocasiones en el muelle y en los bares. Hablaban de la Segunda República y de las esperanzas de nuevas libertades, incluso de ser una nación. Pero nadie podía negar que poder expresarlas o no dependía de los caprichos de cualquier demagogo que a base de empujones hubiera alcanzado una posición de influencia.

—A nosotros aún no nos han cogido —predicaba Dodo—. Nos encierran por colgar nuestra bandera. ¿Qué será lo siguiente? ¿Cortarnos las pelotas para que no engendremos más vascos? ¿Será entonces cuando nos rebelemos? Nosotros ya nos gobernábamos cuando ellos les comían los flácidos chorizos a los moros.

—Vale, Dodo, pero no empecemos la guerra esta noche —le instó Miguel.

La idea de echarse atrás ofendió a Dodo.

—¿Por qué no? Sé que a ti también te molesta. ¿Cómo puedes ser tan tolerante?

—Me doy cuenta de que tienes razón —dijo Miguel en voz baja pero firme—. Me doy cuenta de que tienes razón, vale. Pero que tengas razón no implica que quiera ir a la cárcel en este momento. Lo que más nos conviene ahora es seguir adelante hasta que podamos echarlos.

—Te estás escondiendo, hermanito. No te enfrentas a la verdad.

—Dodo, me enfrento a la verdad. No voy a negarla antes de la misa.

Se miraron a los ojos. Miguel advirtió el peligroso fervor de su hermano. Dodo percibió la desconcertante paz interior de Miguel. Asintieron para firmar una tregua silenciosa y Dodo le dio a su hermano una palmada conciliadora en el hombro.

—Vamos a tomar un poco el aire y a echar una meada —dijo Dodo—. A lo mejor encontramos un «picoleto» que necesite que lo rieguen.

*** *

El viento entumecedor que llegaba con las olas no despejó demasiado al tambaleante Dodo, y aún faltaban varias horas para que comenzara la misa en Santa María de la Asunción.

—Cómete el pan que te has traído, Dodo —dijo Miguel—. Así estarás un rato con la boca cerrada.

Pero Dodo no se comió el pan y utilizó la boca para cantar una canción acerca de los pescadores que zarpan temprano para irse muy lejos. Era en vasco. Miguel le echó el brazo por el hombro para acallarlo.

—Sí, Dodo, qué paz hay junto al muelle, y allí hay una barca blanca y hermosa flotando en el agua.

De un callejón cercano al ayuntamiento aparecieron dos guardias civiles con rifles y capa verde. En sus tricornios de charol se reflejaban las luces festivas de los árboles de la plaza. Al instante, Miguel le puso a su hermano una mano en la boca.

—Feliz Navidad —dijo Miguel, con fingida alegría navideña.

Los guardias inflaron el pecho y apretaron la mandíbula. Enrique y José Luis empujaron a los dos hermanos Navarro hacia la calle antes de que Dodo se enfrentara a ellos. Los dos guardias se alejaron desafiantes.

—Deberíais quedaros y aprender la belleza de las canciones vascas —les gritó Dodo—. ¿O preferís escabulliros para ir a tocaros el culo?

Dodo lo dijo en castellano, para asegurarse de que le entendían.

—Dodo, cállate —le ordenó Miguel.

—No, quiero hablar de política con esos... caballeros.

La plaza estaba llena de aquellos que llegaban temprano a misa, o iban a visitar a algún amigo, o se dirigían a la taberna de fiesta. La procesión que rodeaba al Olentzero se había ampliado.

Los dos guardias se volvieron y miraron a Dodo desde varios metros de distancia. Éste se inclinó en dirección a ellos, intentando liberarse de Miguel, arrugó los labios exageradamente y les lanzó un beso. Las risas sonoras de los grupos de la gente del pueblo, protegidos por su superioridad numérica, obligaron a los guardias a dar media vuelta y salvar la cara.

El guardia más bajito dio un paso adelante y empujó el fusil en el pecho de Dodo.

—Ven, García —dijo llamando a su pareja—. Tenemos un subversivo.

Dodo les había dicho tantas veces a sus amigos lo que pensaba de la Guardia Civil que éstos lo podrían haber repetido con él: no tienen inteligencia ni para limpiar pescado, ni dignidad para remover estiércol, y en lugar del imprescindible órgano masculino tienen un fusil.

Se aclaró la garganta antes de iniciar su arenga a los guardias.

—Cállate. Ahora mismo —ordenó el guardia más bajito al tiempo que elevaba el fusil hacia la cara de Dodo—. Contaré hasta tres.

—Ah, es eso. Me preguntaba qué hay que saber hacer para ser guardia civil —le soltó Dodo—. Ya lo sé. Sabe contar hasta tres. A ver cómo lo haces. Uno... dos...

Miguel fue a interponerse entre ambos y el guardia más bajito, intuyendo una amenaza, movió la culata del fusil hasta golpear su mandíbula. Miguel cayó redondo, pero en el momento en que el guardia acabó el gesto, Dodo le arrebató el fusil de las manos y le golpeó igual que él había hecho con Miguel. El guardia más alto levantó el arma hacia Dodo, pero se quedó helado al ver a su compañero cubierto de sangre. Indeciso, prefirió no disparar. Sopló el silbato para que vinieran refuerzos. Detrás, Miguel consiguió ponerse de rodillas y se lanzó contra él, derribándolo al suelo.

De manera instintiva, los dos hermanos echaron a correr y se separaron. Miguel se escabulló entre los edificios y se perdió entre las sombras de la enorme iglesia. Dodo, ileso y más veloz que los guardias, cruzó osadamente la plaza. El gentío que se había reunido en torno al Olentzero se separó por un instante y lo engulló.

Cuando llegaron media docena de guardias civiles, con el temple flaqueándoles al ver la sangre de su compañero helándose en rectángulos en torno a los adoquines, a Dodo ya lo transportaban dentro de un cesto grande, ataviado con el sombrero y la chaqueta del Olentzero, el alegre carbonero. Josepe Ansotegui, vestido ahora con la chaqueta de otro, le había entregado su disfraz a Dodo para que escapara.

Los guardias civiles se separaron en parejas en busca de los delincuentes. Dos se dirigieron al centro del pueblo, dos hacia la playa de Isuntza y dos vigilaron el muelle. A pesar de haber quedado medio inconsciente, Miguel sabía qué hora era y cómo estaba la marea. Tras escabullirse y poner tierra de por medio con los guardias, recobró el aliento y aflojó el paso.

No hacía mucho que la marea había abandonado su punto más bajo, lo que le permitía dirigirse a la isla de San Nicolás sin mojarse los pies. La subida de la marea sumergió su camino casi en cuanto puso el pie en la orilla sur de la isla. Desde una roca a sotavento observó el frenesí de la plaza. La Guardia Civil había colocado puestos de vigilancia cerca de la entrada y las salidas de la iglesia y examinaba a todos los que asistían a misa. Incluso con las agujas heladas que le lanzaba el viento y la queja artrítica de los pinos helados, Miguel oía a lo lejos el sonido del órgano y del canto de los himnos.

—Feliz Navidad —murmuró para sí, escupiendo sangre y sacándose de un bolsillo la rodaja de pan que Dodo le había metido. Tuvo que partir el pan en trozos pequeños para metérselo entre las doloridas mandíbulas. Tembló en medio de la gélida noche y se resguardó en una hendidura de las rocas cubierta de heces de gaviotas. Poco antes del alba, llegó el *Egun On* por la parte de la isla que daba a mar abierto, invisible desde tierra, y recogió a Miguel. A bordo estaban su padre y un Dodo sorprendentemente jovial, feliz de haber derramado sangre en la escaramuza. Habían deducido el paradero de Miguel y se disculparon por no haberle recogido antes.

El gélido viaje a San Juan de Luz, en la vecina costa francesa, no calmó a Dodo, que estaba tan excitado que quería buscar gresca en la antigua población pirata. Incluso a resguardo dentro del puerto las olas hacían rebotar el *Egun On* contra los parachoques del puerto mientras Dodo aceptaba un inestable abrazo de su padre y su hermano menor.

—Procura no meterte en líos —dijo José María Navarro mientras le entregaba un pequeño sobre a Dodo.

—Quédatelo, *patroia*, me las arreglaré —protestó Dodo, bajando la vista a las manos surcadas de cicatrices de su padre.

—Ya lo sé, pero tendrás que instalarte y buscar empleo.

Miguel se acordó de los chistes que hablaban de que en Francia el vino era más caro y las mujeres más exigentes, pero tenía la boca hinchada y le dolía al hablar. Al vomitar se le habían abierto los cortes de la boca. Estaba demasiado enfadado para contar chistes.

Dodo subió al muelle y, al darse la vuelta para despedirse, vio el estado crítico de su hermano.

—Miguel... lo siento —dijo sinceramente, pero enseguida le dirigió una sonrisa a su hermano—. No me cabe duda de que te he hecho un favor. Ahora te vas tierra adentro. El mar nunca fue lo tuyo.

Miguel, por primera vez, enumeró las consecuencias: abandonaría su casa, perdería su trabajo y tendría que mudarse a una población desconocida, siempre mirando a la espalda por si rondaba la Guardia Civil.

—Gracias —contestó moviendo la boca lo menos posible—. Te lo agradezco.

José María Navarro pilotó el *Egun On* de vuelta al mar.

—Menudo ejemplo de pescador debo de haber sido para vosotros —dijo—. Parece que ninguno de los dos estará a bordo conmigo durante una buena temporada.

Miguel no contestó; dio unas palmaditas a su padre en la espalda y luego le pasó un brazo por el hombro para abrazarle mientras los dos miraban por la proa.

Por la noche, *patroia* había llevado a su hijo lo más arriba posible del estuario. Miguel desembarcó en un embarcadero con marea alta, y aunque sabía que estaba en tierra firme, la tierra seguía moviéndose debajo de él a cada paso.

PARTE 2

(1933-1935)

Capítulo
7

Queridísima Miren:

Espero que estéis todos bien, y que tu madre y tú hayáis puesto a mi hermano en su sitio. Cómo esa especie de oso engatusó a tu madre para que se casara con él es uno de los grandes misterios de nuestros tiempos.

Quería hablarte de un amigo mío que va a ir a vivir a Gernika. Se llama Miguel Navarro, y conozco a su familia desde hace muchos años. A lo mejor lo recuerdas de tus visitas a Lekeitio cuando eras más pequeña. Es uno de los chavales que vivían al otro lado de la calle, de la familia de mi amigo José María Navarro. Ya me he puesto en contacto con Mendiola en Gernika y me ha dicho que necesita un ayudante en la carpintería. A Miguel le vendrá bien un cambio de aires. Es un chico estupendo.

Espero que conozcas a Miguel y le ayudes a instalarse. Te escribo a ti, y no a tu padre, porque me temo que Justo acabaría asustando al muchacho. Confío en que le ayudes a hacer amigos y a conocer gente si te es posible. Miguel tiene más o menos tu edad, o un poco ma-

yor, a lo mejor ya tiene 20 años, y mis hijas me han asegurado que no está de mal ver.

Gracias, Miren.

Mis saludos a tu hermosa madre y a mi hermano mayor.

Osaba *Josepe*

Captando por fin el mensaje de Alaia —que no es lo mismo ser caritativo que ser pesado—, Miren reprimió sus instintos de llevarle comida, ayudarla a cocinar y limpiar y en todas esas tareas que, estaba segura, le eran más fáciles a una persona que pudiera ver. Al final éste era el protocolo: visitaba la cabaña de Alaia sólo cuando ésta la invitaba o si habían quedado. Pero se veían todos los lunes en el mercado, donde Miren le ayudaba a dar el cambio y a envolver las pastillas de jabón cuando había mucha clientela. También ejercía de embajadora no oficial de Alaia, explicándole a todo el mundo las maravillas de sus productos. Una noche por semana comían juntas, generalmente en Errotabarri, donde Mariángeles cocinaba sus especialidades y Justo las entretenía con sus historias, siempre dispuesto a hacer teatro cuando tenía público. Y una vez por semana, Miren cocinaba en casa de Alaia, donde hacía pan y preparaba platos que pudiera ir comiendo durante la semana. Dentro de este acuerdo tácito, Alaia era cada vez más independiente.

Un lunes, en el mercado, Alaia invitó a Miren a ir a su cabaña.

—¿Hay alguna sorpresa? —preguntó Miren cuando llegaron.

—Sí, voy a hacerte un regalo. Tu propio jabón —dijo Alaia, y le entregó una pila de pastillas de jabón amarillo verdosas separadas con papel de cera. Miren aspiró y se quedó extasiada.

—Me encanta. ¿De qué está hecho?

—Es un secreto.

—Huele diferente a todos los demás jabones. Huele como a... ¿Errotabarri?

—Es lo que pretendía.

—Es tan diferente...

—Lo es —replicó Alaia—. Quería algo que dijera: «Miren». He probado con muchas combinaciones, y me decidí por ésta. A las mujeres mayores les gusta el olor a flores, los jazmines y las lilas; a las jóvenes les gustan los cítricos o las mezclas, avena y miel, o almendras y fresas. No son tan fuertes, pero sigue oliendo a jabón.

Miren aspiró de nuevo.

—No te lo guardes. ¿Qué es? Te prometo que no le hablaré a nadie de mi jabón.

—Te daré una pista —dijo Alaia, que disfrutaba de ese juego—. Contiene un extracto de aceite para que también sirva de crema hidratante y te mantenga la piel suave y húmeda.

—Hay algo más.

—Sí, ése es el secreto. Se lo oí contar una vez a un hombre muy sabio.

—Estoy impaciente por utilizarlo.

—He calentado agua. Quítate la blusa y pruébalo —ofreció Alaia.

—¡Alaia!

—Miren, soy ciega, no tendrías más intimidad ni en un convento. Además, no tienes nada que yo no tenga... excepto vista.

—Bueno, te diré que, a decir verdad, de hecho tengo menos que tú.

Tímida contra lo que sería de esperar, Miren se dio la vuelta y poco a poco se quitó la blusa y se empapó el torso. Aspiró la fresca fragancia, se enjuagó, se secó con una toalla cerca del fregadero y se volvió a poner la blusa.

—Oh, me encanta. Muchísimas gracias —dijo Miren—. ¿Cómo podías saber que éste sería mi olor?

—Porque cuando lo olía pensaba en ti.

—Nunca había oído nada tan considerado —aseguró Miren mientras abrazaba a su amiga—. Ahora, cuando me acerque, me podrás identificar por el olor.

—Miren, normalmente te oigo hablando con alguien mucho antes de poder olerte.

—Pero ahora, cuando oigas hablar a esa gente, seguro que dirán: «Oh, ahí viene Miren Ansotegui. ¿No os parece que huele muy bien?».

Se abrazaron una vez más y Miren, sin pensar, comenzó a ordenar la mesa de trabajo de Alaia.

—Miren... basta.

—Lo siento. —Miren dejó sobre la mesa los cuencos para mezclas que Alaia había utilizado—. Tengo que hacerte una pregunta y quiero que me respondas que «no» si te incomoda. ¿Te importaría que compartiera este jabón con mi madre? Creo que le encantaría.

A Mariángeles le encantó el jabón. Y también a su marido, Justo.

* * *

Puede que por culpa de la Guardia Civil Miguel Navarro tuviera que abandonar Lekeitio, pero le hicieron un favor al darle la oportunidad de trabajar en Gernika. Raimundo Guerricabeitia, ayudante en la carpintería de Teodoro Mendiola, fue detenido por unos guardias armados mientras volvía a casa del trabajo. A su familia no se le dio ninguna explicación; simplemente no llegó a casa. Sin las formalidades de una acusación o un juicio, la Guardia Civil metió a Guerricabeitia en la cárcel. ¿Era un delincuente? ¿Un revolucionario? ¿O un vecino le denunció con una falsa acusación?

Mientras que no era nada fuera de lo corriente en otras zonas del País Vasco, esos secuestros no eran frecuentes en Gernika en aquella época, donde la Guardia Civil por lo general toleraba las manifestaciones culturales y sólo actuaba si había un chivatazo. Todo lo que Mendiola sabía era que Raimundo era un carpintero competente que nunca había dado señales de ninguna tendencia política. Pero quizá alguien había dicho algo, alguien que se la tenía jurada. Y desapareció como si se lo hubiera tragado la tierra.

Cuando Josepe Ansotegui le mandó a Mendiola un carpintero de ribera que necesitaba rápidamente un empleo, le llegó en el momento justo. A Josepe le alegró saber que llenaba una vacante laboral. De todos modos, Raimundo tenía experiencia, no era ningún aprendiz. Mendiola dirigía un negocio muy respetado. Su ayudante por lo general talaba los árboles y serraba la madera con una sierra de cortar al hilo y un cepillo, mientras Mendiola construía los muebles: armarios y revestimiento para suelos. La tala de los pinos y los cipreses que se utilizaban para los armarios y el mobiliario barato era sencillo, pero enfrentarse a los robles más viejos requería un mayor esfuerzo. Al menos, el muchacho que se presentó para el empleo parecía saludable y lo bastante fuerte para los retos de manejar madera dura y obstinada.

—Que te recomiende Josepe Ansotegui es suficiente para mí —le dijo Mendiola a Miguel cuando éste llegó—. Le conozco, y a sus hermanos Justo y Xabier, desde hace mucho tiempo. Justo es muy orgulloso y vanidoso, y Xabier muy beato. La palabra de Josepe... bueno, ésa es sólida como una roca. Y Josepe me dice que eres un buen carpintero de ribera que procede de una buena familia. Es todo lo que necesito saber.

Mendiola había previsto un periodo de aprendizaje con pocos beneficios. Pero no fue el caso, ni siquiera al principio. La experiencia de Miguel en los astilleros de Lekeitio se adaptó perfectamente a sus nuevos deberes. Miguel había trabajado con roble de corte radial cuando construía barcos, estaba acostumbrado y se sentía cómodo con el cepillado, el ensamblaje y el acabado de la madera.

La construcción de barcos es un matrimonio entre la utilidad y la función, y la clave es la conservación del espacio y el peso. No había mucha necesidad de ornamentación, ni de darle a la madera formas agradables y placenteras. Hacer muebles era tan sólo eso y poco más. Pero el joven impresionó a su nuevo jefe con su carácter infatigable y el plus inesperado de su creatividad.

Mendiola, que tenía las manos color sepia de tantos años aplicando tinte, inició la enseñanza de Miguel con la construcción de un arcón tradicional vasco de roble, con pesados goznes y cerradura trabajada. Después de echarle un vistazo al plano para las medidas estándares, Miguel se puso a trabajar con total confianza.

—¿No parecerá un barco, verdad? —bromeó Mendiola.

—No, pero podría ser una caja de cebos muy atractiva —contestó Miguel.

Un día de la primera semana en que Miguel regresó a la tienda con unos recios maderos de roble, Mendiola comentó su tamaño y posibilidades para construir muebles grandes.

—Pensé que le gustaría —dijo Miguel—. Sé que soy nuevo aquí, pero me encontré este enorme roble rodeado de una cerca junto al edificio del ayuntamiento y pensé que mejor era cortarlo que subir a la montaña a buscar leña. La gente ha armado la marimorena, pero yo lo he talado de todos modos.

Mendiola tartamudeó de pánico antes de pillar el chiste de Miguel, y fue adornando la historia en cada una de las tabernas que visitó esa noche, comentando que estaba seguro de que iba a disfrutar de trabajar con su nuevo aprendiz.

Después de pocas semanas, Miguel dejó de consultar los dibujos de los muebles y comenzó a crear a partir de su propia imaginación.

—¿De dónde has sacado la idea para estas líneas? —le preguntó Mendiola a Miguel después de que acabara una silla con una atractiva curva en el respaldo.

—Se me ocurrió mientras talaba el árbol —dijo.

Para Miguel, una rama arqueada a veces pedía ser los brazos de una mecedora, y un recio tronco el pedestal central de una mesa de comedor. El ciprés, con su aroma delicado y persistente, pedía que lo convirtieran en cajonera para la ropa o para el revestimiento de un arcón. La madera también parecía hablar a aquellos que compraban los muebles. Miguel practicaba una incisión en delicada curva en los brazos de una silla para invitar a que las manos reposaran, o labraba un bisel sobre el tablero de una mesa que insistía en que todos los que pasaban deslizaran la mano por el borde.

Mendiola se encontró con que las ganancias aumentaban gracias a la creciente clientela de Miguel. A su vez, Miguel descubrió un trabajo al que se adaptaba mejor que el del astillero. Podía mostrarse productivo, creativo y expresivo, y tener la satisfacción de que su trabajo perduraría cuando él ya no estuviera. Aspiraba el aroma de las virutas y el serrín recién cortados, de los barnices y los tintes, y no del pescado. Y la tierra por fin había dejado de girar bajo sus pies.

* * *

El *txistulari,* tocando su pequeña flauta negra con la mano izquierda y haciendo sonar el tambor con la derecha, creaba más sonidos de lo que parecía posible para una sola persona. La mujer del acordeón le acompañaba, sobre todo en las jotas, junto con un chico que hacía sonar la pandereta. Le ponían música sin parar, durante toda la tarde y toda la noche, a la *erromeria* dominical, atrayendo a todos los del pueblo.

Las familias llegaban juntas y bailaban, a veces tres o cuatro generaciones reunidas. Los abuelos ejecutaban los pasos que habían dominado sesenta años antes mientras los bebés protestaban en sus brazos. Viejas colchas y lonas llenaban el suelo de color en torno a la zona de baile, donde las familias estaban repantigadas y comían bocadillos de chorizo y lengua de ternera. Los que habían tomado demasiado vino dormitaban bajo los árboles. Otros jugaban al mus o al tute en pequeñas mesitas, o tan sólo disfrutaban del espectáculo de los bailarines.

La *erromeria* servía como crisol al aire libre para la forja de futuras parejas. Era domingo, todos habían ido a misa, habían comulgado y acababan de recibir la absolución, garantizando un entorno saludable y familiar en el que los curiosos y los aburridos podían estudiar a los que cortejaban.

Miren Ansotegui casi nunca estaba lo bastante quieta para que los jóvenes se le pegaran. Se unía a las danzas folclóricas con su grupo de amigas y luego compartía bailes con una azarosa sucesión de hombres y mujeres, quien fuera que tuviera cerca en ese momento. Pero de vez en cuando descansaba, ahora que ya tenía edad para refrescarse con el vino que había bajo los toldos, a la sombra.

Mendiola le insistió a Miguel para que asistiera a la función como manera de conocer a los del pueblo, que eran sus clientes. Aquél acompañaba a los músicos en los valses lentos con una sierra de través que hacía temblar con lastimeros golpes de arco. Miguel disfrutaba de la música y de los bailarines, aunque enseguida se fijó en una joven que llevaba una gruesa trenza que le rebasaba la V de su pañuelo blanco y que le iba dando en la espalda mientras giraba. Era una muchacha elegante y se movía con tal gracia que se quedó mirándola sin darse cuenta.

Después de varias danzas a la caída del crepúsculo, Miren se retiró hacia el toldo del café, donde se sentaba Miguel. En cuanto pasó junto a su mesa, se iluminó un farol sobre un poste cercano, y a Miguel le pareció que sólo iluminaba su cara. Éste se movió de manera involuntaria. Sin darle su nombre ni preguntarle el suyo, Miguel le hizo seña a la chica para llamar su atención.

—¿Puedes venir aquí? —le dijo, sorprendiéndose de verse actuar como su hermano Dodo—. Siéntate.

Todos los días se enamoraba varias veces sin esfuerzo, pero verla lo alteró igual que sus mañanas en el mar. Cuando el resplandor color miel del farol le dio en la cara, se quedó atónito.

Ella se volvió, se detuvo y lo repasó de arriba abajo. Vio la típica cara vasca, curtida de trabajar al sol; los típicos dientes, hechos para parecer más blancos en contraste con el rostro oliváceo; el típico pelo, negro y tremendamente independiente; el típico cuerpo, poderoso pero enjuto, con músculos nudosos forjados a base de tirar de las redes o trabajando en los astilleros. No llevaba *txapela,* pero era aceptable.

—¿Por qué no? —respondió ella; agradable, pero sin un entusiasmo que pudiera malinterpretarse. La postura de ella, en el borde de la silla, indicaba que la duración de su estancia dependería de su capacidad de seducción.

Miguel leyó las señales y sintió la presión.

—Tienes los ojos más bonitos que he visto —dijo sin más preámbulos.

Ella entrecerró los ojos con escepticismo; a continuación los abrió mucho y de manera sarcástica aleteó las pestañas como mariposas asustadas.

—¿Ah, sí?

—Tienes los ojos de... una pitonisa gitana.

Ella soltó un gruñido.

—¿Y qué sabes tú de las pitonisas gitanas?

—¿De verdad quieres oír hablar de ellas? —preguntó, ganando tiempo para que se le ocurriera alguna historia. Pero le distraían aquellos ojos grandes y oscuros, bajo aquellas cejas como alas de cuervo, y su delicioso aroma.

—Sí, cuéntame lo que sepas o me voy. —Miren se dejó resbalar hacia el borde de la silla.

—Muy bien, pues —dijo Miguel mientras giraba la silla para poder cruzar los antebrazos en la espalda—. Cuando la conocí yo era pescador en Lekeitio.

—¿A una gitana?

—Sí, se llamaba... Vanka... y trabajaba en la taberna del puerto.

La cara de Miren se relajó, pero no entregó ninguna sonrisa.

—¿Vanka?

—Yo la visitaba todas las noches después de que llegaran las barcas y de limpiar el pescado. Estábamos... —aspiración dramática— profundamente enamorados.

—Y era guapa, esa tal... Vanka.

—Oh, sí, pero ni mucho menos tanto como tú, aunque tenía unos ojos enormes y misteriosos... muy parecidos a los tuyos.

Las pestañas de Miren aletearon de nuevo. Adelante.

—Sus padres habían muerto en una reyerta tribal entre gitanos...

—Una reyerta tribal... Son las peores.

—… Sí, y como era huérfana, llegó al puerto, a la taberna de la que eran propietarios unos tíos suyos.

—¿Eran vascos y ella gitana?

—Sí, estaban emparentados por un matrimonio celebrado mucho tiempo atrás.

—Y tu deber era hacer que la huerfanita se sintiera bien recibida.

—Después de todo, soy un caballero. —Leve inclinación de cabeza.

—Claro. ¿También la saludaste y la invitaste a sentarse sin que nadie te la hubiera presentado?

—No. Tus ojos son hermosos, como ya he dicho, pero a lo mejor eres dura de oído… Te he dicho que ella trabajaba en la taberna, me servía la cena. —Miguel lo dijo con una sonrisa, para que ella supiera que no pretendía insultarle las orejas, que se veían preciosas y funcionales—. Y después de un tiempo prudencial, comenzamos a vernos, y nuestra relación se hizo más estrecha hasta que ya íbamos a casarnos.

—Pero ahora no estarías aquí hablando conmigo si tú y la hermosa Vonda…

—Vanka.

—Vanka. Decía que no estarías aquí sin tu gitana de ojos oscuros si ese gran amor no se hubiera topado con algunos problemas.

—Cierto. Por alguna razón, aunque era gitana y se suponía que había de poseer ese don, nunca me quería mirar la palma de la mano ni leerme el futuro…

—¿No has pensado que a lo mejor no quería tocar la mano de alguien que se pasaba el día trajinando pescado?

—… hasta que la noche antes de casarnos…

Miguel se acercó a ella, le tocó la mano y, con delicadeza, pasó la punta del dedo por el suave valle de su palma.

—... a la luz de las velas de la taberna de su tío, finalmente me miró la palma. Se quedó callada un momento, pero sus enormes ojos de gitana se humedecieron, y una única y gruesa lágrima cayó en mi mano.

Miguel vaciló, dejando que la imagen cobrara forma en la mente de Miren, y también porque no quería soltarle la mano.

—Me dijo que estaba destinado a encontrar un gran amor, a una chica hermosa, de ojos oscuros, que no era ella. A continuación salió corriendo de la taberna y nunca volví a verla —concluyó en un tono tristemente triunfal—. Esto es lo que sé de las pitonisas gitanas... y lo que sé de los secretos de sus hermosos ojos.

Miren retiró la mano.

—Esto es una bobada, claro, pero es un buen relato. Y siendo quien es mi padre, sé juzgar estas cosas. —Se puso en pie y dijo—: No te muevas, traeré vino.

Miguel giró otra vez la silla y se reclinó con las manos detrás de la cabeza. ¿Vanka? Dios del cielo... ¿Vanka? ¿Cómo se le había ocurrido?

Antes de que Miguel acabara de felicitarse, la chica regresó con barquillos dentro de un papel de cera y una pequeña garrafa de vino.

—Gracias, es justo lo que Vanka solía traerme —le soltó Miguel. Miren puso mala cara—. ¿Eres de Gernika?

—De Errotabarri, un *baserri* que está en la colina que queda sobre el pueblo —dijo ella, señalando con el dedo en dirección a su casa—. Me llamo Miren Ansotegui.

¿Miren Ansotegui? ¿Ansotegui? Pariente de Josepe, sin duda. A lo mejor hasta la había conocido cuando eran niños. Pero la recordaría.

—¿Eres capaz de contar una verdad y decirme tu nombre? —preguntó Miren.

—Soy Miguel Navarro, acabo de llegar de Lekeitio. He empezado a trabajar en la carpintería del señor Mendiola. Estoy aprendiendo.

Los dos mordieron sus barquillos y tomaron un sorbo de vino, reagrupándose, analizando su estrategia y preguntándose si habían dicho lo correcto. Preguntándose qué podían decir ahora. Miren sabía una cosa que no diría, que haber ido en dirección a él aquella tarde no había sido una coincidencia.

* * *

Al volante de su potente y espacioso Hispano-Suiza, Picasso salió de París hacia España siguiendo la ruta de la costa. Tras decirle a su amante, Marie-Thérèse, que esperara su regreso, el artista iba acompañado de su esposa Olga y su hijo Paulo. Cruzaron el País Vasco, se detuvieron en San Juan de Luz antes de pasar el Bidasoa y de nuevo entraron en España por Irún.

—Conozco a muchos vascos —le dijo a su hijo, que tenía quince años—. No hay quien trabaje más duro ni esté más entregado a su familia. Antes se decía: «Alto y erguido, ése es el vasco». Los que conozco a veces eran tozudos y suspicaces, pero si tienes un amigo vasco, es para toda la vida.

En San Sebastián, Picasso y su familia cenaron en el café Madrid, donde se vio asediado por los partidarios del movimiento derechista del gobierno español. Añadir a Picasso a su lista de aliados significaría mucho para ellos, dijeron. Se referían a su renombre e influencia, aunque tampoco se molestarían si deseaba donar algo de lo que se consideraba una enorme fortuna.

Sólo les importaba el bien de España, recalcaron, devolverla a su esplendor de antaño. Ellos eran los más adecuados para conseguirlo. Le prometieron que lograrían que España volviera a ser lo que había sido. La convertirían en una nación de la que Picasso se sentiría orgulloso. Querría regresar a vivir allí.

Picasso disfrutó de su comida en la hermosa ciudad costera, pero rechazó las invitaciones a meterse en política. Era un artista y no quería saber nada de política. El arte era otra cosa. La política, les dijo, le aburría más que cualquier otro tema de conversación.

Dejaron el asunto, pero Picasso recordaría ese viaje hasta su muerte; fue la última vez que visitó España.

* * *

Dodo nunca había tenido que esforzarse tanto para meterse en una pelea de bar. Pero así eran esos vascos franceses, había oído, blandos y sumisos. No estaban endurecidos por años de opresión española.

Cuando vivía en Lekeitio, Dodo tenía muchos contactos fortuitos con vascos franceses, pues las tripulaciones de Lekeitio, Bermeo o San Sebastián a menudo se encontraban en el mar con las de San Juan de Luz o Biarritz. Si ya hacían caso omiso de la frontera de tierra, menos frontera había aún en el mar.

Le habían dicho que eran simpáticos y amables con sus primos españoles, siempre que no les supusiera un gran sacrificio personal. A Dodo le encantaba oír los relatos de piratería y contrabando de la historia de San Juan, y apreciaba una población en la que la rentable anarquía era fuente de un gran orgullo ciudadano. Pero no le fue fácil aclimatarse a su nuevo entorno. Protestaba ante la veneración que sentían los franceses por la degenerada realeza, pues la mitad de la población de San Juan de Luz se llamaba Luis, debido a que Luis XIV se había casado allí casi trescientos años antes.

Mientras comía y bebía en un mohoso antro de pescadores junto al muelle de la Place Louis XIV, Dodo se sentía impelido a ponerse en pie y animar la velada compartiendo sus reflexiones con los locales.

—Un auténtico vasco jamás le pondría a su hijo el nombre de un rey —proclamó—. Para un vasco de verdad, todo hombre es su propio rey.

Fue recibido por un coro de gritos indescifrables y le arrojaron unas cuantas migas de pan. Se volvió ceñudo cuando una le dio en la nuca.

—¿Es que tiene que venir un español a decirnos cómo hemos de vivir? —gritó uno desde el fondo del bar.

—El que me ha llamado español debe morir ahora mismo —les dijo Dodo, sacando un poco de saliva al pronunciar «español». Todos rieron—. Es normal que los españoles quisieran al menos *intentar* controlar nuestras provincias: tenemos grandes riquezas minerales y madereras, e industria. Los franceses no tienen ninguna razón para codiciar este lugar, pues sólo sois famosos por vuestros pasteles. Sois buenos pasteleros, os lo concedo, pero tampoco es para montar una invasión armada. —Todos volvieron a reír—. Es evidente que os habéis ablandado, pues aquí no hay nadie que sea lo bastante hombre para luchar conmigo. —Más carcajadas—. Que alguien... quien sea... luche conmigo.

Le alcanzaron más migas de pan.

Frustrado pero seguro de su superioridad, Dodo regresó a su mesa.

Tenía el plato vacío. Alguien se había comido su pescado.

—¡Eh!

Consciente de ser observado, apuró la cerveza de un trago largo y con un golpe dejó la jarra sobre la mesa.

Esto también les pareció muy gracioso a los parroquianos del bar.

Dodo se levantó para marcharse, con la esperanza de que el camino hasta la puerta fuera lo bastante ancho para dar cabida a su paso arrogante.

—*Arrête, monsieur* —gritó el barman—. Hay que pagar.

Dodo se metió la mano en el bolsillo y no encontró nada. Probó con el otro bolsillo. Vacío. Habría perdido los billetes.

—Volveré con el dinero —dijo Dodo—. Puedes confiar en un vasco *de verdad.*

Tal y como había prometido, regresó al cabo de una hora con el dinero del pescado y la cerveza. Se había calmado y estaba un poco más sobrio, y cuando entró en el bar le vitorearon. Tres hombres que le habían arrojado migas de pan le invitaron a sentarse a su mesa.

—Gracias por el pescado —dijo el más alto, relamiéndose—. Estaba delicioso.

Dodo asintió y puso una sonrisa.

—Gracias por el dinero que me he encontrado —añadió otro mientras se sacaba la pipa de la boca— sentado aquí en tu bolsillo.

—¿Cuándo ha ocurrido todo esto?

—Mientras nos contabas lo débiles y blandos que éramos —contestó el alto.

Dodo pidió otra botella de vino para todos y hablaron sin hostilidad de la vida a ambos lados de la frontera.

—Que te pusieras en pie y pretendieras pelearte con todos los del bar nos ha dicho algo de ti —comentó el alto.

—¿Que soy idiota?

—No, que somos diferentes —dijo el alto—. Ninguno de nosotros habría desafiado a *todos* los demás. Y quiero advertirte que el hecho de que decidamos no pelear no significa que no podamos.

Metió la mano debajo de la mesa y sacó de la bota un cuchillo de plata que a Dodo le pareció una espada pirata en miniatura. Apuntó al ombligo de Dodo y lo movió hacia arriba en el aire, delante de su pecho, en un gesto que imitó el destripamiento de un pez.

—Lo que debes preguntarte cuando te enfrentas a aquellos que te quieren mal, o con la Guardia Civil o los gendarmes, es lo siguiente: ¿me es más provechoso hincharle los morros o robarle la cartera? Creo que te sorprendería averiguar que es más satisfactorio y menos arriesgado robarles. Además, hace que se sientan como unos tontos, y les va minando la dignidad.

—Me gusta lo que dices —admitió Dodo—. Creo que puedo aprender unas cuantas cosas de vosotros.

—Más vino, *monsieur.*

—Así pues, ¿me vais a devolver el dinero? —les preguntó Dodo a sus nuevos amigos.

El de la pipa negó con la cabeza.

—Eso, *ami,* es el precio de la primera lección.

El alto se presentó: Jean-Claude Artola.

—Mi amigo el de la pipa se llama Jean-Philippe, y este *petit homme* es J. P. También se llama Jean-Philippe, pero sería un lío llamarlos a los dos igual.

Los tres le dieron unas cuantas lecciones más, y coincidieron en que Dodo, por sus relaciones con los pescadores del lado español, podría ser de gran valor para su comercio internacional clandestino. Pero el líder de su grupo tenía que darle el visto bueno.

—Hay otra persona a la que debes conocer, pero aún no —dijo Jean-Claude—. Después de unos cuantos viajes de prueba por las montañas, si tienes lo que hay que tener, ella te pasará revista.

—¿Ella?

Artola sonrió y asintió. Dodo les dio las gracias estrechándoles la mano y con exagerados abrazos antes de marcharse, poco antes del alba.

—Me gustaría darte las gracias por no comerte mi pescado ni robarme el dinero —le dijo Dodo al pequeño J. P., que no había dicho nada en toda la noche.

Los tres volvieron a reírse, aún más fuerte.

—¿Dónde está la gracia esta vez? —preguntó Dodo.

—Mientras estabas en pie retando a todo el mundo —le explicó Artola—, nuestro pequeño amigo se meó en tu cerveza.

Capítulo
8

L as mujeres hurgaban el suelo con sus palos como si arrancaran malas hierbas de un sembrado. Aunque Miguel nunca había visto a nadie trabajar en el campo con la gracia de esas bailarinas. De la docena de mujeres, sólo miraba a Miren, aunque la mayoría compartía su desenvuelta elegancia.

Un hombre solo, un tanto ebrio, se metió en el baile saliendo de un lado del patio. Llevaba un gran saco de harina al hombro. Mientras pasaba trastabillando, las mujeres se abalanzaron sobre él en una coreografiada reprobación, golpeando el saco con sus palos. Incluso en el baile se reforzaba la imagen del vengador matriarcado vasco.

Miren, en solitario, era el centro del siguiente baile, y se oyeron vítores cuando cogió un vaso de una mesa cercana, lo llenó de vino y lo colocó en medio de la zona de baile. A un ritmo cada vez más trepidante, revoloteó ligera por los lados del vaso. Sin bajar la mirada, lo saltaba y lo rodeaba, por los cuatro costados, rozándolo casi mientras sus pies entretejían unos complicados pasos. El grosor de la falda le impedía ver el vaso, que esquivaba en un acto de inmensa precisión. Luego, por imposible que pareciera, dio un salto y pareció flotar en el aire antes de aterrizar suavemente en lo alto del vaso, con una zapatilla en cada borde. Y se bajó, levitando, flotando a cada lado, y luego volvió a aterrizar sobre el vaso, posándose suavemente con las rodillas dobladas.

Miguel estaba estupefacto ante aquella muchacha tan ligera y diestra que era capaz de bailar sobre el borde de un vaso de vino. No era un cristal fino ni una delicada flauta, pero seguía siendo un cristal, y bailaba tan feliz encima de él, ajena a la posibilidad de que pudiera romperse. No sólo no lo rompió, sino que tampoco derramó una gota.

Un salto final, aterrizando sobre el vaso y enseguida en el suelo, coincidió con el último compás y un vítor aún mayor se extendió por el patio. Miren aceptó el aplauso con una profunda reverencia, recogió el vaso de vino y lo apuró de un trago. Saludó a la enfervorecida multitud con el vaso vacío y se pasó la lengua por los labios en un gesto teatral.

Miguel cerró los ojos y se recordó que tenía que respirar.

* * *

La noche había refrescado y los bailarines formaban ahora grupos más pequeños para una frenética jota, a la que se unió gente del pueblo de todas las edades. Miren se acercó a la mesa de Miguel, acompañada de la bailarina de más edad y directora de la agrupación.

—¿Cómo es posible bailar encima de un vaso? —le preguntó Miguel antes de que ella pudiera decir nada.

—Bueno, primero necesitas un vino muy fuerte —respondió Miren.

—De hecho —dijo la mujer de más edad—, supuestamente es una danza para hombres, pero ninguno de los muchachos es capaz de hacerla. Hemos derramado muchos vasos y mucha sangre para aprenderla.

Miren señaló a la mujer con un gesto formal.

—*Ama*, éste es Miguel Navarro, de Lekeitio, un amigo del *osaba* Josepe. Miguel, ésta es mi madre, Mariángeles Ansotegui.

—¿Ésta es tu madre? —preguntó Miguel sin la menor sutileza, echando la cabeza para atrás.

—*Bai, bai, bai,* me lo dicen siempre, estoy orgullosa de admitirlo —dijo Miren, abrazando a su madre mientras reían como si fueran hermanas.

—Y tú eres ese joven que tanto sabe de las costumbres de los gitanos —bromeó Mariángeles.

Miguel hundió la cabeza en las manos, fingiendo más vergüenza de la que sentía. De hecho, le llenaba de satisfacción haber causado tan honda impresión en Miren que ésta le hablara de él a su madre.

—Bueno —continuó Mariángeles—, no me hace falta ser pitonisa ni gitana para predecir que vais a bailar juntos en el futuro. A ver qué sabe hacer con los pies, Miren.

Miren agarró de la mano a Miguel para llevarlo a bailar, pero éste se agarró a su silla, sin moverse por mucho que ella tirara.

—Vamos, Miguel, es hora de bailar.

—Me temo que cuando era pescador no aprendí a bailar mucho —dijo.

—¿Qué aprendiste en el bote?

—A vomitar caramelos de limón.

Miren se quedó inmóvil y dirigió una curiosa mirada a su madre. No valía la pena seguir tirando de él. Miren le dio unos golpecitos con su palo, como para ordenarle que se pusiera en pie.

—Mejor que te vean torpe que no cobarde —le advirtió ella.

—Mejor verse cobarde que resultar un zote.

—Todo el mundo sabe bailar —dijo Miren—. *Cualquiera*.

—Detestaría demostrar que te equivocas. No conozco los pasos.

—No tienes que saber ningún paso. ¿Sabes chasquear los dedos? —le preguntó Miren, chasqueando los suyos sobre la cabeza con un aire flamenco.

—¿Chasquear? ¿Como un cangrejo enfadado? —dijo Miguel, y los chasqueó lenta pero sonoramente.

—¿Sabes dar patadas?

—Como una mula furiosa.

—¿Sabes saltar?

—Como... mmm... cualquier animal que salte mucho.

—¿Eres vasco?

—Aunque ya no lleve *txapela*, sí, soy vasco.

—Entonces sabes bailar —le anunció con total seguridad.

En esto último se equivocaba del todo.

* * *

Como bailarín, Miguel Navarro se mostró enérgico, entusiasta y tan vistosamente inútil que atrajo a la gente. Había compartido las celebraciones de los días de fiesta con toda la gente de Lekeitio, y —cuando no las prohibía la Guardia Civil— había ensayado unas cuantas danzas folclóricas. Mientras que su hermano Dodo aprendió a ejecutar unos cuantos pasos básicos, Miguel nunca conseguía relacionar la música con los movimientos, ni conseguía trasladar los pasos al baile. En otras cosas tenía coordinación y temperamento artístico, pero existía la posibilidad de que fuera peor bailarín que pescador.

Pero si Miren Ansotegui, la bailarina más diestra que había visto, encontraba apropiado invitarlo a ser su pareja,

¿quién era él para negarse? Así pues, Miguel se levantó, se dirigió al centro del patio y comenzó a moverse como si se encontrara en la bamboleante cubierta de una barca de pesca. No conseguía llevar el compás y daba coces como una cabra con parálisis. Varios de sus saltos acabaron con sus huesos en el suelo, pero se levantaba a continuación no sólo como si se hubiera tirado a propósito, sino como si la caída fuera fruto de mucha práctica y creatividad.

—Ostras, eso sí que es garbo —le pinchaba Miren.

—No he visto a nadie más que intentara este paso —contestaba Miguel.

—Desde luego.

Con una patada alta que pretendía imitar —aunque tarde— el movimiento de Miren, le cogió con el pie el borde de la falda, levantándola tan arriba que ella tuvo que bajársela para mantener el recato. En otra ocasión, tropezó con ella y le dobló la rodilla de la pierna de apoyo, haciendo que los dos cayeran.

Para ella la danza era algo serio, pero disfrutaba con la entusiasta actuación de Miguel. Era patético pero simpático y, además, él la había advertido.

—Bailas como un borriquillo que intentara correr —dijo ella riendo, recordando sus animales favoritos del *baserri*—. Ése eres tú, *astokilo,* el borriquillo.

—Hago lo que puedo —replicó Miguel mientras se agachaba con las manos en las rodillas para tomar aire—. ¿Crees que estoy a punto para el vaso de vino?

—Sólo para beberte lo que hay dentro.

* * *

José Antonio Aguirre entró furioso en el confesionario. Llevaba una página mecanografiada que un amigo suyo reportero le había traído del periódico. Comentaba la fundación de Falange Española en Madrid.

—No te lo vas a creer —comenzó a decir Aguirre.

—¿Y lo de «perdóneme, padre»? —preguntó Xabier.

—No hay tiempo.

—¿Que no hay tiempo para confesarse?

—Escucha —dijo Aguirre al tiempo que inclinaba el papel para que le llegara más luz por la celosía—. José Antonio Primo de Rivera, hijo del ex dictador Miguel Primo de Rivera, proclamó orgulloso que éste era un paso en el camino hacia el totalitarismo implantado por el dictador italiano Benito Mussolini.

—Oh, no. ¿Quiere ser Mussolini? —refunfuñó Xabier—. Como si el mundo necesitara otro Mussolini.

—... La imperiosa tarea colectiva de todos los españoles es reforzar, elevar y engrandecer la nación. Todos los intereses individuales, de grupo o clase deben subordinarse sin la menor vacilación al cumplimiento de esta tarea —leyó Aguirre.

—A quienes se opongan se les pegará un tiro —se burló Xabier con una voz autoritaria.

—... España es una unidad de destino en lo universal. Todo separatismo es un crimen que no perdonaremos...

—A los catalanes y vascos se les pegará un tiro —anunció Xabier.

—... El nuestro es un estado totalitario. El sistema de partidos políticos se abolirá por completo...

—También se pegará un tiro a los votantes.

—... Una rigurosa disciplina evitará cualquier intento de corromper o dividir al pueblo español, o de incitarles a ir contra el destino de la Madre Patria...

—También se pegará un tiro a las madres.

—... Rechazamos el sistema capitalista, que no tiene en cuenta las necesidades de la gente, deshumaniza la propiedad privada y transforma a los trabajadores en masas informes destinadas a la miseria y la desesperación...

—Se pegará un tiro a las masas informes.

—... Nuestro Movimiento integra el espíritu católico, que ha sido predominantemente glorioso y mayoritario en España, en la reconstrucción de la nación.

Aguirre y Xabier se miraron y negaron con la cabeza, incapaces de encontrar una réplica inteligente.

Eran dos católicos, sentados en un confesionario, en el interior de una basílica, y se preguntaban cómo era posible que los fascistas anunciaran sus planes de suprimir prácticamente a todo el país y seguir venerando el «espíritu católico».

* * *

En un pueblo, el amor entre los jóvenes rara vez se desviaba del camino fijado. Una pareja podía bailar junta un par de veces en la *erromeria*. Y si la química entre los dos prosperaba, en la siguiente *erromeria* ya sólo bailarían juntos, y la tercera semana uno de los dos se sentaría en la mesa de la familia del otro o sobre una manta para compartir la comida y el vino y permitiría que lo interrogaran.

Antes de eso, tampoco es que la comunidad hubiera dejado de vigilar todos sus movimientos en el baile. En ese momento ya había habido sutiles interrogaciones acerca del muchacho o la muchacha y se habían llevado a cabo minuciosos estudios de sus familias.

El avance de la pareja por el camino del cortejo podía acelerarse si durante la semana, en el pueblo, tenían lugar encuentros «accidentales». Ése fue el caso cuando Miguel convenció a Mendiola de que necesitaba estar en el pueblo a mediodía para entregar una silla que le habían llevado a reparar, y Miren informó a su madre de que necesitaba estar en el pueblo a mediodía para comprar hilo. Ambos llevaron a cabo las tareas prometidas, y nadie podría sospechar que había sido otra cosa que la pura casualidad lo que los había llevado, mientras cumplían sus recados, a un café concreto poco antes de mediodía.

Miren, después de saludar, como hacía siempre, a todos los que estaban en el café, se sentó a una mesa que daba a la calle. Pidió un café, saludó con la cabeza a todos los que pasaban y respiró el aire de los tubos de escape de los coches como si estuvieran perfumados.

—Tenía que venir al pueblo a por hilo y he pensado que me sentaría bien un café —le dijo al camarero. Tras haber declarado el motivo de su parada en el café, exageró su sorpresa ante la aparición de Miguel.

—Qué alegría verte —exclamó Miren, mirando a su alrededor—. Siéntate.

—Gracias. Me iría bien un cafelito.

A su espalda, el camarero sonrió ante su artificio. Miguel se sentó a la mesa de al lado, que también daba a la calle. Mirando en direcciones opuestas cada vez que pasaba alguien, los dos consolidaron su relación a través de esa conspiración compartida. Hacer planes para encontrarse de nuevo en el pueblo era una inversión mutua. Estar juntos en el café los convertía en cómplices; los unía en un pacto contrario al decoro absoluto.

—Conociste a mi madre... —comenzó a decir Miren hablando por un lado de la boca mientras miraba hacia delante.

—Sí, y es una persona encantadora —replicó Miguel—. Pero no quiero ni imaginarme lo que debió de decir de mi manera de bailar.

—Dijo que nunca había visto nada parecido. Se preguntó si tu gitana te habría lanzado una maldición.

—Oh, bueno, ella piensa que estoy maldito.

—Bromeaba. Le caíste muy bien.

Intuyendo que a ese paso se estarían allí toda la tarde, Miren abandonó la charada y se volvió de cara a Miguel.

—Puesto que le has causado tan buena impresión a mi madre, me gustaría que vinieras a Errotabarri... a conocer a mi padre.

—Lo dices como si eso se me fuera a atragantar —dijo Miguel, girándose para mirarla a los ojos.

—No, no tiene por qué ser un trago tan amargo. Es sólo que en Gernika es muy conocido. Probablemente sea el hombre más fuerte del pueblo... quizá intimide un poco... a veces pega algún grito... y algunas personas te dirán que les da miedo, aunque nunca le he visto hacer daño a nadie.

Miguel consideró todas las posibilidades. El prolongado silencio inquietó a Miren, que temió haberle ahuyentado.

—El problema es que soy hija única, y suele mostrarse bastante protector conmigo.

—No esperaría menos —dijo Miguel, mostrando las palmas de las manos—. No admiraría a un hombre que no protegiera a su hija. Es su deber. Es evidente que te han educado para ser una buena persona. Nada puede hablar mejor de los dos que tu carácter.

Bueno, se dijo Miren, tiene buenos instintos. Pero, Dios mío, ¿está preparado para conocer a papá? ¿Debería advertirle? ¿Debería prepararle? ¿Debía confiar en que su madre interviniera para impedir que Justo lo echara con cajas destempladas? Sí, eso era lo más prudente: suplicarle a su madre que controlara a Justo. Pero ¿había alguna esperanza de que eso bastase?

Miguel ya había conocido a hombres con carácter, y se sentía con ánimos para el encuentro. Miren valía la pena.

* * *

Miren entró en Errotabarri y antes de que dejara en el suelo su saco de hilo, su madre le preguntó cómo le había ido el encuentro con Miguel.

—¿Con Miguel?

—La señora Jausoro ya se ha pasado por aquí.

—Fue pura casualidad. ¿Qué tiene que decir? ¿Dijo que habíamos *quedado*?

Mariángeles se inclinó ligeramente y dobló el cuello para formar una falsa joroba en la espalda antes de imitar la voz de la anciana mientras comunicaba su dramático chismorreo:

—Tengo que decirte que he visto a Miren en el pueblo, tomando café con ese joven que acaba de llegar de Lekeitio, el de la familia de pescadores, el que no lleva *txapela*, pero que también trabaja en el taller de Teodoro Mendiola. Sí, desde luego que es apuesto, pero eso no dura, y estaban sentados uno al lado del otro en la calle Mayor, a pleno día. No, no se tocaban, pero puesto que intentaban aparentar que no maquinaban nada, es evidente que maquinaban algo, y una madre, por si no lo sabes, tiene que saber estas cosas, porque ni mil ojos bastan cuando una hija llega a cierta edad y un hombre apuesto, aunque eso no dura, viene de otro pueblo donde sólo Dios sabe qué clase de educación ha recibido.

—Pasó por allí por casualidad y se quedó a tomar un café —dijo Miren, en un tono más agudo de lo normal, intentando inconscientemente asumir el habla de una niña inocente incapaz de toda culpa. Mariángeles puso los ojos en blanco—. *Ama,* quiero que conozca a papá.

Mariángeles se echó a reír, y siguió hasta el punto de que Miren la miró casi a punto de echarse a llorar.

—*Ama,* por favor, ¿no podrías hablar con papá? ¿No puedes hacerle prometer que sea amable y no me lo espante?

—Ese chico te gusta de verdad, ¿no? —preguntó Mariángeles.

—Sí, me gusta de verdad.

—Entonces, ¿por qué quieres verlo muerto?

* * *

—¿Cómo te ha ido el café con Miren Ansotegui? —preguntó Mendiola en cuanto Miguel entró en el taller.

Miguel soltó un gruñido.

—Este pueblo...

—Alguien ha venido al taller y me lo ha contado —dijo Mendiola.

—Desde luego. Nos encontramos en el café por casualidad. Eso es todo. Tomamos un café. Hablamos un poco. Ni siquiera nos sentamos a la misma mesa.

—Evidentemente, eso ha hecho que nadie sospechara —replicó Mendiola—. Hijo, ¿sabes lo que haría Justo Ansotegui si te comportaras de manera deshonesta con su hija?

—No pienso actuar de manera deshonesta. Me gusta estar con ella y voy en serio —objetó. Pero su curiosidad pudo más que su falta de ganas de hablar del tema—. Muy bien, ¿qué haría?

—Es el hombre más fuerte de Vizcaya. Te partiría en dos sobre una rodilla como... una espiga —dijo Mendiola, cogiendo la fina maderita que llamaban espiga. Se le ocurrió partirla para añadir dramatismo, pero le había llevado media hora darle esa forma, de manera que sólo la dobló un poco.

De todos modos, Miguel comprendió el mensaje.

* * *

Cuando Dodo se echó a la espalda las seis botellas de champán que llevaba en la mochila y otras cuatro al hombro en una bolsa, se dijo que la carga pesaba más de lo esperado.

—Deberíais pagarme el doble —afirmó cuando se dispuso que llevara el vino a través de un paso de montaña para encontrarse con un compatriota en una venta al otro lado de la frontera española—. He de ir cuesta arriba.

Aunque sólo fuera eso, Dodo daba el pego, con un jersey de lana, chaleco de pastor y alpargatas con suela de cáñamo... todo rematado con una *txapela*. Llevaba la apreciada *makila* de los contrabandistas, de madera de níspero, con mango de asta y acabado en punta para poder usarse también de espada.

Jean-Claude Artola se lo había llevado ya a dos trabajitos en las montañas y Dodo se consideraba preparado para unirse a la fraternidad del silencio. Ésa sería su primera misión en solitario, y la carga no era tan pesada como muchas otras que llevaban.

Al ocaso cruzó el valle y se adentró en un pinar hasta que encontró el arroyo que tenía que seguir en la primera parte del trayecto. Cruzó manchas de sol poniente que amarilleaban las hojas caídas en un sendero de oro. Sí, se dijo, ésta sí es manera de ganarse la vida. Tiene cierto romanticismo, incluso en el nombre que utilizan los contrabandistas: los *travailleurs de la nuit,* los trabajadores de la noche.

Al anochecer llegó a un ramal de un arroyuelo más pequeño que le llevó a un roquedal elevado, la frontera del bosque, y luego al punto de encuentro del paso. El arroyuelo se bifurcaba más adelante, y al cabo de un kilómetro el agua desaparecía bajo una densa maleza. Se dio cuenta de que ése no era el camino. Volvió sobre sus pasos, buscando un sendero que lo llevara hacia lo alto de la cordillera. Dos agotadoras horas más tarde le rodeaban unos rosales silvestres que se le agarraban a los pantalones, le tiraban de las alpargatas y le arrancaron varias veces la *txapela*. No había ningún arroyo, ni sendero, y desde luego no se veía nada. Tampoco sabía por dónde tirar; y como había ido varias veces de un lado a otro, su instinto básico de orientación no le servía de nada.

Una ruta que parecía prometedora le dejó batallando contra una maleza más alta que él. Lo que llevaba a la espalda ahora le pesaba el doble, y el sudor le empapaba el jersey y apelmazaba la piel de cordero de su chaleco. Las telarañas se le pegaban a la cara y al cuello, y se imaginaba que unas arañas gigantes le subían por encima dispuestas a comerle los ojos y dejar sus huevos dentro de sus orejas. Si había algo que odiara más de lo que odiaba a los españoles eran las arañas. Mientras caminaba, arañaba el aire que tenía delante con las dos manos, intentando romper sus hebras elásticas. Por primera vez en la vida le picaba el culo; imaginó que de la tensión y de ese maldito queso francés.

Hacía mucho que debería haber llegado al paso, pero no estaba dispuesto a abandonar. Retirarse es imposible, de todos modos, cuando no tienes ni idea de dónde estás. Lo que temía era ir andando en círculos y recorrer siempre el mismo terreno. De manera que cogió la dirección de la ladera de una colina y la siguió sin hacer caso de los impedimentos, y al cabo de media hora había llegado al final del roquedal.

Entonces Dodo comprendió que podía avivar el paso. Al instante dio con la pantorrilla contra un afloramiento recortado. Sintió el aire frío y la humedad en la pierna, pero estaba demasiado oscuro para examinar la herida. Bueno, se dijo, tengo veinte cerillas, así que encenderé una cada diez o quince pasos hasta llegar a un calvero. Cada cerilla sólo ardía unos segundos, y luego la oscuridad parecía aún más negra.

A continuación oyó un chirrido que pareció el de las ratas que solía espantar de las cajas de redes en el muelle. Pero había tantas que parecían flotar en el aire, y algunas chocaban contra la punta de la *txapela*. Dios mío, odiaba los murciélagos más que a las arañas y a los españoles. Los espantó a ciegas, intentando alejarlos de su cabeza, y en una ocasión le dio a uno tan de pleno que sintió el pelo y sus alas fibrosas. Se sentó, encendió una cerilla y vio miles de esos demonios voladores lanzándose en picado hacia él en gruesas láminas negras. No encendería más cerillas.

—Puedo hacerlo —se dijo en voz alta—. He pasado por cosas peores. Soy un Navarro.

Sus palabras de ánimo le hicieron ganar velocidad, cosa imprudente en una colina de granito con dientes de sierra, terreno inestable y grandes tragaderos. Resbaló, pero no llegó a caer, y perdió elevación para rodear un gran afloramiento que llevaba a un prado más llano. Caminando con mucho cuidado, le fue mejor por los espacios abiertos. Pero tocó algo blando con sus alpargatas de tela, le pareció vivo, se apartó medio paso y encendió una cerilla.

La repentina luz despertó a una camada de osos que dormían.

—¡¡Cristo bendito, mierda!! —gritó cuando los animales asustados le derribaron—. ¡¡Cristo bendito, mierda!!

El corazón le apaleaba las costillas. Esgrimió su *makila* como si fuera un espadachín, sin darle a ninguno pero arañándose la pierna a través de los pantalones. Notó la sangre entrándole en las alpargatas. No había caído sobre una roca dura, sino sobre la mochila llena de botellas.

Encendió una cerilla; sí, estaba sangrando.

Encendió otra; Dios bendito, ahora no eran osos, sino una especie de caballos pequeños y peludos que se habían reagrupado y acostado de nuevo a unos metros de él.

—No os acerquéis —les advirtió a través de la oscuridad.

Encendió otra; sí, el crujido que había oído y el olor a vino significaba lo que creía que significaba. Aún sentado, sacó con cuidado los cristales rotos de su mochila y vio que casi todas las botellas estaban hechas añicos.

—Mierda y más mierda —farfulló.

Se quitó la mochila del hombro y se sentó donde había caído. Sólo unas cuantas botellas estaban ilesas. Quitó el alambre del gollete de una de las botellas que no se habían roto y con los pulgares arañados fue empujando el corcho del champán. El corcho de aquella botella tan sacudida estalló en la oscuridad con un «pop» que pudo oírse a kilómetros de distancia.

Cuando ya se había bebido la mitad de la primera botella, decidió que si se echaba alcohol en la herida la desinfectaría. De todos modos, la mayor parte del resto del champán ya le empapaba las ropas y éstas se le pegaban al cuerpo. El olor dulce y afrutado sólo servía para atraer a más murciélagos. Ahora era completamente inútil intentar ahuyentarlos.

Ya había dado buena cuenta de la segunda botella cuando perdió el sentido sobre el talud de roca. Los murciélagos se reunieron sobre él, chuparon todo el champán que quisieron e intentaron volver a casa borrachos antes del alba.

S iéntate, siéntate, mi nuevo amigo. Bienvenido a Errotabarri. —Justo le dio el indulto al muchacho; no se
ofreció a estrecharle la mano, un gesto que utilizaba para me-
dir el punto de rotura de los huesos de los dedos. Lo que hizo fue ofrecerle un abrazo lo bastante suave como para que
Miguel pudiera seguir respirando, pero al mismo tiempo lo
bastante firme para que Miguel percibiera que había escapado de un torno de banco que no había ejercido su máxima
presión.

Eso estuvo bien.

Pero Miguel se sintió obligado a preguntarse: ¿cómo
es posible que este hombre engendrara una hija así? No era
más alto que Miguel, pero era recio como el tronco de un
nudoso roble. Sus cejas indómitas le colgaban sobre los ojos
como un par de toldos y el bigote, que le formaba un grueso guión en la cara, era prodigioso en sus tres dimensiones.
El borde dentado de su oreja derecha sobresalía de debajo
de su *txapela*. Los que le habían dicho a Miguel que Justo
era como un cruce entre un «buey catalán y un oso de las cavernas» no habían exagerado.

—Veo que te gusta mi cara —dijo Justo.

Miguel soltó una carcajada con la boca seca y miró hacia Miren.

—Ya que sientes curiosidad, mi nuevo amigo, te contaré la historia de mi oreja —continuó Justo—. Me la arrancó un lobo mientras luchaba con él en las montañas cuando era joven. —Se levantó la *txapela* y volvió la oreja hacia Miguel para que la viera mejor—. Ja... Éste fue su último bocado. Se la hice escupir con su última boqueada. Quería volver a cosérmela, pero la había masticado un rato y no habría resultado tan atractiva como es ahora.

Miguel le echó otro vistazo a Miren; ésta asintió e inclinó la cabeza, afirmando en silencio: «Sí, lo sé. Sé fuerte».

La estrategia de Justo estaba clara; no se trataba de intimidación física. Mariángeles le había recalcado cuánto significaba Miguel para su hija, y Justo le había dado su palabra de que no atacaría al muchacho. Pero no dijo nada de no asustarlo.

—Puesto que naciste en un pueblo marinero y eres un recién llegado en las colinas, querrás saber cómo hacemos ciertas cosas —prosiguió Justo—. En primer lugar, antes de comer, antes de que reforcemos nuestra amistad con vino y comida, debo hablarte de una de las costumbres de nuestro *baserri*. Es algo que tiene que ver con nuestra estirpe.

Mariángeles, que no tenía claras sus intenciones, aunque no le hacían ninguna gracia, colocó una mano de advertencia en el peludo antebrazo de su marido, con las uñas a punto de arrancar sangre si hacía falta.

—Tenemos ovejas, no muchas, pero sí las suficientes para mantenernos ocupados. Las hembras las tenemos para criar y para la lana; guardamos un par de carneros, los más fuertes, para que las cubran. Pero los otros varones que criamos sólo para carne no tienen por qué molestarnos con su interés por engendrar. —Mariángeles le apretó más el brazo—. De manera que los libramos de su *barrabil*, ¿entiendes? —Su carcajada sacudió los muebles mientras ahuecaba las manos como quien sostiene dos objetos redondos. Mariángeles apretó—. Para ello algunos utilizan un cuchillo, pero se te puede resbalar y destruir otras partes, y a veces provoca desagradables infecciones —explicó Justo, haciendo caso omiso de la presión callada de su mujer—. Los más veteranos hemos descubierto que sangran menos si les arrancamos las pelotas de un mordisco.

Miguel soltó un grito ahogado. Las mujeres emitieron un gemido: habían oído hablar de ese repugnante proceso, pero ¿tenía que contarlo? Mariángeles retiró la mano del brazo de su marido. Ahora ya no tenía objeto.

—Es una costumbre —dijo Justo— que a lo mejor quieres tener en cuenta cuando comiences a cortejar a mi hija.

* * *

Miguel redistribuyó la comida en el plato. El plato principal había sido cordero, y Miguel se preguntaba taciturno si Justo ya habría mordido esa carne. Mariángeles y Miren consiguieron mantener una limitada conversación, aunque lograron sacarle a Miguel historias de su infancia. Justo, sin embargo, llenaba el aire con torrentes de palabras, y cuando vio que Miguel apenas había probado el cordero, le preguntó al muchacho si comía algo que no nadara en el mar. Cuando Miguel confesó que en ese momento no tenía mucho apetito, Justo le quitó la carne que tenía en el plato y la devoró.

—No podemos permitir que la carne se desperdicie —anunció—. Deja que ahora te hable de mi santa madre —prosiguió Justo, y pasó a relatar la muerte de su madre y el pesar que consumió a su padre, tan extremo que no tuvo que adornarlo—. El amor que mi padre sentía por mi madre permanecerá en el tiempo como un monumento a la devoción y a la entrega —concluyó con orgullo—. Era tanta su capacidad de amor que cuando la perdió murió con el corazón roto.

Justo hizo una pausa, como si esperara aplausos.

—¿Y vosotros, los hijos? —preguntó Miguel sin pensar.

—Nos hicimos hombres, orgullosos de su ejemplo.

Miguel negó con la cabeza.

—Miguel, ¿qué? —preguntó Mariángeles.

—Nada.

—Miguel, ¿qué? —insistió Mariángeles.

—Que es una historia muy triste.

Pero Justo remachó:

—Y que lo digas, hijo.

—No querría ser irrespetuoso —le dijo directamente a Justo, humillando un poco la cabeza en señal de respeto—. Pero creo que si tu madre hubiera tenido la oportunidad, no habría dicho: «Tu dolor demuestra la intensidad de tu amor», sino más bien: «Cuida de los chicos. Ahora tienes que quererlos por los dos».

—Cuidado, muchacho —advirtió Justo.

Se oyó un estallido en la lumbre y Miguel se sobresaltó. Fue el único sonido en el comedor en lo que parecieron minutos. Justo no apartó los ojos de Miguel. Al menos para alterar la fuerza de la mirada de Justo, Miguel añadió:

—Estoy seguro de que tu padre quería muchísimo a tu madre, pero creo que fue un egoísta al descuidar a sus hijos. Perdiste a dos progenitores en lugar de uno. Tu padre debería seguir vivo. En este momento debería estar a la mesa con nosotros. Yo debería haberle conocido; él debería haber superado su pérdida y seguir aquí con sus hijos. Ahora lo admiraría.

Justo se mordisqueó el bigote y toda la mesa quedó en un silencioso suspense. Nadie le había hablado así a Justo. Minutos más tarde, éste se puso en pie y rodeó la mesa hacia Miguel, que creyó que pretendía estrangularlo. Pero le tendió la mano. Miguel la aceptó y Justo la rodeó. Suavemente, esta vez.

—Josepe dijo que eras un buen hombre —declaró Justo—. Tenía razón. Al menos eres valiente. Me has dado mucho en que pensar. Eres bienvenido a nuestro hogar.

—¿Por qué no os vais los dos a dar una vuelta? Hace una tarde preciosa —les dijo Mariángeles a Miren y Miguel.

Cuando estuvieron fuera, Miren lo atrajo hacia sí. Rebosaba cariño y se sentía acalorada, como si tuviera demasiada sangre y no bastante oxígeno. Sin pensarlo, se besaron, los labios apenas tocándose.

Ella ejecutó un fulgurante paso de jota, un giro, y fue al lado de Miguel en el paseo más agradable de su vida.

* * *

En la casa estaban incrustados los excrementos de los animalillos y pájaros que se habían instalado en ella desde que su último morador se trasladara a Bilbao sin molestarse en arreglar las ventanas rotas. Olía a hongos y a moho por culpa de una alfombra empapada de lluvia que quedaba bajo el techo de tejas agrietadas. Las tablas que había debajo de la alfombra estaban alabeadas como olas.

Y Miguel no podía estar más feliz. El deplorable estado de la casa la hacía más barata, y también le proporcionaba una excusa para reconstruirla a su propio gusto. Ahora podía dejar sólo las paredes y hacerla suya.

Igual de importante era el pequeño cobertizo adyacente, cuyas puertas hendidas daban a poniente y donde podría instalar su propio taller. Después de trabajar todos los días en el taller de Mendiola, Miguel se pasaba gran parte de la noche reconstruyendo su casa. Al mes había reemplazado los tablones del suelo dañados con roble pulimentado, había construido armarios de pino con puertas con relieves y había fabricado cornisas de madera dura y zócalos que clavaría cuando hubiera repintado las paredes.

Miren imploraba ayudar en la rehabilitación, y los dos conspiraron para pintar el interior un día que Miguel no tenía que ir a trabajar con Mendiola. No era sencillo. Que una joven se viera dentro de una casa con un hombre a solas podía alimentar chismorreos durante meses.

La casa de Miguel se encontraba en el extremo del pueblo, ya entre las últimas residencias, justo dentro del anillo de caseríos que se extendían fuera del núcleo. Después de recorrer el pueblo y llevar a cabo una paciente vigilancia, Miren decidió que el encuentro era seguro. La casa inmediatamente le pareció acogedora, y no le costó nada imaginarse viviendo allí: removiendo la olla sobre la lumbre, remendando las ropas de Miguel, barriendo el suelo, metiéndose en la cama.

Un Miguel sin camisa tenía la pata de una silla en el torno cuando Miren llegó, y estaba cubierto de finas astillas.

—Hola. ¿Qué te parece?

Se obligó a desviar la mirada.

—Creo que papá me mataría si supiera que he venido.

—No te mataría. Me mataría a mí —la corrigió Miguel—. ¿Preparada para trabajar?

—A sus órdenes, señor. —Le hizo el saludo militar.

Miren se había puesto traje de faena, con un pañuelo en la cabeza, delantal y varias blusas una encima de la otra para poder quitarse la de encima si quedaba salpicada de pintura. Pero a los pocos minutos estaba toda ella moteada de amarillo de las salpicaduras de las rígidas cerdas del cepillo.

Miguel sugirió que él pintaría la parte de arriba subiéndose a la escalera y que ella pintara la zona inferior y las molduras hasta donde llegara. Lograron una técnica eficaz, y suavizaron los brochazos allí donde los de ambos se solapaban. Puesto que ella debía cubrir una zona más pequeña y más fácil de alcanzar, iba muy por delante de Miguel y su escalera, así que se tomó un descanso casi después de una hora de trabajo.

Mientras trabajaban se lanzaban miradas furtivas cuando creían que el otro no se daba cuenta. Pero a menudo sus ojos se encontraban, lo que provocaba sonrisas avergonzadas. A ella le gustaba mirar las manos de Miguel mientras trabajaba; la habían atraído desde que él sostuvo la suya entre ellas. Eran poderosas, y ella quería trazar con los dedos el sendero a las venas que recubrían los músculos. Esas manos le permitían crear hermosos muebles que podrían durar siglos. Era una especie de poder que ella admiraba.

Cuando Miren se agachó para mojar su brocha y lo pilló por tercera vez, Miguel abandonó la timidez.

—Lo siento, no puedo evitarlo —confesó.

Ella sonrió pero no contestó.

—Claro, todas las vascas son guapas —dijo él para romper un silencio que se había vuelto incómodo.

—¿Es algo sabido?

—Los marineros de Lekeitio han recorrido los mares del mundo y no han encontrado mujeres más hermosas.

—¿Cómo sabes que no encontraron mujeres más hermosas y decidieron callárselo?

—Siempre regresaban a casa.

Miren dejó la brocha y se le acercó con un meneo que obligó a Miguel a cerrar los ojos.

—¿Me estás diciendo que no soy sino una más entre muchas? —preguntó ella—. Una vasca más.

—No... no... no... Si existiera una mujer más hermosa que tú, habría oído hablar de ella. Circularían canciones, poemas.

—Entonces, ¿por qué no escribes un poema sobre mí?

—Ya he creado un nuevo baile en tu honor. —Regreso al humor.

—Cierto, pero a una chica le gustan los poemas. —Presionando.

Confundido, Miguel se rindió. El movimiento de aquellos pasos, su sonrisa, y esos condenados ojos oscuros. Le habían dado guerra desde el principio. Había pasado varias semanas imaginando todo lo que podrían hacer juntos. Volvió a cerrar los ojos y se sintió mareado.

—Esto probablemente no sea un poema —dijo Miguel—. Nunca he estudiado estas cosas, así que no lo sé. Pero sé lo que quiero hacer. Allí donde estés conmigo, quiero hacer que te sientas como cuando bailas.

Se abrazaron tan fuerte que el sudor de él le mojó el delantal. Sin pedir permiso, una de las piernas de Miren se enredó en la pantorrilla de Miguel, apretando las caderas contra las de él. Y allí se quedaron, cada uno respirando el aliento del otro.

—¿Compartirías esta casa conmigo? —preguntó Miguel—. ¿Pasarías tu vida conmigo?

—Nada me haría más feliz.

—Te quiero —dijo él—. Te quiero de verdad.

—Yo también te quiero.

Se quedaron en silencio. De pie y respirando.

—¿Qué crees que dirá tu padre cuando le pida tu mano? —preguntó en voz baja Miguel mientras se separaban para mirarse a los ojos.

—*Ala Jainko!* Ningún hombre es lo bastante bueno para mi pequeña —dijo ella con una sorprendente voz de barítono—. El único hombre digno de mi hija soy yo, y ya estoy ocupado.

—Pero ¿lo permitirá?

—Miguel Navarro, me da igual lo que diga. Vamos a casarnos.

* * *

Justo eructó tan fuerte que le tembló el bigote.

—Maldita vaca —dijo señalando el piso de abajo.

—Justo, esta excusa sólo vale cuando los animales están en la casa. Ahora es verano, y están pastando.

—En ese caso, te ruego me perdones. Pero si no es culpa de la vaca, entonces es tuya. Me has obligado a comer demasiado.

Aquella tarde Mariángeles había ido al mercado y había comprado una merluza entera, que había preparado después a la vasca. Los pescadores de Lekeitio o Elantxobe en ocasiones llevaban pescado fresco a Gernika para venderlo o cambiarlo por verduras o cordero. Justo lo había devorado todo menos el trocito que Mariángeles se había apartado para ella.

—Mi glotonería es sólo para recordarte que aprecio tu cocina —dijo Justo—. Y para que sepas que eres la mejor cocinera del País Vasco.

—Gracias, nunca me cansaré de oír repetírtelo —replicó ella.

—Yo me encargaré de ello —contestó él mientras quitaba los platos.

—Justo —dijo ella, esperando a que él la mirara antes de continuar—. Estoy orgullosa de cómo has reaccionado ante la noticia de Miren. Esperaba que fueras comprensivo.

—La verdad, Mari, es que estoy encantado. Miguel es un hombre... Tonto como cualquiera de su edad, pero un buen partido para nuestra hija. Miren no podría encontrar nada mejor. Obré con sensatez al no matarlo.

Mariángeles se rió.

—Hacen una pareja estupenda.

—Nos darán unos *ilobas* estupendos.

—¿Más de uno? ¿No te importará que tengan más de uno? —Mariángeles se quedó sorprendida por el uso del plural con relación a sus nietos.

—No me importa. Espero que tengan una docena. Espero que llenen el pueblo de hermosos bebés.

Justo extendió los brazos, como para invitar a su mujer a dar fe de su mente abierta.

—Bien hecho.

Después descolgó el delantal del colgador, se lo ató y comenzó a echar las sobras en un cubo para su cerdo.

—Gracias —dijo ella—. Iré al pueblo a ayudar a María Luisa en ese proyecto musical en el que está trabajando.

—Tu hermana hace magia con ese acordeón —comentó Justo, ejecutando dos aceptables pasos a la música que recordaba—. Pero es la tercera vez que pasas la velada con María Luisa. Si no supiera que estás casada con el hombre más codiciado de Vizcaya, sospecharía que me la estás pegando.

—Estás muy seguro de ti mismo.

—¿Y por qué no?

Mariángeles cogió el bolso y una chaqueta por si refrescaba.

—Querida —dijo Justo en voz baja—. Recuerda, tienes mi corazón en tus manos.

—Sólo hago una obra de caridad.

Justo se volvió a hinchar como un pavo.

—Ajá. Lo que imaginaba. Sería una tonta si se fijara en otro teniendo a Justo Ansotegui en casa.

Flexionó el bíceps derecho hasta formar una bola de cañón que quedó adornada con las flores del delantal y el cubo para el cerdo.

—Mari. Esta vez ten cuidado.

—¿Cuidado?

—Sí, la última vez te hiciste daño.

Ah, sí, es cierto. Aquella noche le había contado que, volviendo a casa, había metido el pie en un hoyo.

* * *

Miren, que volvía de tomarse las medidas para un vestido, la vio salir precipitadamente de casa.

—¿Cómo se lo está tomando papá? —le preguntó.

—La verdad es que me está sorprendiendo. Acabamos de hablar de ello, y está muy contento con tu elección. Cree que dice mucho a su favor.

—¿Adónde vas con tanta prisa?

—A ver a María Luisa.

—*Ama*, ¿hay algo más que tengamos que hacer en la casa antes de la boda, ahora que va a venir toda la familia?

—Creo que podríamos pintar un poco por dentro —dijo Mariángeles—. Estaba pensando en un color más vivo, como el que Miguel ha elegido para su casa.

Miren asintió y a continuación comprendió lo que quería dar a entender su madre.

Mariángeles leyó la expresión ausente de su hija.

—Miren, el día que volviste de casa de Alaia ibas cubierta de pintura. Sé que no estabas pintando su cabaña.

¿Adónde ibas a ir, si no? No te juzgo. Confío en ti y confío en Miguel. Pero la gente del pueblo no es tan generosa. Ten cuidado. Y ten paciencia. Y la próxima vez límpiate mejor la pintura. Estoy segura de que a tu padre el color no le gustaría tanto como a mí.

* * *

Miren Ansotegui necesitaba juntar a las dos personas más importantes de su vida por muchas razones, pero, sobre todo, por lo mucho que se enorgullecía de ambas. Si todo iba como esperaba, Alaia y Miguel estarían cerca de ella el resto de su vida, y se imaginaba a los tres envejeciendo juntos. Si surgían celos entre ellos, o la menor animosidad, sería difícil para ella aceptarlo.

Los preparaba a los dos, contándole a Miguel las necesidades y todo lo relacionado con Alaia e insistiéndole en que procurara evitar los malentendidos verbales en los que ella había caído, a pesar de que Alaia nunca parecía ofenderse. E iba con cautela al hablarle a Alaia de lo apuesto que le parecía Miguel, pues no quería que su amiga se sintiera postergada o dejada de lado. Sí, le confesó que pensaba casarse con él, pero le dijo que eso no tenía por qué afectar a la relación con su mejor amiga, su hermana.

—Quiero que la ames y que ella te ame a ti —le dijo Miren a Miguel.

—Sé que adoro cómo consigue que huelas —replicó Miguel.

—Hablo en serio. Para mí es una persona y una amiga muy especial —insistió Miren—. Me ha hecho más comprensiva con la gente. Me ha hecho comprender mejor lo mal que lo pasan algunas personas. Es increíble lo fuerte y valiente que es. Imagina lo que debe de ser estar ciego.

—Si ella es tan importante para ti, entonces lo es para mí. ¿Puedo hacer algo por ella? ¿En su casa? ¿Alguna reparación? ¿Llevarle leña?

—No creo, es muy independiente.

—O construirle algún mueble.

—Oh, *astotxo,* eso sería maravilloso, a lo mejor un bonito arcón para sus cosas.

—¿Necesita ayuda para venir aquí? —preguntó Miguel.

Miren le explicó el talento de Alaia a la hora de orientarse y los hitos que utilizaba para no perderse cuando iba al café a encontrarse con ella. Ahora que Miren y Miguel estaban prometidos, era aceptable que estuvieran juntos en público, e incluso que se mostraran cariñosos.

Alaia llegó al café, utilizando discretamente el bastón para ver si en la puerta había algún peldaño o impedimento. Entró y se quedó en la puerta, sabedora de que Miren estaría atenta y la recogería para llevarla hasta su mesa. Se abrazaron y se besaron en las mejillas, como siempre, y Miren la llevó hasta donde, ahora de pie, estaba Miguel.

Miren tenía razón: era asombrosa; muy bien proporcionada, con el pelo castaño claro y la piel del color del duramen de ciprés. De no haber sabido Miguel que era ciega, no podría haber advertido nada que la hiciera diferente de cualquier encantadora jovencita que simplemente anduviera con los ojos cerrados. Se movía con lentitud, aunque eso sólo le daba una cualidad onírica, se dijo Miguel. Y cuando Alaia y Miren se le acercaron cogidas del brazo, ninguna de las dos amortiguó el impacto de la aparición de la otra.

Cuando se la presentaron, Miguel le dio un beso en la mejilla y luego la abrazó. Le susurró algo al oído y luego volvió a abrazarla con más energía. Miren contuvo el aliento, asombrada.

—Oh, Miguel, eres tan fuerte... —exclamó Alaia.

—Oh, Alaia, he soñado tantas veces con una mujer como tú... —replicó Miguel.

Miguel observó la cara perpleja de Miren.

—Sí, ha picado —le dijo a Alaia—. Deberías ver su expresión.

Los falsos amantes suponían que Miren había advertido a ambos lo importante que era que se cayeran bien. A los dos les había hecho gracia tanta preocupación.

—Hay que ver cómo sois. Estaba a punto de levantarme y separaros.

—Nos amenazaste para que nos lleváramos bien. Pensamos que esto te haría feliz —explicó Alaia.

Una vez más se abrazaron cortésmente, en un saludo más auténtico.

—Esperaba que olieras como Miren —dijo Miguel.

—Ese jabón es sólo para ella. Es la «mezcla de Miren».

—Alaia, recuérdame que coja más para mi madre —pidió Miren—. No te lo vas a creer, pero ahora mi padre también lo utiliza. Dice que durante el día le recuerda a mi madre. La verdad es que no le pega nada, pero es una mejora en relación con el que utilizaba las pocas veces que se molestaba en bañarse. Siempre está diciendo: «Ah, Alaia. Esa chica tiene poderes».

—Creo que mientras no salga de la familia, todo irá bien. Miguel, ¿ya has conocido a su padre?

—Sí. Fue una velada muy interesante.

—¿No huiste por piernas deseando no volver?

—De momento no —dijo Miguel—. Pero no bajo la guardia.

Estuvieron charlando durante la cena, y cuando acabaron de contarse historias, y Alaia y Miguel hubieron compartido todas las anécdotas divertidas que recordaban sobre la chica que los dos amaban, Miren consiguió relajarse. No, no parecía que hubiera ningún problema entre Miguel y Alaia.

Capítulo
10

José María Navarro amarró el *Egun On* en un muelle con marea alta cerca de Gernika y embarcó la dichosa carga: a su hijo rebosante de amor y acompañado por su futura esposa. Miguel ayudó a subir a bordo a Miren, de la mano para no perder el equilibrio, e hicieron el trayecto sin dejar de tocarse en ningún momento; siempre una mano en el hombro o en la cintura del otro para no perder el equilibrio. Hasta que avistaron la cima que daba a mar abierto de la isla de San Nicolás, con su blanco cinturón de olas que rompían, no comprendió Miguel que había estado tan ocupado presentando a Miren, hablándole orgullosamente de ella a su padre y señalándole a ella las características del barco, que había completado la travesía sin sentir náuseas.

—Caramba, jovencita, eres tan guapa como tu madre —proclamó Josepe Ansotegui cuando Miren y Miguel entraron en casa de su tío, que no estaba a más de cinco pasos cruzando la calle donde creciera Miguel.

—Vaya, es el cumplido más bonito que me podían hacer —dijo Miren, y abrazó a su tío.

—Es cierto, eres preciosa, y nuestro amigo Miguel es un hombre afortunado —declaró Josepe—. Dinos, ¿tu madre todavía no se ha hartado de este hermano mío?

—Lo disimula muy bien.

Aquella velada los Navarro dieron una comida para las dos familias. En ella, José María y Josepe se quitaron simultáneamente la *txapela,* revelando un color idéntico: unos cuellos arrugados y morenos, mejillas enrojecidas por el viento, una repentina línea blanquísima en el cuero cabelludo, encima de las orejas, creada por la invariable posición de las *txapelas,* que parecía nieve sobre la línea de árboles del alto Pirineo.

Hubo muchos brindis. Y, después, Miguel quiso presentar a Miren por todo el pueblo, empezando por los cafés, las tabernas y el muelle. La gente se les acercaba. Ninguno había visto a Miguel desde que abandonara Lekeitio; todos preguntaban por sus actividades actuales y elogiaban su suerte por haber conseguido una esposa.

Muchos pretendieron revivir su última noche en Lekeitio, un encuentro que Miguel nunca había compartido con Miren. Con tacto, ella se distanció de esas conversaciones, platicando con las chicas del grupo de cosas sin importancia, mientras de manera disimulada procuraba escuchar la reacción de Miguel, quien rápidamente quiso cambiar de tema, pues no sabía quién podía oírles, ni si entre su grupo habría alguien dispuesto a informar de su retorno a la Guardia Civil, quien estaría encantada de darle su propia bienvenida.

A Miguel también le preguntaron por el paradero de Dodo:

—No lo sé, no he sabido nada de él desde que se fue a América a hacer de pastor.

Era una práctica habitual entre los pescadores trasladarse a las montañas del oeste americano. Su vecino, Estebe Murelaga, les escribía a muchos desde Idaho. No sabía nada de ovejas, pero ya había ahorrado lo suficiente para tener su propio rebaño. Naturalmente, nadie creía la fingida ignorancia de Miguel: él y Dodo habían estado muy unidos como para que no supiera dónde se encontraba. Pero nadie le insistía.

Cuando Miguel y Miren completaron su paseo por el muelle, se besaron en la calle vacía, bajo las farolas que habían iluminado los paseos de Miguel hasta la iglesia antes del alba. Él le pidió a Miren que subiera a la ventana de la sala de la segunda planta de su tío antes de irse a la cama. Cuando Miren llegó arriba, Miguel ya estaba en la ventana de enfrente, extendiendo los brazos, empujando y tirando del tendedero.

—Así que hay cosas de tu pasado que te has olvidado de contarme —dijo Miren.

—Unas cuantas, sí, pero sólo porque pensé que no te interesarían.

—Que al hombre con quien voy a casarme le gusta estar fuera de la ley. Sí, eso es algo que podría haberme interesado.

—Fíate de mí, no fue el gran drama en que muchos pretenden convertirlo.

De manera inadvertida, cada uno tiraba del tendedero cuando hablaban.

—¿Debería saber si alguien resultó herido? —preguntó Miren.

—Sí, alguien resultó herido. Aunque no fue nada importante, y yo tampoco salí ileso del todo.

Miguel se meneó la mandíbula con la mano.

—¿Podrías tener algún problema?

—Nunca se sabe.

—¿Podrían meterte en la cárcel?

—Hoy en día meten en la cárcel a cualquiera.

—¿Y a ti?

—Depende de la buena memoria que tengan.

—¿Deberíamos irnos del pueblo?

—Con irnos mañana será suficiente. Creo que estamos a salvo.

—¿Alguien está a salvo?

—Si hasta ahora no nos han descubierto, creo que estamos a salvo.

—¿Estamos? ¿Debo deducir que cuando pasó todo eso ibas acompañado del mítico hermano Dodo?

—Sí, deduces bien.

—¿Y debo deducir que fue ese mítico hermano quien organizó el cotarro y que tú te viste metido sin comerlo ni beberlo?

—No deduzcas demasiado. Asumo la responsabilidad de lo que hice.

—¿Y cuándo conoceré a ese mítico hermano?

—Eso, *kuttuna,* no lo sé.

—¿Y me gustará ese tal Dodo?

—Te divertirá. Sé que tú le gustarás muchísimo.

—Oh, ¿cómo puedes estar tan seguro?

—Porque probablemente intentará conquistarte.

—*Astotxo,* eso nunca sucederá.

—Bueno, no querría ponerme violento con mi propio hermano. Ya se basta él solo para meterse en líos.

El tira y afloja de palabras y tendedero cesó un instante, cuando una mujer gruesa pasó jadeando con andares vacilantes bajo sus ventanas. La mujer levantó la mirada al pasar, sonrió, sacudió la cabeza ante las locuras de la juventud y siguió su camino. Miren inclinó la cabeza a un lado, de manera que la trenza le rodeó el hombro y le quedó delante del pecho. Se quitó la cinta roja del extremo de la trenza, la besó, la ató al tendedero y se la mandó a Miguel para que la guardara durante la noche.

—Sé que es estúpido, pero guárdala esta noche —dijo Miren—. Te quiero.

—Buenas noches. —Miguel se metió la cinta en el bolsillo—. Yo también te quiero.

Vino octubre, se casaron, y las dos familias quedaron conectadas con un vínculo más poderoso que aquel tenderete móvil.

* * *

Miguel trabajaba solo en el trecho superior del robledal. Por la mañana y hasta primera hora de la tarde talaba madera, y al final del día, con la mula prestada, arrastraba los troncos colina abajo hasta el pequeño aserradero. Últimamente se había dado cuenta de que hacía más pausas, no por fatiga, pues talar troncos le había hecho más fuerte y estar más en forma. Los músculos fibrosos que le habían hecho tan buen nadador se habían desarrollado de tanto serrar y acarrear robles. No, sus pausas en el trabajo estaban causadas por una persistente inclinación a repasar su vida.

Rodeado de robles, Miguel escuchaba las ardillas, que sólo pronunciaban consonantes en una serie de hipos agudos. De las rocas le llegaba el relajante zureo de las palomas, siempre en parejas, pacíficas y prodigándose mutuamente sus atenciones. Sólo entonaban aquel canto apagado, pero era una balada que confortaba a Miguel.

Los humos de las chimeneas de principios de otoño generalmente enturbiaban el sol del valle, hasta que las brisas de mediodía limpiaban la atmósfera. Más arriba, veía cómo las montañas se solapaban y quedaban teñidas de una progresión de verde a azul y gris, hasta adquirir un tono espectral a lo

lejos. Desde la ladera de la montaña veía las bolitas algodono-
sas de las ovejas moteando los prados de fieltro. Los almiares
proyectaban sombras a la luz de la tarde, y en las tejas de las
casas se reflejaba el sol, como las escamas de un salmonete.

En las marismas que había junto al estuario, bandadas
de cigüeñas movían sus alas blanquísimas mientras se incli-
naban para aterrizar. Siempre se había jactado de lo bonito
que era Lekeitio, pero allí la vista siempre se encontraba con
el mar o la orilla, y carecía de los sutiles cambios de estado
de ánimo de aquellas montañas. Sí, estaba la isla de San Nicolás, y las hermosas playas cercanas al puerto. Pero los pescadores rara vez se relajaban en la playa; para ellos era como
estar a punto de irse a trabajar.

Mientras escudriñaba el terreno, Miguel recordó la
primera vez que llevó a Miren a esa colina. Evocó a Miren
momentos antes del ocaso, en una zona de flores púrpuras,
con pinchos, su cabello mecido por la brisa al tiempo que
las plantas parecían inclinarse ante ella. Miguel cerró los
ojos para fijar esa imagen. Cuando volvió a mirarla, Miren
tenía en la mano una flor y le devolvía la sonrisa, como si
le hubiera leído la mente. Siempre sospechó que ella tenía
ese poder.

La mula resopló, devolviendo a Miguel al presente. Se
acordó de su hermano. ¿Podría asistir Dodo a la boda? Con
Dodo todo era posible. Pero ahora no sería prudente que lo
visitara. Miguel reprimió una carcajada al imaginar a Dodo
perseguido hasta la nave de la iglesia por la Guardia Civil,
agachándose entre los bancos, escondiéndose en el confesionario.

Pero menuda sorpresa tengo para mi padre, se dijo Miguel: ahora soy un pescador empedernido.

A principios de verano, Justo había llevado a Miguel
«a charlar» a las montañas cercanas. Miguel temía que le sol-

tara una conferencia sobre alguna otra desagradable tradición de los *baserritarrak*. Cuando llegaron a un calvero sombreado por alisos y álamos, Justo extrajo del bolsillo un ligero sedal y un paquete de gusanos que había sacado del jardín recién arado.

—¿Qué es todo esto? —preguntó Miguel.

—Voy a enseñarle a pescar a un pescador —anunció Justo.

Lanzando y recogiendo el sedal a mano, hicieron flotar los rollizos gusanos por el río. En un remanso creado por un aliso derribado por el viento, los gusanos atraían truchas gruesas y duras. Cada vez que cogía una, Justo pegaba tal grito que retumbaba por las colinas. En aquellos momentos, detrás de todo su vello, su bigote y su jactancia, Miguel veía exactamente cómo había sido Justo de niño. Imitando su técnica en otro remanso que quedaba un poco más río abajo, Miguel pronto reunió media docena de truchas. Cada vez que alguno cogía un pescado, dejaba escapar una voz de triunfo.

Justo cortó una rama de aliso y ensartó las branquias y bocas de las truchas para transportarlas a Errotabarri.

—Una pregunta —dijo Miguel—. Estas truchas, ¿las limpiamos con un cuchillo o tenemos que arrancarles las tripas a bocados?

Justo soltó la carcajada más sonora del día.

—Puedes utilizar el cuchillo, hijo, pero me alegra saber que escuchas mis historias.

Miguel se dio cuenta de que era la primera vez que utilizaba la palabra «hijo» para hablar con él.

—Dímelo ahora, Justo, teniendo en cuenta que voy a casarme con tu hija y que la he tratado de manera honorable, y después de, espero, haberme ganado tu confianza. ¿De verdad castráis a los corderos a bocados?

Nuevas carcajadas que le estremecieron la barriga.

—Estás loco, muchacho —dijo Justo—. Una vez lo intenté porque oí que los viejos del pueblo lo comentaban y pensé que a lo mejor funcionaría. Pero fue asqueroso. Imagínatelo. ¿Crees que alguien querría meter la boca ahí abajo? Y si te crees que un cordero se va a quedar quieto y permitir que le arranquen las pelotas, estás muy equivocado. —Miguel sintió repulsión ante esa imagen—. Josepe intentaba inmovilizarlo por los cuernos y Xabier le sujetaba las patas traseras, y cuando me acerqué ahí abajo, el cordero pataleaba y chillaba. Y además, los viejos debían de afilarse los dientes con una piedra, pues tuve que pasarme cinco minutos royendo antes de que cayera el primero. Salí de allí como si hubiera participado en una pelea a cuchillo, y Josepe y Xabier no podían respirar de la risa. Todo el rato le habían estado dando ánimos al animal. Para el segundo utilicé el cuchillo, y nunca has visto a un cordero más feliz de que le arranquen un huevo de ese modo.

Miguel, sin aliento de tanto reír por la historia de Justo, utilizó la manga para secarse los ojos.

—Y luego dices que no cuentas mentiras.

—Nunca te he dicho que no contara mentiras. Lo que dije es que no exageraba —puntualizó Justo—. Apuesto a que te lo he dicho diez mil veces.

Los dos sonrieron y bajaron el valle, sujetando cada uno un extremo de la rama con los peces.

—De todos modos, es una buena historia, ¿no crees?

—No es fácil olvidarla.

La mula volvió a resoplar y Miguel abandonó sus recuerdos. Se dejó llevar por una emoción muy cercana a la nostalgia, sólo que acerca de hechos que aún habían de suceder. Se imaginó dentro de muchos años, trabajando en su oficio, casado con Miren, criando una familia en ese lugar. Volvió a recorrer el valle con la vista; era hora de echar otro trago a su cantimplora antes de bajar los troncos al aserradero.

* * *

Aguirre anduvo a paso vivo entre las hileras paralelas de árboles delante de la basílica de Begoña, dejando un rastro de humo de cigarrillo como si fuera una locomotora de tren. Se metió en la rectoría después de medianoche, en busca de un vaso de vino y la confianza de un sacerdote, y encontró al padre Xabier ensayando y puliendo la presentación del domingo.

Xabier sirvió Madeira.

—Te he traído una cosa —anunció Aguirre, y puso un libro sobre la mesa. Era de su poeta favorito, Lauaxeta.

—*Nuevas direcciones* —dijo Xabier, leyendo el título—. Espero que sea un mapa de tiempos mejores.

Chocaron los vasos.

—Lo dudo —replicó Aguirre—. Por eso estoy aquí.

—¿Qué? ¿Hay algo más que pueda hacer Madrid, después de cancelar nuestras elecciones y revocar nuestro derecho a recaudar impuestos y...

—Ha habido una revuelta minera en Asturias —le interrumpió Aguirre—. Han llevado a Franco para que la sofoque. Y lo ha hecho.

Xabier se inclinó hacia él, invitándole a dar detalles.

—Torturas, ejecuciones. Mataron a hombres y mujeres en el pueblo fueran huelguistas o no.

—Los huelguistas, ¿eran socialistas?

—Supongo —dijo Aguirre—. Socialistas, anarquistas, rojos... probablemente tan sólo obreros hartos de sus condiciones de trabajo.

—Sigo la política. Intento estudiarla. Y tú me pones al día regularmente. Pero cada vez me resulta más difícil saber quién es responsable cuando ocurre cualquier cosa. Cada vez me vienen más feligreses que quieren que se lo explique. Pero no sé por dónde empezar.

Aguirre asintió, se acabó el vino e intentó simplificarlo para su amigo. Comenzó varias veces, se interrumpió y al final dijo:

—Padre, no estoy seguro de entender todo lo que ocurre. O no nos llegan noticias o nos llegan sesgadas. Y parece que todo cambia de semana en semana, de región en región. Cambian las alianzas, los partidos cambian de nombre y vuelvo a estar confuso. Me imagino lo que debe de ser para el campesino o para el trabajador de la mina.

—Me temo que no es muy reconfortante —dijo Xabier.

—Lo único seguro es que en los demás países de Europa donde ha habido una lucha por el poder como ésta, a los fascistas les ha resultado más fácil hacerse con el poder.

* * *

Un par de bueyes marrones, envueltos en chales de piel de cordero y con una guirnalda de flores enredada en sus cuernos, lideraban la procesión. Los cencerros sonaban al unísono al caminar y tiraban de un carro que transportaba la dote y las posesiones de Miren. Entrechocaban cazos de cobre mientras el carro rodaba por los adoquines. Un fuelle de madera y cuero, sujeto por un asa, producía exhalaciones sincopadas cada vez que el carro saltaba. Un gran crucifijo destinado al dormitorio estaba apoyado reverencialmente en un rincón, con un pesado rosario envolviendo el eje vertical como un collar en torno a un espantapájaros.

Seguían al carro los *txistularis*, que aportaban cierta música al estrépito. La procesión se agrupaba en parejas, no distintas a la de los bueyes: Miren y Miguel, los padres de ambos, los miembros de la familia y luego los amigos, y cada una de las mujeres llevaba un cesto de mimbre con regalos o flores.

Dada la creciente penuria de los tiempos, los regalos eran casi todos hechos a mano o cultivados en casa, tan elaborados como un bordado reliquia de la familia o tan sencillos como una madeja de lana recién acabada de hilar y teñida de un bonito color.

Miguel no sería capaz de recordar gran cosa de la misa y las lecturas nupciales del padre Xabier, centradas casi enteramente en Miren. La señora Arana le había cosido un vestido de satén blanco, con abalorios como perillas decorando el entallado corpiño vasco que acentuaba la esbelta cintura de Miren. En el punto inferior del corpiño, por detrás, justo antes de que comenzara la falda, la señora Arana le había bordado una mariposilla de plata en honor al apodo que le había puesto a Miren. Miguel vio la mariposa y su mente ya no dejó de pensar en ella.

Con su hermano Dodo imposibilitado de asistir, Miguel escogió a su padre como testigo, algo a lo que accedió orgulloso por varias razones: no podía sentirse más feliz por su hijo, y además estaba encantado de acompañar al testigo de la novia, Alaia Aldecoa, hasta el altar. Durante semanas, Mariángeles y Miren habían llevado a Alaia a la tienda de la señora Arana, donde eligieron la tela, hicieron repetidas pruebas y le cosieron su primer vestido a medida. También tenía una cintura estrecha, pero el de Alaia era de un otoñal color teja y acentuaba el pelo más claro de Alaia y su generosa figura.

El sermón del padre Xabier incluyó referencias personales a Miren y un homenaje al poderoso vínculo del matrimonio —entre Justo y Mariángeles— que él había unido. Xabier sonreía mientras hablaba; Justo también, aunque más abiertamente, bajo el bigote.

—Vale la pena haberle enviado al seminario aunque sólo sea por este momento —le susurró Justo a Mariángeles.

A Miren, a quien sólo faltaba un mes para cumplir veinte años, le costaba tanto como a Miguel concentrarse en la ceremonia. En cierto momento, cuando el cura dijo a la concurrencia que se pusiera en pie, Miren volvió la mirada hacia sus padres. Su madre, hermosa, feliz e inmaculadamente vestida, se inclinó hacia Justo, aseado pero arrugado. Sin que Justo se diera cuenta, Mariángeles le puso la mano detrás y le colocó bien el cuello de la camisa, que llevaba doblado, y le tiró un poco del faldón del frac para que le resultara más cómodo cuando volviera a sentarse. En ese momento, Miren se dio cuenta de qué clase de esposa deseaba ser. No fue una revelación procedente de la misa ni de los votos ni de los ensalmos del padre Xabier: quería cuidar tanto a su marido que, incluso después de más de dos décadas de matrimonio, siguiera arreglándole el cuello mal colocado o la chaqueta arrugada. Quería que esas atenciones fueran su segunda naturaleza. Ése fue el voto que, ese día, hizo ante sí misma en el altar.

* * *

El primer baile de la fiesta nupcial no lo protagonizaban los novios, sino que lo ejecutaba un *dantzari* en honor a la pareja. Domingo Abaitua, uno de los bailarines del viejo grupo de Miren, dio un paso adelante e hizo una reverencia a los recién casados mientras los demás le hacían sitio. Se enderezó, se quitó la *txapela* con una floritura y la lanzó hacia la pareja. Comenzó la música y ejecutó el *aurresku* con una destreza admirable, provocando el entusiasmo de los invitados en cada paso. Acabó con una profunda reverencia a la pareja y abandonó la pista.

Miren extendió los brazos hacia el novio. Era algo que le había preocupado durante semanas. Miguel encontró poca resistencia a la hora de abrazarla, rodeándola con el brazo derecho. Sonaron cuatro notas y al siguiente compás Miguel dio un paso adelante con el pie izquierdo, seguro de sí mismo, pillando a Miren desprevenida. Había juntado los pies para concluir sus primeros tres pasos de vals antes de que ella se uniera al baile. Su sonrisa se transformó en sorpresa cuando Miguel le apretó con fuerza la zona lumbar con la mano derecha para llevarla en los giros. Girando en espirales dentro de un círculo, se deslizaron por la pista. Él contaba los pasos en voz alta, pero era capaz de bailar.

—¿Cómo? ¿Cuándo? —Miren apenas conseguía formular las preguntas—. ¿Quién?

Miguel no le hizo caso, satisfecho con sonreír ante el asombro de ella. Y responder le haría perder la cuenta.

Se movían al unísono como si no hubiera nadie más. No oyeron los vítores de sus familias y apenas se dieron cuenta de que la música había acabado, aminorando el ritmo suavemente en lugar de detenerse con brusquedad. ¿Cuánto tiempo habían bailado? ¿No llevaban bailando toda la vida?

Sin tomar carrerilla, y a pesar de las limitaciones que le imponían el vestido y el decoro, Miren saltó hacia Miguel, se sujetó con las manos detrás de la nuca y le besó en la boca con una fuerza que le echó la cabeza hacia atrás. Miren después apartó la boca con tanto ímpetu que el velo cayó el suelo, y soltó un *irrintzi*. Tras el primer chillido, Justo se unió a ella, al igual que Josepe y el padre Xabier, y luego el resto de invitados.

Cuando se oyeron las primeras notas de una jota, Miguel se apartó de su esposa y se retiró un poco para hacerse sitio.

—¿Qué? —Miren estaba inmóvil.

Pasos de jota, giros, vueltas. Si la jota de Miguel era más estudiada que natural, destacaba por la falta de magulladuras y derramamiento de sangre. Miren se unió a él, al igual que una sonriente Mariángeles.

—¿De dónde ha salido este bailarín que tanto se parece a mi nuevo marido? —le preguntó Miren a su madre.

—Ha sido un proceso lento —contestó Mariángeles.

—*Kuttuna*, tu madre, con infinita paciencia, amabilidad y arrojo me ha estado dando lecciones durante meses —explicó Miguel, un tanto sin aliento.

—Madre... —dijo Miren entre giros—, debes de ser... la mejor profesora de baile... del mundo.

—Me lo pidió con tantas ganas que no pude negarme —replicó Mariángeles—. Y se ha esforzado tanto... Tuve que mentirle a tu padre para proteger el secreto.

Miguel abrazó a su suegra.

—Gracias —le susurró, aspirando el mismo aroma que emanaba su esposa: ese jabón—. Siento lo de los pisotones.

—Ha valido la pena —dijo Mariángeles, y retrocedió para dejarles bailar otra vez.

—¿Me tienes preparada alguna otra sorpresa, *astokilo?* —preguntó Miren cuando iniciaron otro vals.

—Espero que haya muchas.

Miguel retrocedió lentamente para mirarla a los ojos.

—Tengo algo que decirte, pues creo que no debemos edificar nuestro matrimonio sobre nada que no sea la verdad. —Miren se quedó inmóvil—. Quiero que sepas que no he conocido a ninguna pitonisa gitana llamada Vanka.

—Tonto —gritó ella, y le dio una colleja sin fuerza—. Me desharía de ti ahora mismo —dijo agarrándolo del brazo—, si no fueras tan buen bailarín.

* * *

Mientras los padres de Miguel bailaban y Miren se paseaba entre sus amigos y cumplía con la obligación de bailar con todos los hombres asistentes a la boda, Miguel se sentó con los hermanos de su suegro.

Cuando Miren bailaba con Simone, el fabricante de chorizos que siempre olía a ajo, y luego con Aitor, el corpulento panadero, Miguel no podía dejar de mirarla.

Josepe y el padre Xabier levantaron su vaso hacia Miguel.

—*Osasuna* —brindaron.

—*Osasuna* —respondió Miguel.

—Eres un hombre afortunado, Miguel —dijo Josepe.

—Lo sé, amigo mío —contestó Miguel, sin apartar la vista de los movimientos de su esposa—. Todos esos años que fuimos vecinos, ¿pensaste alguna vez que acabaría formando parte de tu familia?

—Creo que es estupendo. Miren no podría haber encontrado un marido mejor —declaró Josepe—. Y ahora que oficialmente formas parte de la familia, ¿quieres conocer todos los secretos? Pregunta lo que quieras. Aquí el padre Xabier está acostumbrado a contestar a todo tipo de cuestiones, así que no le queda mucho por oír.

—Oh, no te creerías lo que oigo en el confesionario...

—¿Justo se confiesa contigo? —dijo Miguel, preguntándose por primera vez si estaría obligado a confesarse con el tío de su esposa.

—Justo no se me acerca ni como fiel —respondió Xabier—. Estoy seguro de que le preocupa que le imponga alguna penitencia por aquella vez que me metió la cabeza en el abrevadero del ganado.

—Vamos, Miguel, pregunta —le animó Josepe.

—Muy bien, esto es lo que quiero saber. Creo que Justo me aprecia y tenemos una buena relación. Me llama «hijo», cosa que considero una buena señal. ¿Debo tenerle miedo el resto de mi vida?

Su preocupación divirtió a los hermanos.

—Si me prometes no decírselo a nuestro hermano, te diré un secreto sobre Justo Ansotegui —dijo Xabier—. No es diferente a los demás. Todo el mundo actúa guiado por lo que más desea. Imagínate lo que es y comprenderás quién es esa persona. Casi siempre es evidente, pues todos estamos tan obsesionados con lo que queremos que casi nunca nos paramos a pensar en los motivos de los demás. —Miguel asintió, aunque sólo fuera para que Xabier se saltara la parte filosófica—. Vemos lo que te hace feliz a ti: no has apartado los ojos de la novia desde que te has sentado, incluso cuando has intentado mirarnos a los ojos. Has encontrado lo que querías, lo supieras o no.

Miguel asintió. El diagnóstico había sido exacto.

—¿Y qué es en el caso de Justo? ¿Vas a revelarme el gran secreto?

Xabier dio otro trago de vino antes de empezar.

—Cuando nuestro padre murió, Justo consideró que su deber era hacer de padre. Para los pequeños, el padre es el más fuerte, el más listo y el más grande, el hombre que controla todas las situaciones. Casi todo el mundo acaba dándose cuenta de que sus padres no son más que personas con las mismas debilidades que los demás. Justo nunca lo entendió. En algunos aspectos, sigue siendo un chaval de quince años que intenta estar a la altura de la imagen de lo que piensa que ha de ser un padre. Con el tiempo, acabó creyendo que podía ser el padre de todos... el padre de todo el pueblo.

Miguel asintió: eran palabras sensatas.

—He de admitir que ya no lo veo tan amenazante como al principio. Sin embargo, no quiero hacer enfadar a un hombre que mató a un lobo con sus propias manos.

Josepe y Xabier entrecerraron los ojos al tiempo.

—¿Qué lobo?

—El lobo —contestó Miguel—. El que le arrancó media oreja.

Miguel unió sus cuatro dedos y con el pulgar hizo el gesto del mordisco junto a su oreja derecha, como si fueran las fauces del despiadado lobo.

—Ya sabéis... el lobo.

—Lobo... No recuerdo ningún lobo —dijo Josepe—. Justo perdió esa parte de la oreja cuando era joven e intentó dispararle a un águila con una escopeta oxidada. Aquel trasto le explotó y le lanzó la culata hacia la cabeza. Hace más de treinta años que le falta ese trozo de oreja.

—Así que un lobo, ¿eh? —dijo el padre Xabier con un gesto de censura sacerdotal—. Necesitará al menos diez padrenuestros para expiar esa mentira.

Miguel se sintió a la vez aliviado y entristecido por la devaluación de ese mito clásico de Justo Ansotegui.

—¿Al menos mató al águila?

—No —respondió Josepe solemnemente—. Apareció de repente y no pudimos hacer nada. Éramos muy pequeños.

Josepe y Xabier intercambiaron una sonrisa. Ése era Justo. No era más que una anécdota, claro, pero los dos sabían que si un lobo hubiera atacado a Justo, fácilmente podría haberlo asfixiado con sus propias manos, incluso mientras le arrancaba parte de la oreja. Si era ficción, se debía tan sólo a que la situación nunca se había dado.

* * *

José María Navarro esperó a que su hijo, entre bailes y charlas con sus nuevos parientes, tuviera un momento libre para llevárselo aparte y expresarle su felicidad y su orgullo. También tenía noticias de Francia.

—Eduardo te manda recuerdos y dice que está muy celoso por que hayas pescado una novia tan guapa —dijo el padre—. Le he hablado de Miren, le he dicho que es la sobrina de Josepe y que es una pareja perfecta para ti.

Miguel sonrió cuando mencionó a Dodo.

—¿No había la menor oportunidad de que pudiera venir a la boda?

—Ninguna —respondió el padre—. Quería, y sabía lo importante que era para ti, pero te sorprendería saber que ha aprendido a ser cauto en muchos asuntos. De vez en cuando me envía un mensaje a través de los pescadores de San Juan de Luz. O a veces viene en una barca y nos encontramos en el mar.

—O sea, que pesca.

—No, su actividad está en las montañas —dijo José María—. Pero a veces quedamos y él se presenta en la barca de unos amigos que ha hecho en Francia.

—En las montañas, ¿eh? ¿Qué hace? ¿Está en un caserío, trabaja de pastor? —preguntó Miguel, incrédulo—. No veo a Dodo haciendo nada de eso.

—No, no está de pastor. —José María le acercó la boca al oído—. Está con unos contrabandistas.

Miguel rió tan fuerte que el sonido se oyó por encima de la música y muchos se volvieron hacia él. Su padre le hizo callar con un brusco chitón.

—Vale —dijo Miguel bajando la voz—. Pero eso es perfecto para Dodo. Estoy seguro de que se lo pasa de maravilla y se le da muy bien, siempre y cuando consiga no provocar a demasiados guardias fronterizos.

—Bueno, parece ser que al menos ha sido lo bastante listo como para que no lo descubrieran. Es un negocio peligroso, y algunos de sus amigos han terminado en la cárcel. Si lo pillan y lo relacionan con lo que pasó en el pueblo, la cosa podría acabar mal.

—Me asombra oír que se anda con cautelas. ¿Cuánto tiempo piensa estar así?

—Eso no lo sé —contestó José María—. Pero más le vale comportarse.

—¿Por qué ahora? ¿Por qué ahora más que en el pasado?

José María le susurró al oído:

—Porque ahora Josepe y yo le ayudamos.

* * *

Cuando los recién casados llegaron a su nueva casa, los amigos ya habían descargado el carro y decorado el interior con ristras de chorizos y pimientos. Ayudarían a la joven pareja a alimentarse sin salir de casa durante una semana para que su matrimonio tuviera un comienzo agradable. Sobre la mesa había un regalo de la madre de Miguel: un bote transparente de caramelos de limón.

Miguel y Miren entraron, agotados, y comenzaron a besarse sin ni siquiera cerrar la puerta. Los graciosos que descargaban los regalos amontonaron muchos encima de la cama.

Miguel recogió uno para enseñárselo a Miren.

—Mi padre debe de haber hecho éste. —Era un barco de madera con las palabras *Egun On* pintadas en la popa—. Lo pondré sobre la repisa de la chimenea para comenzar nuestra colección de cosas especiales.

—*Astotxo!* —dijo ella al ver el arcón de roble que había al pie de la cama. En la parte superior tenía una incrustación que era un *lauburu* de álamo blanco y debajo un par de emes que se entrelazaban.

—Tu regalo —dijo él. La tarea de despejar la cama se hizo acuciante y apagaron la lámpara antes de desvestirse.

Se conocían desde hacía casi un año y estaban convencidos de lo verdadero de su afecto, pero nunca habían traducido esos sentimientos en algo físico, conteniéndose por una mutua decisión tácita. Ninguno de los dos tenía experiencia, pero eso no era importante. En ese momento, lo más importante fue el carácter de cada uno: paciente y atento al detalle el de él; complaciente y agradable el de ella. Él era un artesano, ella una artista. Fueron inagotablemente tiernos y totalmente transparentes. Él era la fuerza y ella la gracia. Él sólido, ella líquida. Luego los dos fueron líquidos.

A LOS CUATRO VIENTOS

PARTE 3

(1935-1937)

Alaia Aldecoa caminaba lentamente por el pequeño prado de la loma de la colina que quedaba encima de su casa y utilizaba su poderoso olfato para determinar cuál de las hierbas en flor había alcanzado la madurez y cuál podía aportar el perfecto aroma a los jabones que hacía y vendía todos los lunes por la tarde en el mercado. Las lavandas y brezos que tanto le gustaban maduraban en épocas distintas y en zonas y alturas diferentes. Al igual que la gente del pueblo, las hierbas vivían según sus preferencias individuales; algunas buscaban la luz y otras los rincones oscuros, y tenían flores que se adaptaban a la luz y las sombras a lo largo del día.

El proceso requería tiempo y una especial atención, pero para entonces Alaia ya era capaz de guiarse por aquellas tierras tan sólo con el olfato. Con los dedos comprobaba la turgencia del tallo y la flor para juzgar el contenido de humedad y los niveles de néctar o savia y el aroma que le parecían necesarios. Intercambiaba jabón por saquitos de avena con los vecinos, por lejía de cenizas con el carbonero que vivía valle arriba y por fresas y verduras con otro campesino. Y era capaz de utilizar las flores de las lilas, las mimbreras en flor y el cornejo de su propio jardín. Tenía ubicada su localización en la cabeza, junto con recetas para sus productos variados, algunos elaborados sobre la base cremosa de la leche pirenaica de oveja que recibía a cambio de algunos servicios de una viuda que tenía un caserío no muy lejos.

En el mercado cobraba tan poco por sus jabones que algunos que venían de fuera del valle se preguntaban cómo conseguía salir adelante. De todos modos, sería insultante sugerirle a esa mujer que subiera los precios. De manera que, por lo general, los clientes no hacían ningún comentario mientras compraban esos cuadraditos de jabón y llenaban el zurrón de pastillas para vender a sus vecinos del pueblo al doble de precio.

Para Alaia, sus ingresos no eran tan importantes como la aprobación de los clientes, que ponían la tersura y aroma del jabón por las nubes, un aroma tan relajante y que tanto les recordaba las colinas. Algunas mujeres explicaban que les había suavizado la arrugada piel de los codos, o que había conseguido eliminar eficazmente el hedor a pescado o a campo de sus maridos.

Los visitantes que entraban en su cabaña se quedaban atónitos ante la embriagadora mezcla de aromas. Si a eso le añadimos el constante murmullo y canturreo del arroyo cercano, la cabaña de Alaia Aldecoa ejercía una poderosa atracción.

Mientras Alaia, sentada a su mesa, comenzaba a enrollar hojas de menta entre los dedos, llegó una visita que dio unos golpes flojos en la puerta.

—*Bai* —dijo ella, y el hombre abrió un poco la puerta y se asomó. Cuando vio que ella no hacía el esfuerzo de volverse, llamó más fuerte.

—*Bai* —repitió ella en voz baja, sin apartar los ojos de la mesa.

El hombre volvió a llamar más fuerte.

—Entre.

Alaia supo quién era sin volverse. El hombre se detuvo y se fijó en el contorno de su vestido y en el pelo color nube de tormenta que la convertía en la mujer más provocativa del valle. Alaia, sin dejar de trabajar con los materiales que tenía en la mesa y sin llevar la mirada a la puerta, señaló hacia la cama.

El hombre se sentó y se quitó los zapatos, la camisa y los pantalones. Alaia manoseó una hojita de fragante menta y se la llevó a la boca, justo debajo de la lengua, y se acercó al hombre, quien contempló sus mejillas enrojecidas por el sol, sus labios de amapola, y apenas se fijó en los párpados oscurecidos de sus ojos cerrados. Lo que vio fue la forma y el pelo de las míticas *lamiak* que asediaban a los hombres desde las cuevas de las montañas. Y olió los ramos de flores, y oyó el murmullo del arroyo, y quedó embriagado por aquella conjunción sensorial. Ella se inclinó para ofrecerle los labios y él tembló al probar la menta fresca de su boca.

Alaia Aldecoa, ciega de nacimiento, educada en un convento de hermanas de clausura, satisfacía unos deseos mucho más personales e íntimos que los relacionados con la higiene de la piel. Era improbable que nadie tuviera más talento o se adaptara mejor a esa vocación.

* * *

Picasso cayó de rodillas a los pies de Marie-Thérèse y de manera teatral le prometió divorciarse de Olga. Marie-Thérèse estaba embarazada. Pero la burocracia pronto le desanimó de tanto romanticismo. Descubrió que las leyes francesas exigían que repartiera equitativamente sus pertenencias con Olga, lo que significaba renunciar a cientos de cuadros de incalculable valor. Sí, vivir con pasión y dejarse llevar por el amor es la única manera de vivir, predicaba Picasso, pero en ese caso quizá habría que pagar un precio excesivo por el amor.

Se dejó de hablar de divorcio. Olga lo dejó para siempre, y Marie-Thérèse fue engordando durante todo el verano hasta dar a luz a María de la Concepción, a quien llamaban «Maya».

El humor de Picasso se ensombreció bajo el peso de los conflictos en lo que denominó la peor época de su vida y durante un año dejó de pintar. Escribió poesía y convirtió su dolor en un gran grabado. Creó mujeres que se asomaban de una alta ventana, un caballo herido y un minotauro que se acercaba a una joven, quien, valerosa, se enfrentaba al peligro con un brazo extendido que sostenía una vela.

Lo tituló «Minotauromaquia» (Batalla contra el minotauro), y esos personajes los guardaría como símbolos distintivos, utilizándolos en obras posteriores. Como siempre, los críticos intentaron descifrar su mensaje y casi todos dieron por supuesto que se trataba de otra oda al alma perpetuamente atormentada de España. En su crítica, Gertrude Stein coincidió en que se trataba de una oda a su país natal, porque Picasso «nunca podía olvidarse del todo de que era español».

* * *

Mendiola sabía que perder a Miguel perjudicaría a su negocio. A pesar de lo deprimido de la economía, la tienda de Mendiola había aumentado sus beneficios. De manera que cuando aconsejó a su amigo acerca de si debía montar su propio taller en casa no lo hizo pensando sólo en el bienestar de Miguel.

—La gente que trabaja en casa se aburre —le dijo Mendiola—. Tienen la impresión de que están siempre trabajando y nunca salen de casa. Al cabo de un año tu mujer estará harta de verte y deseará que tuvieras un lugar al que irte durante el día.

Miguel lo escuchaba, pero no creía que a él le fuera a pasar.

—¿Has visto a Miren? —preguntó.

Para un recién casado con una esposa como ella, cada rato que pasaba lejos del taller era una alegría. Con el tiempo, cada uno de los paseos de Miguel del taller a la casa era como una fiesta sorpresa.

—Tengo sed, querida. —(Un beso).

—Tengo que lavarme las manos, *kuttuna*. —(Un abrazo).

—¿No es ya hora de comer? —(Imperiosa cópula sobre la mesa, interrumpiendo la preparación del almuerzo).

De vez en cuando Miren irrumpía en el taller con motivos igualmente inventados.

—*Astotxo*, ¿puedes venir a bajarme una cosa?

Cada tarea acarreaba la tarifa de al menos un beso prolongado y un abrazo nada recatado.

Mendiola tenía razón en una cosa: la mente de Miguel, mientras trabajaba, a menudo estaba absorta en la imagen de Miren. Pero lo que le distraía también le inspiraba. Creaba productos más hermosos, con mayor detalle y acabado, con líneas sutilmente sensuales.

Mientras trabajaba las patas de una mesa, pensaba en sus esbeltos tobillos y sus pantorrillas de bailarina. Mientras biselaba la esquina del tablero de una mesa, le daba la forma de su hombro desnudo. Cuando configuraba un borde pensaba en el pliegue que había entre los magros músculos de la parte exterior de los muslos. Los brazos de las butacas se convertían en los brazos de ella, afilándose en la punta, y la muñeca caía en una elegante curva. Mientras untaba el tinte y la cera, imaginaba que le masajeaba el cuello, luego la espalda, el molde de su columna vertebral, los hoyuelos decorativos del sacro, el escultural trasero, con la carne color pino barnizado claro. Ensambladura de mortaja y espiga, se decía.

El taller olía a ciprés recién serrado y pegamento de madera. Y, tarde o temprano, rodeado de un montículo de serrín en el suelo, entre una nube almizclada de vapores de barniz, Miguel se detenía y se concentraba en el conjunto para darse cuenta de que la pieza estaba acabada. Era hermosa y parecía hecha sin esfuerzo.

—Hora de comer, querido. ¿Estás listo?

Ignorante de que Miguel había descubierto en la carpintería un elemento erótico, Miren de vez en cuando se sorprendía del impulso sexual de su marido cuando salía del taller, y tenía que admitir que su mente también pensaba en esas cosas mientras amasaba o lavaba las verduras. Y cuando Miguel llegaba con una intención precisa, ella estaba igualmente dispuesta.

No se trataba de resignación, tal y como había llegado a creer por las conversaciones que les había oído a las ancianas. Sí, ella era recatada, pero también lujuriosa; sí, era lujuriosa, pero también respetuosa. Y su natural temperamento juguetón encontraba veredas interesantes cuando sorprendía a su marido con un esporádico y tierno mordisco, o cuando le pasaba la uña por la columna vertebral, o cuando él a veces le besaba el vientre y ella le pellizcaba la nariz con el índice y el pulgar, tal y como hacen las madres con los pequeños cuando fingen «robarles» la nariz.

Un día, Miguel entró en la casa y encontró a Miren haciendo pan. El sol de principios de la tarde se colaba por la ventana que daba al sur e inundaba a Miren de luz. Y el olor a levadura llenaba la habitación. Miguel se le acercó de puntillas por la espalda, le puso las manos en la cintura, acomodó sus caderas contra la espalda de Miren y hundió la cara en el olor de su pelo. Aspiró profundamente. Cautivador.

—Dios mío, qué bien hueles —dijo él.

—Dios mío, *tú* sí que hueles.

—Este jabón que hace Alaia es maravilloso.

—Sí, Miguel, deberías utilizarlo.

Ella se volvió dentro del radio de sus brazos, le lanzó un poco de harina a la cara sudada y le pasó un dedo por detrás de cada oreja, como si le aplicara colonia. Se echó hacia atrás para mirarlo, de modo que solamente les unían las entrepiernas.

—Mira cuánta harina has desperdiciado —dijo ella—. Hoy en día la harina es difícil de conseguir. Y cara.

—Bueno, entonces la devolveré.

Puso sus labios enharinados en el cuello de Miren.

—Te la pondré aquí.

Entonces se los puso al otro lado del cuello.

—Y aquí.

Se detuvo en el suave hueco en la base de su garganta.

—Oh, sí —dijo ella—. La receta dice que hay que poner más.

Miren se echó hacia atrás para permitirle el acceso y el pan tuvo que levantarse solo.

* * *

Después de la intimidad, siempre hablaban de cosas personales. Miguel le contaba de cuando era pescador, de su familia, de su infancia en Lekeitio, y de cómo siempre había tenido la esperanza de que en algún lugar hubiera una Miren para él. Miren le hablaba del baile, de sus padres, de la vida en el *baserri*, de que jamás se le ocurrió que existiera un Miguel para ella. Cuando la conversación renqueaba, él corría desnudo hasta la cocina y cogía un trozo de pan o una manzana que compartían, ahora mucho más deliciosa. Ya no había recato entre ellos, y él le entregaba la comida a Miren y se quedaba de pie al borde de la cama, orgullosamente masculino.

Y una tarde Miren hizo una observación que Miguel encontró curiosa.

—No sé si se puede saber, pero me parece que espero un bebé —dijo ella, rodando de cara a él.

Miguel esperaba que fuera así, pues un hijo daría más armonía a sus vidas.

—No se lo he oído comentar a ninguna mujer —continuó Miren—. Debería preguntarle a mi madre si se acuerda de cómo se dio cuenta.

—Por favor, no lo hagas, *kuttuna,* no quiero que piense que lo hacemos. —De todos modos, Miguel comenzó a planear la construcción de la cuna.

* * *

Amaya Mezo canturreaba con su suave voz de contralto por muchas horas que pasara en el campo con su marido, Roberto. Ayudaba a dormir a la criatura que llevaba colgando, delante del pecho, como si la tuviera en la cuna y la arrullara con sus nanas. La niña se llamaba Gracianna, tenía cinco meses y era su séptimo hijo. A Amaya no le costaba nada ir al campo a ayudar a Roberto, aunque fuera en el polvoriento calor del verano, ni cuando las ahechaduras sopladas por el viento se le clavaban en la cara y se le pegaban al sudor. Roberto le decía muchas veces que sus cantos aliviaban el trabajo. Para él eran como el canto de un pájaro.

El *baserri* de Mezo, Etxegure, era más grande que el vecino Errotabarri. Y en los buenos tiempos los Mezo habían tenido más ganado, aparte de los manzanos de los que obtenían fruta para comer y para hacer sidra. Pero, claro, los Ansotegui sólo tenían una hija, y ésta ahora se había ido con su marido.

Amaya Mezo no pensaba en sus crecientes apuros mientras estaba absorta en su canción, ni en el movimiento rítmico de la *laia* de dos dientes que hundía en el suelo, ni en el sol que le daba en la espalda, ni en los suspiros que emitía la niña mientras dormía. Pero entonces Roberto profirió un sonido que nunca había oído.

Dos guardias civiles de uniforme habían agarrado al desprevenido Roberto, que forcejeó y fue reducido de un golpe de fusil en el abdomen. Cayó al suelo, y los dos guardias, tirándole de un brazo cada uno, lo levantaron.

—Amaya, corre —gritó Roberto—. Ve a buscar a Justo.

Pero ella sabía que no había tiempo de ir a buscar al vecino; ella les plantaría cara. Corrió hacia los dos números, la niña rebotando contra su pecho, blandiendo su *laia* afilada como si fuera una lanza medieval. Los dos guardias, viendo que pensaba ensartarlos, se echaron los fusiles al hombro y los amartillaron. Uno apuntó a la cabeza de Roberto, el otro al pecho de Amaya.

—Un paso más y os matamos a los dos —dijo uno con una calma paralizante.

Amaya se detuvo como si hubiera llegado al borde de un acantilado, helada al ver el arma apuntando a la cabeza de su marido.

La niña lloró.

—¿Qué ha hecho? —preguntó Amaya—. No es más que un campesino.

Los guardias no dijeron nada. A punta de fusil, uno de ellos guió a Roberto hacia la carretera mientras el otro reculaba sin desviar el arma del pecho de Amaya. Y desaparecieron.

Con la ayuda de Mariángeles, Amaya se pasaba el día pidiendo información en las oficinas de la Guardia Civil. Al cabo de un mes le dijeron que algunos «ciudadanos preocupados» habían acusado a Roberto de vender productos sin pasar por el control de racionamiento. Al preguntar cuándo sería el juicio para poder hacer frente a esas acusaciones, le contestaron que en aquellos tiempos tan difíciles esas formalidades no eran necesarias.

—¿Ciudadanos preocupados? —le preguntó Justo a Mariángeles aquella noche—. ¿A eso hemos llegado? ¿A la gente volviéndose contra los suyos? Voy a ver si descubro quién es el responsable de esto.

—No sé qué ha pasado, Justo —dijo ella—. Sólo sé que no tuvo la menor oportunidad, y que sin él Amaya lo va a pasar mal. Con tantos críos... Los problemas también están llegando aquí, ¿verdad? No quiero que hagas ninguna tontería. Intentemos obrar con inteligencia.

* * *

Un estado de ánimo sombrío se extendió entre los hombres de Gernika, por las calles, los cafés. Las mujeres se negaron a dejarse contagiar, quizá por su mayor sensibilidad o delicadeza, o quizá porque eran más fuertes. Mendiola le dijo a Miguel que sabía que los tiempos eran difíciles porque incluso los gatos del pueblo miraban a su espalda mientras recorrían las calles sigilosos.

El café era ahora posos recalentados sin azúcar; el pan era tosco y negro, y la carne un manjar ya olvidado. Los que tenían cerdos los sacrificaban por la noche y escondían la carne para que no los pillaran con cerdo sin racionar. Los que escondían sacos de trigo se metían en los molinos por la noche para moler lo que pudieran, jugándose el arresto. Otros comenzaron a comerse las semillas de maíz, y de algunos se decía que robaban avena de las bolsas de comida de los caballos, a medida que el forraje para el ganado se convertía en un producto esencial para la gente.

Miguel pasaba muchos días en los bosques talando leña y aprendió qué setas eran comestibles. Llevaba un saco para cogerlas. Seguía intentando pescar en el río, pues una trucha siempre reforzaba su magra dieta. De todos modos, muchos arroyos estaban sin peces. Se acordó de los miles de peces que había cogido cuando vivía en Lekeitio y le asombró que el proceso le hubiera parecido tan desagradable. Pensaba en los deliciosos besugos a la parrilla y en el sabroso bacalao.

Un día divisó un urogallo en una maleza de la colina y en silencio dejó la sierra en el suelo. Sin apartar los ojos de la presa, buscó una piedra en el suelo y se acercó lentamente a la distraída ave. Diez metros, cinco... Miguel levantó la piedra y la lanzó, dándole de pleno. Alzó los brazos y soltó un grito de alegría. No se lo podía creer, aunque de inmediato sintió remordimiento por haber cazado al animal de manera tan poco deportiva. Pero era un pájaro rollizo, y se lo llevó a casa con algunas setas. Miren fue corriendo a Errotabarri para invitar a comer a sus padres. Mariángeles había preparado sopa de patatas y puerros y la llevó para complementar el banquete.

—Justo me ha dicho que empezáramos sin él, que vendría cuando acabara no sé qué trabajo —dijo Mariángeles al llegar.

—¿Qué hace que es más importante que una buena cena con caza fresca? —preguntó Miguel.

—No quiere que cuente nada, pero desde que arrestaron a Roberto Mezo se ha pasado varias horas al día intentando ayudar a Amaya y a su familia —contestó Mariángeles mientras colocaba su olla de sopa sobre la mesa, procurando que no se le derramara por los lados—. Si alguien no la ayuda con las tareas más pesadas, Amaya no podrá salir adelante. Justo procura levantarse un poco antes y hace su trabajo más deprisa para ir a ayudarla luego.

Miren atendió el ave, que se asaba en la chimenea, y Miguel cortó las setas para mezclarlas con algunas verduras silvestres que había recogido.

—Amaya siempre le da huevos o grano a Justo como pago, pero él los rechaza —añadió Mariángeles—. Eso nos vendría bien, pero tienen tan poco que no podríamos aceptar nada de ellos.

Se sentaron, y cuando acabaron sus oraciones llegó Justo, con la cara y las ropas sucias, su carácter bullanguero bastante apagado. Hasta el bigote parecía caído.

—¿Alguien ha mencionado un pájaro rollizo? —preguntó.

Miguel trazó la señal de la cruz en la hogaza de pan y lo cortó siguiendo los dos ejes. Cogió el primero y lo colocó sobre la repisa de la chimenea «para calmar los mares tempestuosos». Justo afirmó que no era época de observar tradiciones que desperdiciaran comida, sobre todo estando a tantos kilómetros del mar.

Incluso las comedidas Mariángeles y Miren emitieron sonidos de placer mientras se comían la jugosa ave cubierta de salsa y hierbas. Y durante un rato, la agradecida ingestión fue el único sonido que se oyó en la mesa.

—Papá.

—Sí, *kuttuna*.

—Está bien lo que haces... ayudar a los Mezo.

Justo le echó una mirada a Mariángeles, la informante.

—Necesitan ayuda. Además, estaba perdiendo mi fuerza, de modo que me conviene trabajar un poco más —bromeó—. Apuesto a que no os ha dicho quién ha estado cada día en casa de los Mezo ayudando con los pequeños y haciendo la limpieza y casi todas las tareas de la casa.

Miren sonrió a su madre, que lo admitió encogiéndose de hombros.

—¿Te has enterado de lo que le ha pasado a Roberto? —preguntó Miguel.

—Al parecer, en el pueblo hay más ratas de las que se capturan y se cocinan —respondió Justo.

—¿Alguien del pueblo? —preguntó Miren—. ¿Cómo es posible que la gente le haga eso a sus vecinos?

—Estas cosas cambian a la gente... al menos, a algunos —dijo Justo—. Pon muchas gallinas en el corral sin comida y verás lo que pasa. Se picotearán entre ellas hasta matarse.

Comieron en silencio.

—Es fácil tener carácter con la tripa llena —añadió Justo—. Ahora es más difícil. Y lo va a ser aún más.

Era la primera comida suculenta que tomaban en bastante tiempo, pero la conversación los dejó insatisfechos, y Justo y Mariángeles se despidieron entre breves abrazos y palabras de agradecimiento después de quitar la mesa. Los dos estaban agotados, y tenían la costumbre de acostarse en cuanto oscurecía.

* * *

A primera hora de la tarde siguiente, mientras Justo acababa su trabajo en Errotabarri para irse a casa de los Mezo, Miren y Miguel aparecieron para ayudarle. Sin dar más explicaciones, cada uno cogió una guadaña y comenzaron a segar las altas hierbas y a esparcirlas para que se secaran.

—Gracias —le dijo Justo a Miguel.

—No es nada. Yo tampoco quiero perder la fuerza a mi edad.

Amaya Mezo, tras preparar la comida para sus hijos, picó alguna cosa y salió de la cocina para unirse al trío que trabajaba en el campo. Mientras segaban y esparcían el heno, comenzó a canturrear. Sus tres ayudantes aceleraron el ritmo. Les sonaba como el canto de un pájaro, sereno y despreocupado.

Casi ninguno había tenido nunca gran cosa, de manera que no era la pobreza lo que inquietaba a los del pueblo. A algunos ni siquiera les preocupaba la plaga de robos y hurtos en las tiendas, pues el hambre carcomía los principios de la gente. Muchos lo comprendían, lo reconocían como la naturaleza humana, e incluso se lo habían planteado en sus peores momentos. Sólo era para comer, de manera que el daño solía ser pequeño, una ventana o una puerta rota.

Pero ahora algo más amenazante inundaba la atmósfera; una amenazante incertidumbre que crepitaba en el aire, y en la suspicacia que recorría las calles y que hacía que la gente bajara la cabeza en lugar de mirar al frente, y en la noche, que llegaba en medio del sonido de cerrojos chasqueando tras las puertas.

A Miguel le parecía que muchos se retraían aún más, haciéndose más pequeños, impenetrables. Veía a esos tipos todos los días, aunque éstos no desearan ser vistos. Les hablaba todos los días, aunque no quisieran responder. Levantaban la vista como si hubieran estado inmersos en una nube de pensamiento, tosían un apresurado saludo y se alejaban en busca de un lugar donde desaparecer.

Otros no habían cambiado; lo paraban por la calle y bromeaban acerca de las circunstancias, y le preguntaban por el negocio y por su esposa.

—Hasta que la gente empiece a comerse los muebles, el negocio irá flojo —bromeaba Miguel cada vez, para ahorrarse la energía de inventar nuevas respuestas.

Miguel había conseguido seguir teniendo trabajo gracias a los pequeños pedidos: un arcón para regalar a unos recién casados, alguna vitrina, un aparador. Casi todos con un perfecto acabado, para aquellos del pueblo que aún tenían un poco de dinero y deseaban objetos que duraran cuando llegaran tiempos mejores.

Cuando a Miren comenzó a crecerle la barriga, Miguel empezó a construir la cuna. Su esbelta mujer se adentró en el embarazo sin abandonar sus otras tareas, con generosidad y con una energía que se contagiaba a quienes la rodeaban. Su fina figura de bailarina comenzó a redondearse, y le encantaba cómo las blusas se le tensaban en la tripa. Si la gestación hacía que algunas mujeres estuvieran demasiado indispuestas o se sintieran incómodas con las relaciones íntimas, en Miren tuvo el efecto opuesto, pues se volvió cada vez más libidinosa.

Después de construir la cuna, Miguel pintó un pez que saltaba del agua en el cabezal. En el pie pintó una bailarina, las manos y una pierna levantadas.

—Y cuando nazca el bebé y veamos si es niño o niña, le pintaremos el nombre en la cabecera —le dijo Miguel a Miren una noche.

—Yo no lo haría —contestó ella.

—¿Por qué? Pasará de padres a hijos.

—Porque, querido, no quiero que cada uno de nuestros hijos tenga una cuna diferente.

Miguel sólo había pensado en el primero. Había estado tan concentrado en el proceso, tan obsesionado con el niño que iba a tener con Miren, que no había considerado que podrían venir otros. Desde que ella lo mencionó, le gustaba la idea.

—Muy bien —dijo pasándose la mano por el pelo y apretándose la nuca—. ¿Y si simplemente pongo «Navarro» en el cabecero? Así servirá para todos los que tengamos.

Esperaba que la paternidad alterara su vida, que añadiera responsabilidades y ciertas restricciones. Pero no se imaginaba que pudiera afectar a su negocio de carpintería. Se descubría apartándose de sus clásicos encargos y construyendo cosas para la futura Catalina, empezando con juguetes y muebles y pasando a cosas que seguramente no podría utilizar hasta pasados muchos años.

Cuando acabó la cuna, Miguel inició la construcción de una silla alta para que la niña pudiera sentarse con ellos a la mesa. Luego construyó una serie de sillas y una mesa para que la niña lo utilizara cuando invitara a sus amiguitos a tomar un imaginario té. Construyó un caballito de madera sobre ruedas para que la niña pudiera arrastrarlo, sólo que en lugar de un caballo hizo un carnero. Cogió un cráneo de carnero blanqueado por el sol con unos cuernos redondeados que había visto en Errotabarri, pintó el hueso de oscuro para que no diera tanto miedo, afeitó los cuernos para que no fueran tan peligrosos y lo pegó al armazón del juguete.

Mendiola siempre reprendía a Miguel por construir demasiado, afirmando que sus proyectos obedecían más a la tolerancia de un astillero que de una carpintería. En parte para responder a la crítica de Mendiola, Miguel diseñó el cochecito de Catalina en forma de barco. Los lados estaban hechos de roble en tingladillo y los bordes superiores parecían la borda de un navío y se unían en la puntiaguda proa. A Miguel le gustaba el tema de la pequeña «embarcación», y le enseñó a Mendiola lo fácil que era empujarlo gracias a sus enormes ruedas.

—Y la capota puede bajarse para las tormentas marinas, ¿verdad?

—Es posible que haya que sacarla a dar un paseo en días de mal tiempo, desde luego —contestó Miguel—. ¿Por qué no construirlo para que dure? ¿Quién sabe cuántos niños van a acabar utilizándolo?

—Y si acaba habiendo una inundación, en lugar de llevarla a pasear la puedes llevar a navegar, ¿no es eso?

—Y pescar al mismo tiempo —dijo Miguel.

Pronto apenas se podía caminar entre la cantidad de muebles que había en la casa. Miren observaba cada mueble como un tesoro familiar y se maravillaba ante la habilidad de su marido, pero señalaba lo poco práctico que resultaba almacenar tanto mueble infantil. Cuando les mencionaba esa abundancia a otras madres que conocía, algunas expresaban interés en comprar lo que Miguel ya había hecho, o en encargar algo parecido para sus hijos.

Su negocio evolucionó, disminuyendo la demanda de armarios, arcones y sillas y aumentando la de muebles para niños. El que además grabara en cada cuna el nombre de la familia también despertaba el interés y le permitía cobrar precios más altos, pues se valoraban como posesiones que pasarían de padres a hijos. Miguel tenía que negarles con mucho tacto ese servicio a algunos clientes. Cuando Cruz Arguinchona le pidió una cuna para su bebé, Miguel tuvo que dividir el nombre en dos partes, cosa que Cruz comprendió y agradeció. Pero cuando Coro Cengotitabengoa le encargó la suya, Miguel le dijo que si quería grabar el nombre tendría que utilizar el cabecero, los pies y los laterales.

Se decidieron por una bonita incrustación de madera con el *lauburu*.

Antes de que Catalina cumpliera el mes, Miren ya ni se acordaba de cuando no era madre. Por las noches, Catalina lloraba o gemía unas pocas notas antes de que ambos padres se levantaran. Miguel a menudo se acercaba a la cuna, que estaba junto a su cama, cogía a Catalina, la cambiaba y la limpiaba, y a continuación se la daba a Miren para que la amamantara. A veces Miren se sentaba en la mecedora que Miguel había construido y le daba de comer mientras la arrullaba. Otras veces simplemente doblaba los almohadones en la nuca y se incorporaba. Entonces Miguel colocaba su almohadón detrás en forma de cuña y, sin importarle la hora y lo pronto que tuviera que ir al bosque, contemplaba aquel sublime vínculo.

—*Astokilo*, duérmete, no hace falta que estés despierto —le decía ella siempre a Miguel—. En este proceso no puedes hacer nada.

Pero siempre esperaba a que Catalina hubiera acabado y Miren le hubiera dado el golpecito en la espalda antes de devolverla a la cuna. Le besaba la frente, olía su finísimo pelo y el aliento a leche que exhalaba al dormir. Regresaba a la cama, besaba a su mujer, que a menudo ya se había vuelto a dormir, y le daba las gracias por amamantar a la niña.

Por las noches, Miguel y Miren se sentaban el uno junto al otro y le hacían fiestas a Catalina. Después de todo, no había nacido bebé más inteligente, hermoso y que se portara mejor. ¿Por qué nadie les había hablado de las maravillas de la paternidad? ¿Has visto cómo me ha agarrado el dedo? Eso debe de ser un signo de precocidad. Mira, fíjate en cómo sus ojos siguen mi cara cuando la muevo de un lado a otro. Y esa sonrisa. Cuántos corazones romperá en cuanto le salgan los dientes.

Miren enseñó a bailar a Catalina antes de que ésta sostuviera la cabeza. Colocaba a la niña sobre la hamaca de su falda y extendía las manos para que Catalina pudiera agarrarse a los pulgares. Entonces Miren levantaba los brazos de su hija por encima de la cabeza y los movía a un ritmo suave.

—Así es como se baila la jota —decía. Entonces le cogía los piececillos y le besaba los tiernos arcos hasta que Catalina emitía una risita que sonaba como campanillas. Retorcía los pies como si ejecutara una danza rápida.

—Niña mía, algún día serás la mejor bailarina de Gernika.

Cuando Catalina, sobre el hombro de su madre, veía a Miguel, comenzaba a dar furiosas pataditas, emocionada.

—¿Siempre es igual? —protestaba Miren en un tono infantil—. Papá para la jarana, mamá para la comida.

—Pero le dejaremos a mamá las clases de baile —decía Miguel, con ese tono agudo de entusiasmo que encantaba a su hija.

Los padres nunca se cansaban de contemplar a su hija: su piel clara, el pelo negro y ensortijado, los ojos oscuros y almendrados que ya comenzaban a parecerse a los de su madre.

* * *

Todo comenzó con Josu Letamendi, un vecino que ayudaba a Alaia Aldecoa a reunir los aromas para sus jabones. Él disfrutaba tanto de su compañía que a menudo le cortaba leña, le encendía el fuego, le avivaba el agua y le limpiaba. Charlaban de muchas cosas mientras paseaban por el campo, o mientras él medía porciones de ingredientes para sus jabones.

Josu nunca había sido un chico apuesto, y tenía un gran cabezón enmarcado por dos orejas perpendiculares. Ni en la escuela ni en la *erromeria* las chicas le prestaban mucha atención, y él se sentía más cómodo con Alaia que con ninguna de las otras chicas del pueblo, aun cuando ésta fuera mucho más hermosa y exótica.

A veces, cuando estaban en la cabaña, a Josu le era mucho más fácil poner una mano en cada uno de los hombros de Alaia y dirigirla al tarro o recipiente que contenía el ingrediente que precisaba. Alaia en ocasiones deseaba sentir las manos de Josu. Una tarde, él la colocó delante de la leche y de una marmita. En lugar de tantear en busca de sus ingredientes, Alaia retrocedió un poco, lentamente, y su espalda tocó el pecho de Josu.

El nudo del delantal de Alaia rozó justo debajo de la cintura de él. Al instante él la atrajo hacia sí, más cerca, hasta que el pelo de ella le tocó la cara.

—Hum... —Fue la sílaba que Josu utilizó para pedir permiso.

—Sí —dijo Alaia.

Durante muchos días los jabones quedaron olvidados.

Sin embargo, al cabo de seis meses Josu tuvo que ir a Bilbao a trabajar en la taberna de su tío. Regresaba a Gernika varios días al mes para ver a la familia y también para ayudar a Alaia en sus proyectos, pero los dos sabían que la distancia impediría que la relación progresara más allá de lo que había sido: un gozoso descubrimiento.

Fue entonces cuando apareció el señor Zubiri y comenzó a ayudar a Alaia, para acabar proporcionándole una válvula de escape física sin más expectativas que el tacto y el sigilo. Con el paciente y agradecido señor Zubiri era diferente. Pero también satisfacía a Alaia, y desde luego eran los mejores momentos de la semana para el viudo Zubiri. Con el tiempo, un hombre que a veces le llevaba huevos comenzó a prodigarle las mismas atenciones.

Alaia sintonizó perfectamente con la delicadeza y la sincronización del contacto humano. Los hombres se mostraban agradecidos y sus gruñidos de aprobación la hacían ser más creativa y atrevida. Le importaba poco que fuera uno u otro, y el aspecto del hombre no le afectaba. Sus visitantes descubrieron que la actividad no era un acto social. Alaia tenía poca paciencia con las explicaciones, los comentarios, las quejas de anteriores relaciones, la política o la situación de las cosechas. No estaba dispuesta a oír confesiones ni a impartir la absolución. Aceptaba intercambios, servicios, pollos, huevos, pan, vino, leña o productos para hacer sus jabones.

En un pueblo de chismosos que valoraba la fidelidad, el suyo no era un negocio muy frecuentado, pero tenía algunos clientes habituales. La clientela de Alaia la componían sobre todo viudos, gente extraviada que se paraba a preguntar y jóvenes solteros cuyos pensamientos los dictaba el bullir de la sangre. Estos últimos prácticamente no llegaban a conocer las artes de Alaia, pues ésta antes los lavaba con agua caliente y uno de sus jabones especiales, una actividad que ya los dejaba satisfechos antes de pasar a mayores.

Si los más beatos del pueblo se enteraban de las actividades de Alaia, existía la posibilidad de que se reunieran para quemarle la casa, maldiciendo a los ciegos. Pero casi todos practicaban la ortodoxia más básica del pragmatismo. Si esa muchacha hubiera poseído todos los dones de Dios, habría sido vilipendiada, quizá lapidada en el mercado por las mujeres del pueblo.

Era la cuestión de la necesidad lo que la hacía diferente. La posición de Alaia Aldecoa, si no honorable, se consideraba al menos práctica y era tolerada por casi toda la comunidad, que prefería mirar hacia otro lado. Cuando sus actividades empezaron a comentarse en el pueblo, se la mencionaba siempre como la jabonera, casi nunca como otra cosa. ¿Cómo iban a pasar por alto las chismosas *amamak* la existencia de una prostituta, cuando la menor mirada insinuante de un vecino podía provocar décadas de hostilidad? Porque Alaia Aldecoa, entregada a un convento cuando sus padres descubrieron que era ciega, era uno de los hijos necesitados de Dios.

Que fuera capaz de ganarse el sustento a pesar de su minusvalía era considerado tan admirable en cuanto que logro como censurable en su inmoralidad. Muchos de los que conocían el secreto la esquivaban de manera no declarada, dándole la espalda sin decir nada. Pero casi todos razonaban que la muchacha proporcionaba alivio a los viudos y a los jóvenes que, de otro modo, podrían acabar asaltando a sus inocentes hijas y nietas.

Había otro factor que también contribuía a la tolerancia de la comunidad: todos sabían que Justo Ansotegui la tenía en alta estima y que no toleraría injurias. Todos conocían y respetaban a Mariángeles Ansotegui sin reservas. ¿Y Miren Ansotegui? Era como una hermana para la joven invidente, y decir algo desagradable de Alaia sería como poner en duda la reputación de Miren. A pocos se les pasaba por la cabeza.

Alaia no tenía manera de saber que el pueblo había llegado a un consenso sobre su estilo de vida, al igual que no acababa de entender lo mucho que confortaba a los hombres que no pudiera ver. Equivalía al don del anonimato en una época en que la segunda prioridad de un hombre era que no te reconocieran. Alaia sabía quiénes eran, o al menos, la mayoría. Lo adivinaba por la voz, tras habérselos encontrado muchas veces en el mercado. Pero nunca se pronunciaba ningún nombre, ni se hablaba de nada, a veces ni se decía palabra. Un hombre aparecía en la puerta con una gallina desplumada, un cucurucho de huevos, una ristra de chorizos.

Si el hombre deseaba entablar conversación, ella tenía algunos medios eficaces para hacerle callar.

* * *

Con gran ceremonia, Justo Ansotegui descorchó el vino y le sirvió un poco a su esposa, a su hija y a su yerno. Mientras el vino gorgoteaba en la abertura, Justo se hizo eco de su sonido: «Glu, glu, glu». Otro vaso: «Glu, glu, glu».

—Puede que ésta sea la última botella de *txakoli* que veamos en mucho tiempo —anunció mientras se llenaba su vaso—. Con la siguiente botella a lo mejor celebraremos la gloriosa derrota de esos cerdos de la Falange.

—No los llames cerdos, papá, que me haces pensar en comida —dijo Miren, alargando la palabra «comida» como si pudiera saborear cada sílaba. Hacía meses que no se sacrificaba ningún cerdo en los alrededores, y las vacas de Miren se habían sacrificado, una por una, en los años anteriores. Esa dieta de limitadas proteínas creaba caras demacradas y hombros hundidos entre los ciudadanos más robustos del pueblo.

Dieron breves sorbos al vino claro y afrutado para hacerlo durar.

Por lo general, en ese momento, con el primer roce del vino en la garganta, Justo comenzaba a contar sus historias. Pero Miren no le dio a su padre la oportunidad de iniciar un relato que podía durar una hora antes de que finalmente lo relacionara con un ejemplo de su propia fuerza o poderes míticos.

—Papá, Miguel está hablando de alistarse en el ejército y quiero que le saques esa idea de la cabeza —dijo.

—Es un hombre, y yo diría que tú tienes más influencia sobre él que yo —replicó Justo—. Y en cuanto a la fuerza física, *kuttuna*, ¿de qué serviría que te devolviera a tu marido hecho un guiñapo?

—No, no quiero alistarme en el ejército —intervino Miguel, y dejó el vaso en la mesa con una fuerza inesperada—. No quiero luchar contra nadie. Quiero que me dejen en paz, pero no creo que eso sea posible.

—Bien dicho —aseveró Justo—. Yo tampoco permitiré que eso ocurra.

—No empieces con eso, papá. Miguel ahora es padre —dijo Miren, señalando a Catalina, que dormía en el cochecito—. Ahora buscan a hombres solteros para ir a luchar.

—No te engañes, se llevarán a todos los que puedan —replicó Mariángeles—. Quiero que los dos me prometáis no cometer ninguna estupidez.

—¿Alguna vez he cometido alguna? —protestó Justo.

—Sois hombres —dijo Mariángeles.

Los cuatro asintieron.

—Papá, Miguel está pensando en cambiar algún mueble por una escopeta. Le he dicho que eso sólo puede meterle en líos —prosiguió Miren.

Justo estuvo de acuerdo con ella.

—Yo tuve una mala experiencia con una escopeta.

—Miguel también tuvo una mala experiencia con una *txapela* —dijo Miren.

—No, hijo, no necesitas ninguna escopeta, ni yo tampoco —aseguró Justo, cerrando las manos como si estrangulara a algún fascista de cuello fino—. Si alguien pone el pie en Errotabarri no necesitaré ningún arma.

—Probablemente, Roberto Mezo también pensaba lo mismo —dijo Mariángeles.

Miren había oído hablar de atrocidades y se daba cuenta de los peligros y las amenazas, aunque no acabara de comprenderlos del todo. Esas cosas pasaban, pero no a ella, ni allí. Estaba demasiado avergonzada para decirlo, pero le parecía que si pudiera hablar con Franco, sentarse con él, podría arreglarlo todo. Haría que se diera cuenta de la importancia de parar la guerra, sobre todo contra los vascos. Lo convencería. Él la vería como un ser humano que merecía salir ileso. Podría enseñarle a bailar la jota.

—Nunca hemos invadido el territorio de los demás —dijo Miren con la esperanza de que le pagaran con la misma moneda.

—Xabier ha estudiado estas cosas y me ha contado que cuando vinieron los romanos los toleramos porque construyeron puentes —replicó Justo—. Les dejamos que se quedaran un tiempo, que construyeran carreteras, y luego vimos cómo se fueron cuando perdieron interés.

—¿Pasará lo mismo con Franco? —preguntó Miren—. ¿Podría llegar sin lucha y que nada cambiara? —Todos sabían que no era así como se habían comportado los rebeldes en otros lugares.

Mariángeles veía las cosas con más claridad:

—Éstos no son romanos, son españoles, y nos guste o no, estamos en España, al menos ellos lo ven así. Franco ha dejado claro que quiere librarse de los vascos.

Justo se puso a la defensiva:

—Siempre hemos luchado en los bosques y en las montañas y hemos derrotado a todos los que nos han invadido, hasta que llegó un punto en que lo que querían de nosotros no merecía la incomodidad de que te apuñalaran mientras dormías o te empujaran por un acantilado.

—Franco es el demonio —continuó Mariángeles—. He oído decir en el mercado que hizo ejecutar a su primo el primer día de la rebelión. Y casi toda la Guardia Civil está ahora con los rebeldes. Quizá podríamos conseguir detener a los fascistas en España. Pero si se les unen los alemanes y los italianos y nadie se toma un verdadero interés en ayudarnos, la cosa es diferente; no se puede apuñalar a un avión mientras duerme.

Miguel sintió un ataque de ira y terquedad. Comenzó a comprender lo que Dodo había intentado decirle años antes, que algún día llegaría el momento de combatir.

—O sea, ¿que tenemos que dejar que vengan aquí y nos invadan?

—Aquí hay gente que no sólo va a tolerarlo, sino que les dará la bienvenida —le recordó Mariángeles—. En el pueblo hay falangistas, lo sabes. Creen que apoyar a Franco es la mejor manera de protegerse. ¿Quién crees que denunció a Mezo? Casi todos los curas de España apoyan a Franco. En Roma tiene el apoyo del Vaticano.

Miren estaba atónita.

—¿La Iglesia quiere que Franco gane?

—Xabier dice que es cierto, son órdenes que vienen de Roma —contestó Justo—. Pero muchos sacerdotes vascos hacen caso omiso del Vaticano y apoyan al ejército republicano.

Los cuatro volvieron su atención a los vasos mientras Justo servía equitativamente los restos del vino.

Justo levantó el vaso para brindar y poner punto final a la discusión.

—Recordad uno de mis dichos favoritos —declaró Justo—: Ni tirano ni esclavo: hombre libre nací y hombre libre moriré.

Entrechocaron los bordes de los vasos, que resonaron delicadamente dentro de Errotabarri.

iguel estaba en contra de la tradición porque le parecía una profanación. Pero Justo insistió y Mariángeles y Miren fueron cómplices de la conspiración. A Catalina le agujerearían las orejas, al igual que habían hecho con Miren a su edad.

Entre las muchas ventajas genéticas de ser vasco, les recordó Justo, estaba el contar con unos lóbulos bien grandes en las orejas. Los ancianos agujereaban los diminutos lóbulos de las niñas y les ponían unos adornos como declaración de su pureza vasca. Sin recato alguno a la hora de proclamar lo que percibían como una superioridad racial, desarrollaron una etiqueta desdeñosa para los forasteros: «Orejas cortas». Así pues, a Mariángeles y a sus hermanas les agujerearon los lóbulos cuando aún dormían en la cuna, y también a Miren. Y aunque Miren se sometió a la tradición, no sabía cómo llevar a cabo la operación y le dejó la tarea a la *amama* Mariángeles, experta en la materia.

Se congregaron en Errotabarri para la ceremonia y Miren dejó a Catalina sobre la mesa, donde se retorció y balbució y levantó las manos, abriendo y cerrando los deditos para recordarles a aquellos seres grandes y ausentes que prefería que la cogieran en brazos.

El proceso era tan tradicional como el hecho en sí. Una pequeña aguja de coser desinfectada al fuego y un fino hilo de seda por el ojo. Se cortaba un trocito de patata cruda de manera que encajara detrás del lóbulo para dar resistencia. Se cogía al bebé en brazos para que no se moviera; se penetraba el lóbulo con la aguja y se dejaba el hilo para impedir que el agujero se cerrara. Todos los días se ponían unas gotitas de aceite de oliva que actuaban de lubricante y se tiraba del hilo adelante y atrás para mantener el conducto abierto hasta que curaba lo suficiente para poder insertarle un aro diminuto.

—Miguel, éstos son los pendientes que Miren y yo llevamos de pequeñas —dijo Mariángeles, y sacó de una caja los diminutos *lauburus* de plata que llevaban sujetos unos aritos finos como un hilo.

Aunque eran cuatro contra uno, Catalina se retorcía y casi podía con ellos. Justo le sujetaba la cabeza, pero se dedicaba más a acariciarle el fino pelo oscuro; Miguel le sostenía los brazos, pero no quería hacer fuerza para no dejarle marcas; Miren la agarraba por las piernas, pero, siempre que Catalina las movía, la resistencia de Miren tan sólo le daba un punto de apoyo para poder lanzarse contra Justo.

—Dios mío, ni que estuviésemos sacrificando un carnero —les riñó Mariángeles—. Pero si es un bebé...

Siguieron con su pasiva sujeción, aunque fingieron más energía poniendo una expresión más severa. Mariángeles siguió clavando la aguja, y cuando penetró en la oreja de Catalina, ésta chilló, aunque no se retorció con fiereza, y el hilo quedó colgando del orificio mientras Mariángeles limpiaba las pocas gotitas de sangre. Los sollozos apagados de Catalina provocaron la relajación de quienes la sujetaban, y cuando la aguja inició la segunda penetración, el forcejeo rebosante de adrenalina de la niña pilló desprevenidos a Justo, Miren y Miguel. Catalina retorció la cabeza dentro del suave abrazo de Justo y voló la sangre.

—¡Mierda! —Era la primera palabrota que le oían decir a Mariángeles.

Ésta intentó contener la sangre con la falda mientras los berridos de Catalina mortificaban a sus padres. Cuando la pequeña se calmó lo bastante para examinarla, quedó claro que la sacudida había causado que la aguja dejara un corte en el lóbulo.

—¿Se curará? ¿Quedará bien? —preguntó Miren, frenética.

—Quedará bien. Se curará. Creo —dijo Mariángeles—. Dentro de unos meses podemos intentar hacer el agujero un poco más arriba.

Agotada, Catalina gimoteaba y sollozaba en la mesa, y extendió los brazos en dirección a Miren. Mariángeles, con un profundo sentimiento de culpa y el temor de que su nieta la hiciera responsable toda la vida, le entregó el bebé a Miren.

La callada frustración de la sala sólo era interrumpida por los sonidos de los sorbos de Catalina, hasta que Miguel se echó a reír, en voz baja al principio, luego a carcajadas. Los demás se quedaron mirándole.

—Miguel —dijo bruscamente Miren.

—Dios mío —exclamó él—. Mírala, nuestra perfecta hijita va a pasarse la vida pareciéndose a su *aitxitxa* Justo.

Justo se pasó los dedos por los bordes de su oreja recortada y no pudo contener una sonrisa que le levantó tanto las mejillas que se le entrecerraron los ojos.

* * *

Jean-Claude Artola le dijo a Dodo que el socio con el que tenía que encontrarse estaría en un local de la Rue de la Republique, el Pub du Corsaire. El bar de los Corsarios. Sabía que San Juan de Luz tenía fama no sólo por ser el puerto de los renombrados balleneros vascos, sino por haber servido de guarida a los piratas y corsarios más codiciosos y sanguinarios que habían surcado los mares desde el siglo XVII. Dodo entró y se vio en el interior de un barco corsario de roble oscuro. Unos faroles dorados arrojaban luz entre las sombras. Una cubierta de roble y unas recias cuadernas unían los falsos genoles a la cubierta superior. En el medio, el mástil principal bajaba hasta la quilla. La barra discurría perpendicular al bao, hasta el lado de babor de mitad de la nave. Casi sentía el oleaje del mar.

—Me siento en casa —dijo hablando solo.

Había unas pocas mesas y reservados cerca de la «proa» y Dodo se sentó al final de ésta. Una mujer que estaba sentada con unos amigos enseguida se levantó para marcharse; tenía un perro dormido a los pies.

—*Allez, Déjeuner* —le dijo al animalillo de pelo hirsuto mientras se acercaba a Dodo.

¿*Déjeuner*? Almuerzo. Captó la divertida implicación.

—Debe de haber comido en España últimamente —le comentó Dodo. La mujer llevaba un amplio cinturón que ceñía su falda bajo una blusa holgada y parecía hacer juego con la decoración. No desentonaría paseándose por la cubierta con los corsarios, se dijo Dodo. Se la imaginó haciendo pequeños hurtos y maldades femeninas. Ésa era una mujer, se dijo, con la que un hombre podría armar muchos alborotos.

Al cabo de un momento descubrió que se trataba de Renée Labourd, la mujer con la que debía contactar. Transcurridas unas semanas eran compañeros, atraídos sobre todo por lo que de ellos mismos veían en el otro. Para Dodo, Renée tenía la insinuación de lo salvaje. Para Renée, Dodo era el espíritu de su padre en sus facetas más interesantes.

Renée percibió el potencial de Dodo y comenzó a instruirlo en las artes crepusculares, el *travail de la nuit,* que había sido el negocio familiar durante generaciones. Su madre y su padre regentaban un pequeño *auberge* en la carretera que salía de Sare. El pueblo, que quedaba al este de San Juan de Luz, estaba situado cerca de tantos pasos montañosos a lo largo de la frontera francesa que se consideraba la capital de los *contrebandiers* que se dedicaban a ese próspero comercio no autorizado de exportación e importación. Durante varias generaciones, la familia Labourd había alquilado habitaciones cuyas ventanas cubiertas por postigos y con jardineras daban a las montañas, sirviendo una exquisita cocina vasco-francesa a los del pueblo y a los huéspedes. Pero su verdadero trabajo era pasar mercancías al otro lado de la frontera.

Renée, tras oír el relato que le hizo Dodo de sus desastrosas primeras noches en las montañas, le instruyó en la práctica y la filosofía del negocio. La manera creativa de eludir impuestos ilegítimos, aranceles injustos y embargos absurdos no tenía connotaciones negativas entre los que vivían allí, subrayó Renée. Allí la frontera era un adorno; ninguno de los que residían a ambos lados la reconocía, pues sus familias eran anteriores a los repartos azarosos de los mapas.

Los padres de Renée la habían utilizado de señuelo o para distraer a la Guardia Civil o a los gendarmes desde que ella era pequeña, cuando los engatusaba con un baile, una canción o un cuento mientras *mère* y *père* pasaban junto a ellos con cualquier cosa más pequeña que un elefante acarreando un piano. Algunas noches era algo tan sencillo como transportar cajas de vino francés y queso; otras veces algo tan complicado como llevar una manada de caballos por empinados pasos.

Una noche, tras haber dejado su entrega, Dodo y Renée cruzaron de la mano el puesto fronterizo francés como si fueran dos amantes que disfrutan de la luz de la luna. Mientras pasaban, llamaron a los guardias fronterizos para que fueran a investigar alguna actividad sospechosa en una zona cercana. Dodo y Renée se detuvieron y vieron cómo los dos guardias cogían sus armas y se adentraban en la oscuridad. Cuando los guardias se hubieron marchado, los dos se adentraron en la garita, ahora vacía, se embolsaron todos los impresos en blanco para utilizarlos en algún momento, recogieron toda la munición que pudieron e hicieron el amor sobre el escritorio del capitán.

* * *

Miguel caminó despacio, sin hacer ruido, y cuando estuvo cerca del arroyo se acurrucó cubierto por unas matas. Tenía que coger peces, pero aquello ya no era un pasatiempo. Ahora se trataba de matar el hambre. Así que, como casi todas las demás cosas de la vida, ahora era un trabajo más serio, más duro. Pero aquel día había seis truchas que había sacado de un arroyo en el que hacía tiempo que no pescaba. Dos le servirían de cena, dos serían un bonito regalo para Mendiola para complementar la alimentación familiar, otra alegraría la cena del viudo Uberaga, su vecino, y le sobraría una.

Miren agradeció la consideración de su marido, y en cuanto acabaron de comer se dirigió a la cabaña de Alaia con la esperanza de entregarle la trucha antes de que se preparara la cena. Miren nunca había oído quejarse a Alaia, pero seguro que la escasez de comida la afectaba tanto como a los demás. Vender pastillas de jabón baratas en el mercado no podía proporcionarle muchos ingresos.

—Alaia, mira qué te ha traído Miguel para... —comenzó a decir Miren mientras entraba por la puerta.

Pero cuando entró no vio a Alaia, sino un culo pálido y arrugado subiendo y bajando.

—Aaaaajjj. —Era el viejo Zubiri, al que no reconoció hasta que el grito lo hizo desmontar presa del pánico y subirse los pantalones, que llevaba por los tobillos. Como no se había quitado las botas, todo lo que Zubiri tuvo que hacer fue ponerse en pie, subirse los pantalones y salir pitando por la puerta que Miren había dejado abierta. En ningún momento se le había movido la *txapela* de la cabeza.

Miren no dijo nada. Se quedó helada con el pescado en la mano.

Alaia se incorporó en la cama, aspirando profundamente, y se preparó para el inevitable interrogatorio de Miren. Pero ésta se había quedado muda.

—¿Miren?

Ésta se encontraba paralizada por dos revelaciones: que alguien de la edad de Zubiri practicara el sexo y que su amiga, que ahora estaba desnuda junto a su cama, fuera tan hermosa que no pudiera dejar de mirarla. Tenía una figura exuberante, de curvas armoniosas y abundantes, y unos pezones tan redondos y morenos como castañas.

—Miren... oh. —Alaia percibió el desconcierto de Miren y recogió su vestido. Tanteó despacio el cuello hasta encontrar la abertura que identificaba con la parte de delante y se lo metió por la cabeza.

—¿Miren? —dijo mientras se alisaba el vestido.

Miren consiguió mantener la compostura y dejar el pescado en la mesa.

—Te he traído una trucha —anunció—. Si tienes hambre, te puedo ayudar a freírlo.

—Dilo, Miren.

—Alaia, ¿cómo puedes estar enamorada del viejo Zubiri?

La carcajada de Alaia dejó petrificada de nuevo a Miren.

—No estoy enamorada de Zubiri —dijo—. No somos más que socios comerciales.

—Entonces, ¿por qué...? No parecía que tratarais de... negocios.

—Él me trae comida, cosas que necesito para hacer jabón, y leche y madera para la estufa —contestó Alaia.

—¿Y tú?

—Le ayudo con cosas que necesitaba hace mucho tiempo.

¿Cómo era posible que Alaia trocara su cuerpo por cosas que ella le habría dado encantada? Si necesitaba ayuda o comida, sólo tenía que pedírselo. Miguel le cortaría y le apilaría leña. Sus padres la ayudarían. No tenía por qué recurrir a eso.

—Miren, no es sólo Zubiri. Hay otros. Y no voy a decirte quiénes son porque no quieren que se divulgue. Algunos, de hecho, prefieren no pensar que sé quiénes son.

—¿Tienes *muchos* socios?

—Miren, sé lo que hago. No tengo que pedir disculpas, pero te recordaré que pasé dieciocho años en un convento. Crecí con docenas de monjas. —Miren farfulló algo tan bajito que Alaia no pudo oírla—. Miren... soy mayor. Lo hago porque quiero. Si te preocupas por mí, te lo agradezco, pero te lo puedes ahorrar.

Miren tampoco era una experta en las relaciones sexuales y sabía que era más cándida que mojigata. Y si Alaia quería saberlo, gozaba del sexo, tanto que pensaba en ello casi todo el día mientras Miguel trabajaba. Pero lo de Alaia era otra cosa.

—¿Incluso con un viejo? —preguntó Miren—. ¿Te gusta?

—Sigue siendo algo íntimo —le explicó Alaia—. A él le satisface una necesidad, y te prometo que, aunque a lo mejor no te lo creas, teniendo en cuenta la relación que tienes con Miguel, a mí también me ayuda.

—¿Lo haces con cualquiera?

—No hago preguntas porque no quiero que me hagan preguntas a mí —repuso Alaia—. Sé quiénes son. Los oigo en el mercado. Los reconozco a casi todos, aunque ellos prefieren pensar que no. Si sé que el hombre que aparece en la puerta es un hombre casado, me comporto como si viniera a comprar jabón y le digo que sólo vendo los lunes en el mercado. Pero tampoco los juzgo. No soy quién para ello.

Miren se había puesto roja: los olores, el murmullo del arroyo, el darse cuenta de que su mejor amiga era una... ¿qué? ¿Cómo llamarla?

—Espero no haberlo espantado para siempre —dijo al fin—. Detestaría ser responsable de que tu negocio vaya mal. A lo mejor te costaría encontrar más clientes buenos.

—Creo que volverá —especuló Alaia—. He de acordarme de echar el pestillo cuando tengo un invitado. Creo que eso le proporcionará la suficiente seguridad. Te pediría que cuando veas al señor Zubiri por el pueblo no lo señales con el dedo. No quiero que lo que pasa aquí traspase las paredes del convento.

Miren se acordó de que Alaia no podía tener hijos, cosa que respondía a una de las muchas cuestiones prácticas que despertaban su curiosidad. ¿Cómo se enteraba la gente si ella lo mantenía en un estricto secreto? ¿Cómo evitaba que coincidieran más de uno en su casa? ¿Tenía un horario? ¿Luego les vendía el jabón? Luchó por contener su curiosidad y recordó las palabras de su tío Xabier una vez que ella le pedía que le explicara el carácter débil de alguien del pueblo.

—Bueno, estamos aquí para ser testigos, no para juzgar —le dijo Miren a Alaia, haciéndose eco de las palabras de Xabier.

—Buena chica —replicó Alaia—. No espero que lo entiendas, sólo que confíes en mí.

—Tengo que decirte, Alaia, que he sido testigo de imágenes que quizá nunca olvide.

—¿No ha sido una visión agradable?

Miren no lo dijo, se sentía demasiado dolida para intentar un comentario ingenioso, pero pensó que era la primera vez que envidiaba la ceguera de Alaia.

* * *

El sacerdote corrió la celosía que aseguraba el anonimato del confesor.

—Bienvenido, hijo —dijo, y se sintió un poco ridículo al saludar así a un hombre que ya había cumplido los cuarenta. Pero era el protocolo.

—Perdóneme, padre, porque he pecado —pronunció una voz en el habitual tono bajo y serio que exige la situación—. Ha pasado ya una semana desde la última vez que me emborraché con mi sacerdote.

—Eso te costará diez padrenuestros y otra botella para el sacerdote. Pero, por ser nuestro nuevo presidente, se te conmuta la penitencia.

A veces, cuando no encontraba a Xabier en la rectoría, Aguirre se arrodillaba en otro confesionario y hablaba con otro sacerdote. Esa posición de confianza se había hecho más importante en meses recientes. El gobierno republicano, en una medida que le garantizara la ayuda de los vascos en su lucha contra los rebeldes, les había otorgado el estatus de nación. Como era de esperar, Aguirre había sido nombrado presidente, y juró el cargo en Gernika en una ceremonia que quiso ser sobria. No tenía mucho sentido anunciar el acontecimiento a los posibles asesinos franquistas, a quienes ese día no les habría gustado su mensaje.

—Servidor de Dios, sobre suelo vasco, en recuerdo de mis antepasados vascos, bajo el árbol de Gernika, juro cumplir fielmente mi cargo —dijo Aguirre antes de leer su declaración sobre la guerra—. Nos declaramos en contra del movimiento rebelde, que es subversivo y contrario a la autoridad legítima y hostil a la voluntad de la nación, y a ello nos obliga la profundidad de nuestros principios cristianos. No creemos que Cristo predicara la bayoneta, la bomba o el explosivo de alta potencia. Hasta que el fascismo sea derrotado, el nacionalismo vasco permanecerá en su puesto.

En una época en que los espías, los confidentes y los adversarios políticos podían arrojar sombras sobre alguien en la posición de Aguirre, sus encuentros con el padre Xabier en el confesionario de la parte de atrás, medio oculto por una columna de cemento, ofrecían una anhelada intimidad.

—Malas noticias —anunció en voz baja Aguirre.

—¿Es que esperábamos otras?

—Los obreros y los campesinos intentan defender Badajoz contra los rebeldes de Franco, y, sorprendentemente, lo hacen bastante bien —continuó Aguirre—. Pero las tropas africanas que luchan con los rebeldes estaban tan hartas de la resistencia que los llevaron a todos a la plaza de toros y los ametrallaron.

—Malditos sean —dijo Xabier, olvidando dónde estaba.

Aguirre calló.

—Cuatro mil muertos.

—Dios bendito. En el nombre de la Iglesia, claro —añadió Xabier, sarcástico.

—Claro. El devoto de Franco.

Oyeron acercarse unas fuertes pisadas y callaron.

Reemprendieron la conversación, y Xabier susurraba ahora tan cerca de la rejilla que olía el tabaco del aliento de Aguirre.

—No es una cuestión de devoción. La Iglesia cuenta con mucho poder, por lo que Franco ondea la bandera del catolicismo. No me sorprende que él intente explotarlo, lo que me sorprende es que la Iglesia sea cómplice.

—¿El Vaticano entiende realmente lo que Franco está haciendo?

—Ésa es la guerra que yo libro: el frente romano —dijo Xabier—. Los obispos de Vitoria y Pamplona han divulgado una carta en la que condenan a los católicos vascos que apoyan nuestra causa, pero, por suerte, el vicario general rechazó la carta. De manera que nos enfrentamos a una división que podría tener desagradables consecuencias.

—¿Les has dicho algo a los obispos? —preguntó Aguirre.

—Yo no soy más que ayudante del párroco, y los prelados no van a renunciar a la mitra sólo porque yo se lo pida.

—¿Eso te crearía problemas con los superiores?

—¿Te refieres al Vaticano o a Dios?

Aguirre se rió más fuerte de lo que debía. Se callaron y aguzaron el oído por si oían pisadas.

* * *

Miren no podía advertir a Miguel ni alertar a su padre, pues temía que los dos sintieran repugnancia y la reprimieran físicamente. Nunca entenderían los problemas a los que se enfrentaba, el trastorno que le causaba y el dolor que había soportado. Miren estaba segura de que esa crucial decisión debía tomarla sola y atenerse a las consecuencias. No tenía más opción que cortarse el pelo.

Colgaba sobre zonas molestas cada vez que se inclinaba sobre Catalina para cambiarla. Y siempre que se echaba el bebé al hombro para darle unas palmaditas y que se durmiera, la niña agarraba puñaditos e intentaba escalar ayudándose del pelo. El dolor le llegaba a Miren a lo más hondo. Además, perder el tiempo en vanos esfuerzos para mantenerlo parecía imperdonable. Mariángeles lo comprendió y le sorprendió que Miren hubiera tardado tanto en decidirse. Se ofreció para cortárselo.

—Estás casada, tienes un marido bueno y comprensivo —le recordó Mariángeles cuando a Miren le entró el canguelo al ver las tijeras—. Te encontrará igual de guapa con el pelo corto. A lo mejor hasta piensa que tiene una nueva esposa.

—Mejor que no —protestó Miren—. Me pregunto si debería haberle pedido permiso.

—Ahora ya es demasiado tarde —dijo Mariángeles mientras cortaba casi dos palmos de trenza de un tijeretazo—. Bueno, ya está. ¿Te sientes más ligera?

—Y más alta —aseguró Miren mientras recogía el pelo y hacía ademán de deshacerse de él.

—Espera, tengo una idea. —Mariángeles cogió otra cinta y ató el extremo que había cortado, de manera que la trenza quedara asegurada en ambas puntas y no se deshiciera. A continuación cortó y alisó los bordes de lo que quedaba de la melena, colocándola en torno a la cara de su hija. Miren parecía una matrona joven, guapa y madura.

Aquella noche, cuando Miguel volvió de las colinas, Miren fue corriendo a recibirlo, levantando las puntas del pelo hacia el costado de la cara para que Miguel lo viera enseguida. Dio un giro para que volara el pelo, se detuvo de cara a él y le dedicó su sonrisa más seductora.

—Me gusta —dijo Miguel—. Me gustaba largo. Me gusta corto. Me gusta.

—Temía que te enfadaras —comentó Miren, aliviada—. Pensaba que no querrías saber nada de mí hasta que volviera a crecerme.

—Ahora es diferente —replicó Miguel—. Antes éramos jóvenes y ahora somos padres. Las cosas han cambiado. Está precioso. Incluso mejor. Más fresco y más fácil de cuidar.

Miren temía que su padre fuera menos comprensivo. Cuando era joven y tenía el pelo demasiado largo y tupido para poder manejarlo con sus manitas, se echaba sobre la mesa de la cocina, con el pelo colgando del borde y llegando casi hasta el suelo. Justo se sentaba en una silla, cepillaba los mechones y le hacía trenzas, y todo el rato le decía en broma que era como si almohazara el caballo de un picador. Incluso cuando Miren era adolescente, entraba en la habitación principal en camisón y le daba el cepillo y la cinta para el pelo a su padre.

—Papá, ¿me arreglas el pelo?

Él nunca dejaba pasar la oportunidad.

Cuando ella y Miguel llegaron a Errotabarri aquella noche, Catalina dormía en la popa del carrito y Miren supo enseguida que se enfrentaría a un público difícil.

—*Jainko, maitea!* ¿Qué te has hecho? —gritó Justo cuando llegaron.

—Papá, es que Catalina siempre me tiraba del pelo y me dolía, y he tenido que cortármelo.

—Pero era precioso. Me encantaba tu pelo —dijo él, con una inmediata nostalgia—. ¿Tenías que hacerlo?

—Lo he hecho, papá. Pero tengo un regalo que espero que te haga feliz y te ayude a perdonarme.

Miren le entregó a su padre una pequeña caja rectangular que Miguel le había hecho para guardar cuatro cadenitas y pendientes. Ahora la rodeaba una cinta y la remataba un lazo. Justo la abrió como si fuera Navidad y se echó a reír.

—Gracias —dijo—. Es perfecta. —Sacó la larga trenza de la caja—. Gracias por guardármela —repitió—. Estoy emocionado. Me sorprende que Miguel renuncie a esto.

—Tengo el resto del pelo, la cabeza que hay debajo y la mujer que lo hizo crecer —replicó Miguel—. Esta parte te pertenece a ti. Por lo que he oído, invertiste mucho tiempo en su crecimiento.

Justo cogió un clavo y un martillo y clavó la trenza en la repisa de la chimenea.

—La guardaré en este lugar de honor —dijo.

Capítulo
14

El teniente coronel Wolfram von Richthofen, de la Luftwaffe alemana, descubrió que incluso los españoles entusiastas de la revolución consideraban la guerra como algo a lo que se jugaba entre un lento desayuno y una prolongada siesta. No eran esporádicamente feroces, sino crónicamente ineficientes. Eran capaces de matar, pero no de planificar. Comprendían la rabia, pero no la urgencia. No había abandonado el servicio diplomático en Roma para ser aliado de una nación de gente torpe, que dejaba las cosas para más tarde, y aún aferrada a las ideas de la guerra del Viejo Mundo. Además, constantemente querían besarlo en la mejilla y le preguntaban qué parentesco tenía con el Barón Rojo, como si no estuviera ya harto de eso.

A Von Richthofen no le interesaban los conflictos internos de los españoles, aunque la invitación de Franco para que participara le ofrecía un terreno de pruebas de escaso riesgo. Como siempre, sería un oficial diligente sin importarle las circunstancias o la naturaleza de los aliados. No obstante, Von Richthofen se había instalado bien nada más llegar. Era otra manera de reforzar su posición entre sus hombres. Su cómoda suite en el hotel Frontón, cerca del aeródromo de Vitoria, simbolizaba su rango.

El nombre de su escuadrón era ridículo, pero a sus aviadores les gustaba el nombre de Legión Cóndor y les encantaban los nuevos bombarderos experimentales de los aeródromos de Vitoria y Burgos. Sus hombres se enorgullecían especialmente del emblema de la legión situado cerca del morro de sus aviones, en el que aparecía un cóndor cuyo cuerpo era una bomba color rojo sangre con unas alas negras y desplegadas dentro de un círculo negro muerte. No parecía importarles el hecho de que los cóndores fueran carroñeros.

El propio Führer le había mandado a Von Richthofen otro capricho que había llegado en barco: un Mercedes-Benz nuevo y descapotable. Cuando tenía que ir a reunirse con el Estado Mayor en Burgos, Von Richthofen lo conducía como si fuera un caza, volando bajo y rápido por las sinuosas carreteras, cubriendo los más de cien kilómetros en menos de una hora.

Todos los días se levantaba antes del alba, observaba la foto de su mujer que tenía en la mesilla y hacía un poco de calistenia: flexiones, estiramientos, carrera en el sitio. Su comandante, Göring, estaba como un cerdo, lo que aún acuciaba más a Von Richthofen a mantenerse en forma. Tenía cuarenta y un años y físicamente se sentía como los pilotos más jóvenes. No era sólo un oficial, sino un arma militar en sí mismo, y comprendía que tales cosas requerían un mantenimiento diario para funcionar bien.

* * *

Miren se pasó más de una semana angustiada, sopesando si debía contarle a Miguel lo que había descubierto de Alaia y si el no revelarlo equivalía a una traición en el matrimonio.

Decidió ponerle a prueba, dar vueltas en torno a la cuestión con delicadeza cuando estuvieran en la cama.

—Cuando le llevé la trucha a Alaia...

—¿Estaba sola o con algún invitado?

Miren se quedó callada, esperando a que su corazón se calmara.

—¿Con un invitado? —preguntó Miren.

—A lo mejor no estaba sola. A lo mejor había alguien ayudándola en algo, dándole algo que necesitaba.

—Lo sabías, ¿verdad?

—Sí.

—¿Cómo?

—La gente habla.

—¿Y qué dijiste?

—Le dije al que me lo contó que no quería saber nada más, ni de él ni de nadie.

—¿Por qué no me lo contaste?

—Porque no sabía si era cierto y no quería repetir habladurías malintencionadas.

—¿Y bien?

Miguel tardó en contestar, porque se esforzaba en analizar todas las implicaciones.

—Te quiero, eso no va a cambiarlo nada —dijo Miguel. —Ella frunció el ceño a la espera de la siguiente frase—. Pero hay un problema...

—Miguel, Alaia tiene tan poca cosa...

—Tiene tu amistad, y diría que eso es algo que hay que proteger. Tiene una reputación, como los demás. Lo que ella haga te afecta.

Silencio.

—No tiene nada que ver conmigo.

—Tiene que ver contigo, y con nosotros, más de lo que crees. Tiene que ver con todos nosotros.

Silencio.

—O sea, lo que te molesta es lo que la gente piense o pueda decir, ¿no?

—Mi madre siempre nos decía que lo más importante que tenemos es nuestro buen nombre.

—Miguel, no lo entiendo. Yo estoy más afectada que tú —dijo Miren, tocándole el brazo—. A mí tampoco me gusta. Y también estoy enfadada. No sé por qué. Sé que durante muchos años Alaia no tuvo a nadie y ahora busca un contacto más íntimo.

—La intimidad te la puede proporcionar un solo hombre —replicó Miguel, levantando la voz por primera vez—. Lo que te dan muchos hombres es otra cosa. —Miren le apartó el brazo y se dio la vuelta hacia la pared—. He pensado en ello —prosiguió—. Pensé en exigirte que no la vieras más. Pero esperaba que tomaras esa decisión por ti misma. Sé que yo voy a mantenerme alejado de ella. Y no creo que deba venir por aquí. —Miguel sintió que la cama temblaba con el llanto de Miren—. *Kuttuna*, si fuera otra mujer, no diría nada —aseguró él, y se acercó para tocarle la espalda. Ella lo esquivó con una sacudida—. Si se tratara de otra chica ciega, incluso en cierto modo podría admirarla. Pero no lo es. Es tu mejor amiga. Es la chica... la mujer... con la que pasas más tiempo. Sí, se trata de las apariencias. Y se trata de Catalina. Y también se trata de mí. Me pone furioso tener que hablarte así cuando es algo que no debería tener nada que ver con nosotros. Mi tarea es protegerte a ti y a Catalina. Y lo haré.

—¿Estás diciendo que tengo que elegir?

—No he dicho eso.

Permanecieron en silencio mientras ella le daba vueltas a ese comentario. ¿Miguel había recalcado la palabra «no» o «dicho»? ¿Quería dar a entender que no pensaba darle un ultimátum? ¿O significaba que esperaba que dejara de ver a Alaia sin que tuviera que pedírselo?

Miguel se volvió y se quedó mirando la pared opuesta. Estaba furioso con Alaia, con Miren. Y estaba furioso consigo mismo, porque sabía que nunca podría decir que no fue coincidencia que aquella noche la enviara a ver a Alaia con un pescado.

* * *

—*El Director* —le dijo Picasso al grupo reunido en una mesa negra situada en un café de la Rive Gauche—. Podéis llamarme el Director. —Todos se rieron, pero para Picasso ni por asomo aquello fue una broma.

Llevaba más de treinta años viviendo en París, pero nunca quiso la ciudadanía francesa. España era su hogar, en su mente y en su arte. Sin embargo, nada le había llevado a tomar partido en el caos que reinaba en su país, ni cuando Franco se alzó contra la República, hasta que una simple carta lo involucró en la compleja política española. El puesto que le ofrecían era nominal y absurdo —director del Museo del Prado—, pero de gran importancia sentimental. No podía calcular cuántas horas se había pasado memorizando las obras maestras de Goya, Velázquez y El Greco mientras estudiaba en el Prado de adolescente.

Aceptó el puesto, que asumió un inesperado papel funcional a los dos meses, cuando los rebeldes de la Falange rodearon Madrid. Las bombas de los Heinkel y de la artillería de tierra estaban dañando el museo. Los combates cuerpo a cuerpo dejaban cadáveres debajo de los plátanos que flanqueaban el paseo del Prado, delante del museo. En las calles, las escenas de devastación eran casi tan inquietantes como el tríptico de El Bosco titulado *El jardín de las delicias,* que Picasso había devorado durante horas cuando era estudiante.

El museo estaba cerrado al público, pues los madrileños tenían asuntos más urgentes que atender que el arte. El personal del Prado había descolgado los cuadros de las plantas superiores y los había amontonado en habitaciones revestidas de sacos de arena. En aquella lucha cruenta, las tropas leales habían conseguido rechazar el ataque a Madrid mientras los miembros del gobierno huían a Valencia. Cuando Picasso se enteró, exigió que se evacuaran las obras maestras del Prado. Desde París organizó el traslado de cientos de cuadros a Valencia.

El Director se encontró con que ya no era un observador no comprometido con los sucesos de su país. Los rebeldes masacraban a sus compatriotas y amenazaban las obras maestras. Eso afectó a Picasso, y como artista y como español le indujo a atender a la invitación en cuanto llegó. Le pidieron que pintara algo para el Pabellón Español de la Exposición Universal que se inauguraría en París al verano siguiente. Si completaba un mural, serviría de pieza emblemática del pabellón.

Picasso nunca había pintado nada de ese tamaño; la idea le parecía chabacana y no le gustaba que, como artista, le hicieran ese tipo de encargos. Aunque apoyaba la causa republicana y despreciaba la manera en que Franco estaba hundiendo su espada en el cuello de España, temía que todos esperaran que produjera algo que fuera más un manifiesto político que una obra de arte. El arte surgía de las tripas, no de los encargos, dijo.

Pero había más cosas que tener en cuenta. El Director se comprometió tan sólo a pensárselo, pues no había nada malo en esperar a ver si surgía algún tema adecuado.

* * *

A Miren le costaba reconocer a algunas personas del pueblo que conocía de toda la vida. Pasar hambre los había hecho encogerse desde dentro, dejándoles sólo el pellejo, como una ropa vieja que ya no les sentara bien. En la cola formada para recoger los alimentos racionados casi todo eran mujeres, pues pocos hombres tenían la paciencia de estarse allí horas pasando frío, y casi todos los que hacían cola eran viudos, o tan viejos que la pareja necesitaba cuatro manos para transportar los escasos y preciados paquetes de comida.

En aquella cola no se hablaba mucho, y cuando se hacía era en voz baja. Dos años atrás, si se hubiera juntado esa gente habría comenzado un baile, se dijo Miren. Ahora apenas hablaban. No obstante, ella sonreía y saludaba a todos los que se cruzaban con ella, preguntándoles por su familia y su negocio. Pero sabía que ya no podía decir: «Me alegro de verte, tienes buen aspecto». No, no tenían buen aspecto. Ni: «Este año tus chorizos son estupendos». Porque ya no había chorizos. Pero sonreír no costaba nada ni obligaba a nada.

Aunque casi todos habían visto muchas veces a Catalina en el pueblo, Miren seguía pensando que valía la pena pasearla, convencida de que pasar unos minutos con una alegre criatura era beneficioso para cualquiera. Catalina ya era capaz de incorporarse y quedarse levantada al borde de su cochecito, saludando a todos los que pasaban. La gente se le acercaba. «Quiero presentaros a mi hija», decía Miren. No: «Quiero que veáis a mi hija». Lo decía como si el ver a aquella gente fuera un privilegio que su hija hubiera de recordar hasta que fuera adulta. Era una sutil diferencia, pero Miren consideraba que expresar cierto respeto no estaba fuera de lugar en una época sembrada de indignidades.

Según la tienda, la cartilla de racionamiento te permitía comprar saquitos de garbanzos o arroz, un poco de azúcar, quizá cien gramos de pan y una botella de aceite de oliva o de salsa de tomate.

Dos mujeres que había delante de Miren eran madres de chicas que habían bailado en su grupo.

—Aquí no estamos tan mal como en Bilbao —le dijo una a Miren—. Todavía podemos conseguir algo en los caseríos y en el mercado de los lunes. En Bilbao, que está lleno de refugiados y no tienen caseríos cerca, haces cola y al final no te dan nada.

—Sí, tenemos suerte —convino Miren.

Para las dos mujeres tampoco era para tanto.

Al cabo de unos minutos de silencio, Miren oyó que Catalina decía algo en su idioma particular y se incorporaba.

—¿Cómo se llama? —preguntó una chica acercándose al cochecito.

—Hola. Ésta es Catalina.

La niña, que tendría unos ocho años y llevaba una falda larga de algodón y un pañuelo blanco descolorido, lentamente dio un paso hacia Catalina, procurando que no pareciera que se estaba colando.

—¿Qué le ha pasado en la oreja?

Miren le contó la historia.

—A mí también me agujerearon las mías cuando era pequeña —comentó la niña, enseñándole una oreja a Miren.

—Y a mí —dijo Miren, y se inclinó para enseñarle las suyas.

La niña dijo que su madre estaba con «los bebés».

—Ya soy lo bastante mayor para que me den las raciones —dijo la niña.

Le sonrió a Miren y se fue con Catalina a dar palmas, cantando un estribillo que hizo que la pequeña riera y sacudiera el recio cochecito. Ayudaba a matar el tiempo, y las risitas de Catalina hicieron más llevadero el lento avance de la cola.

Miren traía un saco para transportar los paquetes y las botellas, que colocó en la proa del cochecito de Catalina tras entregar la cartilla. La chica que estaba detrás de ella recogió el pan, las judías y el arroz y las colocó en el hueco de su falda. Pero cuando le entregaron la resbaladiza botella de aceite, se le escurrió y se hizo añicos en el suelo.

La niña soltó un chillido y los sacos de arroz y judías se le cayeron de la falda, junto con el pan, hasta que todo quedó desparramado alrededor de la botella rota. Miren se volvió al oír el ruido de cristales rotos y recogió los demás alimentos para impedir que se estropearan en el aceite vertido.

—Mi madre —le gritó la niña a Miren—. Mi madre.

—No pasa nada —dijo Miren en voz baja—. Venga, lo arreglaremos.

—Mi madre... el aceite... —se lamentaba la niña.

Miren vació el saco que había traído y dejó sus raciones en el cochecito. Le entregó el saco a la niña para que transportara los paquetes.

Un poco más calmada, la niña seguía negando con la cabeza, con profusión de lágrimas y moco.

—Gracias —dijo—. Mi madre...

—Ahora ten cuidado —le advirtió Miren, empujando el cochecito hacia su casa.

Mientras ponía las bolsas de arroz y judías dentro del saco, la niña vio dentro una botella entera de aceite de oliva.

—¿Qué? —chilló cuando Miren ya se había alejado. Ésta la saludó con la mano y continuó.

Desde que hablara con Miguel de Alaia, a Miren le había inquietado la tensión que existía con su marido. Ahora se preguntaba cómo reaccionaría cuando le contara que el aceite de oliva que tenían para pasar la semana se le había caído en el suelo de la plaza.

* * *

Aunque eficaz, el bloqueo rebelde de los principales puertos vizcaínos no pudo ahogar por completo la entrada de armas y alimentos en España ni la evacuación de refugiados a Francia. Al otro lado de la frontera, en San Juan de Luz, Dodo Navarro cultivaba contactos solidarios que donaban cereal, patatas y otros alimentos, mientras los dos *patroiak* no tenían el menor problema en encontrar a gente dispuesta a salir de España ante la llegada del ejército fascista. José María Navarro y Josepe Ansotegui a veces desembarcaban la carga en Lekeitio, o desafiaban el bloqueo rebelde y subían el Nervión hasta el comienzo de Bilbao, donde la afluencia de refugiados había incrementado enormemente el problema del hambre.

Durante un tiempo, las cañoneras rebeldes rara vez se paraban a inspeccionar los barcos más pequeños de la flota de Lekeitio. Pero ahora que el contrabando ya no era tanto de comida como de armas y municiones se mostraban más insistentes.

Josepe Ansotegui ideó una manera eficaz de ocultar el contrabando. Las barcas llegaban a las peladas grutas cercanas a San Juan de Luz y otros puertos de las inmediaciones, donde Dodo y sus amigos cargaban en la bodega sacos de patatas o cereal, o cajas de rifles y munición. Mientras pescaban en el camino de regreso a través del golfo de Vizcaya, rumbo al bloqueo, Josepe, José María y la tripulación cubrían la carga de la bodega con anchoas o lo que hubieran pescado.

Unas pocas redadas de anchoas o sardinas bastaban para desanimar a los que subían a inspeccionar sus barcas. Algunas veces el *Egun On* o el *Zaldun* eran abordados para una inspección, pero ni la armada rebelde ni la Guardia Civil se metía en una bodega para ver lo que había debajo de la pesca de un día.

Si la carga que llevaban aquel día eran personas, se les decía a los pasajeros que se taparan la nariz y se quedaran bajo el pescado. Muchos respondían con un gruñido de desagrado, pero cuando les detenía la cañonera rebelde no les costaba nada sepultarse bajo el hediondo pescado.

En una ocasión, un guardia, con el arma automática ante el pecho, le ordenó a Josepe que abriera la bodega. El guardia observó la escotilla mientras Josepe y José María intercambiaban una mirada, rezando en silencio por que los refugiados contuvieran el aliento y no se movieran bajo el peso de las sardinas.

El guardia aspiró suavemente, se estremeció y le hizo seña a Josepe de que cerrara la escotilla.

—Estúpidos vascos —dijo, y se dirigió hacia su lancha, amarrada al lado.

—Sí, sólo somos pescadores —replicó Josepe.

—Y además feos —añadió José María.

—Y olemos a pescado —prosiguió Josepe mientras el guardia desembarcaba.

—Pobres de nosotros —se lamentó José María.

Capítulo
15

Justo entró en casa de su hija igual que entraba en casi todas partes, con una exclamación. En este caso era un estentóreo saludo a su nieta en el día de su primer cumpleaños.

—¡Ca-ta-li-na!

La niña, galopando en su carnero de juguete, correteó en dirección a él para que Justo la levantara y la atrajera hacia su áspera cara. Lo que más alegraba a Catalina era sacarle la *txapela* y arrojarla al suelo, y luego agarrarle el bigote con las dos manos y tirar de él en todas direcciones, a lo que su *aitxitxa* respondía con gruñidos de dolor.

Para su cumpleaños, Miguel le había construido una pequeña mecedora y Miren le había cosido un acolchado a cuadros para el culo y el respaldo. Miren había estado reservando azúcar durante semanas para hacer una tarta.

—Mira lo que te ha hecho tu *amama* —dijo Justo mientras le entregaba una bolsa a Catalina para que la abriera. Ésta sacó de dentro un vestidito blanco, lo miró un instante, lo arrojó al aire y siguió tirando del bigote de su *aitxitxa*.

—Catalina... —la riñó Miren, recogiendo el vestido que Mariángeles había hecho con ganchillo—. Es precioso, le encantará.

—Bueno, ya tenemos una ocasión en la que podrá llevarlo —dijo Mariángeles—. Justo ha hablado con Arriola, el fotógrafo, y os va a sacar una foto de familia a los tres para su cumpleaños. Haremos copias para vosotros y para nosotros.

* * *

Miguel se había puesto su traje de boda negro. Miren todavía cabía en el vestido blanco y negro que se había cosido antes de la boda. Ahora le apretaba en algunas zonas, pero seguía estando atractiva. Catalina estaba segura de que era la niña más excepcional del mundo, de pie, aún insegura, agarrándose a la falda de su madre y cubriéndose la cabeza con ella mientras soltaba un chillido.

—No, Cata —la corregía Miren, y le bajaba la falda.

—¿Qué hacemos con la, mmm...? —le preguntó Miguel a Miren, tocándose levemente la oreja derecha.

Miren intentó cubrir la oreja de Catalina con el pelo, pero tenía demasiado poco.

—¿Un sombrero? —preguntó Miguel.

—Entonces no le veremos la cara. Tampoco se ve mucho. Es una oreja tan pequeña...

Cuando en un susurro Miguel le hubo mencionado a Arriola lo de la oreja de Catalina, éste asintió. No sería ningún problema. Colocó a Miren en una silla de madera oscura y respaldo alto, con Catalina sentada en el regazo, mirando a la derecha, hacia Miguel, que estaba de pie junto a la silla.

—Miren el pajarito —dijo Arriola. Catalina se volvió ligeramente hacia la cámara cuando se iluminó el flash, captándola perfectamente de medio perfil, con la luz reflejándose en el diminuto *lauburu* de plata de la oreja izquierda.

* * *

Picasso arrojó los pinceles y la emprendió a patadas con las telas y caballetes recién extendidos, despotricando en su estudio. Los rebeldes de Franco habían tomado Málaga, donde él había nacido, y después de que la artillería y los bombarderos arrasaran la ciudad, habían ametrallado a los civiles. Suficiente. Anunció a sus amigos que crearía una obra para vender en auxilio de la causa republicana.

Sueño y mentira de Franco, en esencia un cómic, retrataba al líder fascista como un bufón, y como una mujer, y como un centauro destripado por un toro. A veces lo dibujaba con una mitra de obispo arrodillado ante la imagen de un mono.

Para acompañar las láminas, Picasso vomitaba imágenes escritas en un poema lleno de tanta rabia que no dejaba lugar a la puntuación o a la sintaxis hasta que alcanzaba un ritmo artístico.

«... gritos de niños gritos de mujeres gritos de pájaros gritos de flores gritos de maderos y de piedras gritos de ladrillos gritos de muebles de camas de sillas de cortinas de cacharros de gatos de papeles gritos de olores que se arañan gritos de humo picando en el morrillo de los gritos que se cuecen en el caldero y de la lluvia de pájaros que inunda el mar que roe el hueso y se rompe los dientes mordiendo el algodón que el sol rebaña en el plato que el bolsín y la bolsa esconden en la huella que el pie deja en la roca».

No, el artista no podía regresar a España a luchar. Pero podía recaudar dinero con su arte. Y con el arte podía hacer que el mundo oyera su rabia.

* * *

Juan Legarreta recogió a los carpinteros Teodoro Mendiola y Miguel Navarro y los llevó a la Taberna Vasca, cerca del mercado, para tomar unos vasos de Izarra, el licor que sabía a menta y dejaba un cosquilleo en los labios. Legarreta, jefe del departamento de bomberos voluntarios, necesitaba ayuda. Los alemanes habían bombardeado Durango y el ayuntamiento de Gernika le había encargado la tarea de construir refugios en los que los habitantes pudieran esconderse si se daba un ataque similar.

Mendiola y Miguel habían oído hablar del ataque a las fábricas de municiones de Durango, pero no sabían nada de los daños concretos producidos por los explosivos de alta potencia, y no tenían ni idea de cómo unos carpinteros podían construir unos refugios que resistieran un ataque tan extremo. Además, los dos tenían muchos encargos esperando en el taller y con el dinero que sacaran podrían seguir alimentando a las familias.

—Lo sé —asintió Legarreta comprensivo—. A mí tampoco me pagan. Pero algunos del ayuntamiento piensan que hemos de construir esos refugios por si acaso. Algunos están seguros de que no tenemos de qué preocuparnos. Otros están convencidos de que si construimos refugios crearemos el pánico en la ciudad.

—¿Saben algo del peligro que nosotros no sepamos? —preguntó Mendiola.

—No creo que sepan gran cosa —respondió Legarreta, quitándose la *txapela* y pasándose los dedos por el pelo—. Coges a un par de viejos carlistas y a algunos republicanos, los mezclas con un par de monárquicos y comunistas, lo rocías todo con un aspirante a fascista y un anarquista y lo que sale de ahí seguro que no tiene ni pies ni cabeza. Pero es mejor tener cierta protección que no tenerla, y si eso consigue que la gente se pare a pensar en el posible peligro, pues a lo mejor no es tan mala idea. Aunque aquí no hay nada que puedan querer bombardear.

Mendiola y Miguel asintieron. Aun cuando supusiera un cierto sacrificio, los dos se comprometieron a ayudar.

—Y dime, Juan —le apremió Mendiola—, ¿puedes aconsejarnos cómo decirles a nuestras mujeres que vamos a dedicarnos a construir unos refugios que no sabemos construir para protegernos de un ataque que probablemente no ocurra y por lo que no recibiremos dinero alguno?

Miguel no había considerado el problema de explicarle eso a su esposa. Se rió al imaginar lo que le contestaría Miren.

—En cuanto le explique a Miren lo que hacemos, insistirá en venir a coser cortinas y poner alfombras, y prometerá reunir a sus amigas para tener los refugios antiaéreos más acogedores de todo el País Vasco.

Legarreta y Mendiola la conocían desde hacía muchos años y se imaginaban al pie de la letra lo que diría.

—¿Sabes? —apuntó Mendiola—, a lo mejor sería más fácil que ella reclutara a los que van a trabajar en las obras.

Legarreta los llevó al ayuntamiento y a varias de las residencias de más recia construcción y sugirió que reforzaran los sótanos con refuerzos adicionales. A Miguel rápidamente se le ocurrió reafirmar la inserción de cada pilar con las vigas mediante cuadernas parecidas a las que se usaban para unir la quilla a la cubierta y asegurar las juntas con tiras de metal. Otro refugio aislado se construiría en la calle Santa María, entre el ayuntamiento y la iglesia, y en el plano figuraban una serie de soportes de roble que sustentaban unas vigas cubiertas de capas de sacos de arena.

—No tengo ni idea de qué protege a la gente de una bomba —dijo Mendiola—. Sólo espero que este edificio nunca se ponga a prueba.

—Ya verás como no —repuso Legarreta, añadiendo una risita para tranquilizarlo. No obstante, le acosaban dos preocupaciones que no compartía. La idea que tenían en el ayuntamiento de lo que era un buen refugio consistía en una zona herméticamente cerrada que evitara la entrada de balas y fragmentos de bomba. Pero eso significaba que en esos sótanos entraría poco aire. Su segunda preocupación era más directa: su brigada de bomberos constaba de diez voluntarios mal entrenados y un pequeño carro, un auténtico problema en un pueblo en el que casi todas las casas eran de madera.

* * *

El padre Xabier comprendió por qué lo habían mandado a Gernika cuando se encontró con los refugiados, cuyas pertenencias iban en hatillos raídos, arracimados en una masa informe en la explanada que había delante de la estación. Vio llegar las ambulancias en escalonada sucesión para verter su carga de soldados destrozados en el hospital militar provisional instalado en el convento carmelita, cerca del río.

Cuando Xabier salió de Bilbao, la ciudad estaba inundada por la oleada de refugiados que huían del ejército invasor. Pero la llegada de gente sin hogar a Gernika evocaba una sensación ominosa. Bilbao, hasta cierto punto, tenía defensas; Gernika estaba en un valle desprotegido inundado por una marea humana.

Cuando llegó Xabier, oyó hablar de casas donde habían entrado a robar y el rumor de que los soldados en retirada habían irrumpido en el convento de Santa Clara y tomado posiciones allí. Contempló las nubes de tormenta que manchaban el cielo antes del crepúsculo. En lo alto del convento de las carmelitas, unas figuras en movimiento llamaron su atención. Dos imágenes sombrías y espectrales ejecutaban una danza angustiosamente lenta. Cuando se acercó a través de la abarrotada calle, distinguió sotanas negras y griñones blancos. Eran monjas que, en el tejado, con la ayuda de unos binoculares, escrutaban los cielos en busca de intrusos.

El presidente Aguirre había estado siguiendo los movimientos de tropas de las fuerzas republicanas, en esa región mayoritariamente vascas, durante las tres semanas posteriores al bombardeo de Durango. Sabía que sus fuerzas habían luchado bien, pero habían sido derrotadas en frentes sucesivos. Se habían retirado hacia la protección de Bilbao, lo que exigía que muchas de ellas pasaran a través de Gernika. Hubo que formar otra línea de batalla para frenar a las tropas rebeldes y ganar tiempo para poder reforzar las fortificaciones del «Cinturón de Hierro» de Bilbao.

A finales de semana, Aguirre visitó el confesionario del padre Xabier. Xabier supo que Aguirre estaba al otro lado de la celosía antes de oír su voz, por su olor. Normalmente un fumador empedernido, ahora el desasosegado Aguirre encendía uno con la colilla del otro, y todas sus ropas estaban cubiertas de una gruesa película de tabaco.

—¿Estás fumando en el confesionario? —preguntó Xabier.

—Perdóneme, padre, porque he fumado.

—Apágalo, es blasfemo.

—Ya lo he confesado. Absuélveme y pasemos a otra cosa —dijo Aguirre. Se santiguaron al mismo tiempo—. No te lo vas a creer —comenzó a decir, con la voz más tensa que le había oído Xabier—. Nuestro ingeniero, el gran capitán Alejandro Goicoechea...

—¿El que proyectó el Cinturón de Hierro?

—Sí, ése —asintió Aguirre—. Ha desertado. Se ha pasado a los rebeldes, se ha llevado todos los planos. Todos los detalles. Todos los detalles donde las zanjas son estrechas y las alambradas están desprotegidas.

—Dios nos asista —fue todo lo que pudo decir Xabier—. Y ahora ¿qué?

—Necesito que vayas a tu pueblo —contestó Aguirre—. Necesito que hables en misa y les adviertas de lo que pasa, que les digas todo lo que sabes del peligro que corren.

—¿Yo? ¿Y por qué no tú?

—Te conocen y confían en ti. Eres uno de ellos. Voy a enviar a otros asesores y consejeros a todos los demás pueblos.

Xabier no necesitaba sopesar los factores; sabía que era lo mejor. Aguirre, arrodillado en el confesionario, le detalló las siniestras amenazas que se cernían sobre ellos.

—¿Entiendes ahora por qué necesito que se lo cuentes?

Xabier, percibiendo un reto mayor que todo lo que había imaginado cuando era seminarista, le mandó un recado al sacerdote de Santa María, en Gernika, y comenzó a redactar su mensaje de advertencia.

* * *

Llegó a Errotabarri un sábado por la noche para cenar una feculenta mezcla de pan y potaje de garbanzos. No quiso ni oír las disculpas de Mariángeles. Su hermano y su mujer estaban chupados.

—Quiero avisaros de que mañana por la mañana voy a decir misa —les explicó—. Lo que diré va a asustar a la gente, pero es por su bien. Tienen que saber lo que les podría suceder si las cosas siguen como hasta ahora.

—¿No irán los rebeldes directamente a Bilbao? —preguntó Mariángeles—. ¿Qué hay en Gernika que pueda interesarles?

—Nadie lo sabe —respondió Xabier entre bocado y bocado—. Las tropas de Franco están masacrando a los vascos, y los alemanes son impredecibles. Y para Franco no es sólo eso. Cada vasco del que se libre ahora será una preocupación menos para él cuando gobierne España.

—Si nuestras escasas tropas se retiran a Bilbao, entonces los rebeldes entrarán aquí sin tener que hacerle daño a nadie. ¿No es ésa una posibilidad? —preguntó Mariángeles con una inflexión aguda.

—Todo es posible —dijo Xabier—. Podría ocurrir, o puede que maten a muchos. No hay reglas en este caso.

Justo interrumpió a Xabier levantando una mano abierta; quería comentar algo.

—Conocen la historia del pueblo. Saben lo que significa para nosotros; saben que es el corazón del país. Si atacaran Gernika sería un sacrilegio, podría tener un efecto contrario al que desean.

Xabier fijó la mirada en la cara de Justo.

—Exacto —dijo Xabier—. Conocen la importancia de este pueblo.

* * *

Cuando las campanas de Santa María llamaron a misa, Xabier contempló los bancos llenos de gente a la que conocía desde que era niño. No había un sitio vacío, y sin embargo apenas se oían saludos susurrados y las excusas de los que tenían que molestar a otros feligreses para sentarse. Cuando Xabier subió al altar, un murmullo de reconocimiento recorrió la iglesia. ¿Qué le habría traído desde Bilbao? ¿Sabías que el padre Xabier iba a decir misa hoy? Está delgado, ¿no crees?

Todos se levantaron.

—Lectura del salmo número 30 —dijo abriendo su Biblia por la cinta color púrpura que señalaba la página—. Yo te ensalzo, Yahvé, porque me has levantado, no dejaste reírse de mí a mis enemigos. —Con solemnidad, más lentamente, repitió el pasaje, recalcando—: ... No dejaste reírse de mí a mis enemigos. —Hizo un gesto para que todos se sentaran—. Casi todos vosotros me conocéis a mí y a mi familia —continuó—. Y espero que no penséis que he venido a asustaros para que tengáis más devoción. El presidente Aguirre en persona me ha pedido que venga a hablar con vosotros. Me ha pedido que os diga que, a medida que la guerra se acerca, os amenaza un gran peligro. Está tan cerca que algunos de nosotros ni deberíamos estar aquí hoy, en misa. Algunos deberíamos estar en las montañas y en los campos luchando contra el enemigo que nos amenaza. Deberíamos estar preparándonos para proteger a nuestras familias, a nuestros seres queridos, nuestra propiedad, nuestra patria. —Los feligreses no apartaban los ojos de él—. Hombres, mujeres y niños están siendo masacrados por los rebeldes nacionales en toda España —prosiguió Xabier—. Os hemos fallado al no deciros lo peligroso que es. Los rebeldes matan en nombre de Dios. Y la Iglesia, con su silencio, parece que apruebe estos crímenes. No puedo callarme.

Xabier escrutó los primeros bancos, intentando calibrar el efecto de sus palabras. Deseaba asustarlos para que estuvieran alerta, pero no aterrorizarlos hasta el punto de que no asimilaran su mensaje.

—Lo sé, aquí debería haber un sacerdote que os dijera que está mal quitarle la vida a alguien, que es un pecado mortal. Pero no es pecado mortal dar la vida para proteger todo lo que es importante, ni por una causa justa. Proteger a tu familia con la vida no es pecado.

Una mujer del primer banco soltó un grito ahogado. El sacerdote que había crecido diciendo misa en esa iglesia, que como sacerdote había dado consejos a muchos del pueblo, había cometido una atroz apostasía.

—Es difícil comprender la brutalidad de esta guerra —prosiguió—. Quiero recordaros los padecimientos de santa Inés, que fue violada y asesinada. No debéis permitir que eso les ocurra a vuestras mujeres ni a vuestros hijos. Defended todo lo que es preciado para vosotros, aun cuando signifique dar la vida o quitarla. —Ahora algunos sollozaban abiertamente—. Os lo digo porque tenéis que saber la verdad —continuó—. Y no se ha contado la verdad. No estoy hablando de antiguas atrocidades bíblicas. El presidente Aguirre me enseñó un informe de lo que le pasó hace poco al párroco de Eunari. Las tropas moras de los rebeldes llegaron mientras decía la misa. —Xabier tragó saliva y sus propias emociones—. Le cortaron la nariz... y se la ensartaron en la lengua; le rebanaron las orejas y lo dejaron morir colgado del campanario de la iglesia. Esas tropas, esos asesinos y profanadores, luchan en las tropas de Franco unos cuantos valles más al sur. Vuestras vidas, vuestras familias, vuestro país, puede que dependan de que huyáis de vuestro pueblo o luchéis para defenderlo.

* * *

La planificación de los ataques implicaba decisiones rutinarias en relación con el personal, el material, la carga de las bombas, los objetivos y el horario. Pero Wolfram von Richthofen, de estirpe guerrera y casta noble, era algo más que alguien que lleva el inventario del material, algo más que un capataz que mira el reloj para asegurarse de que las operaciones tienen lugar a la hora prevista. Von Richthofen los consideraba un vehículo para el virtuosismo y la creatividad. En los ataques había que planear, sí, pero también orquestar. Cualquiera podía señalar con el dedo la encrucijada de un mapa. Pero conseguir un contrapunto al timbal de fuertes explosiones con el pizzicato de las metralletas de los cazas sólo estaba al alcance de un maestro.

Las fotos de reconocimiento revelaron tropas republicanas en retirada cerca del pequeño pueblo de Markina, sin armas antiaéreas que ofrecieran resistencia. Von Richthofen ordenó que los escuadrones de bombarderos atacaran en oleadas de veinte minutos, entre las que se intercalarían ataques de cazas. Después de que las primeras bombas obligaran a las tropas a huir por carreteras abiertas, los cazas al acecho los ametrallaron y los que pretendieron refugiarse para protegerse de los cazas fueron blanco de la siguiente oleada de bombarderos.

El número de bajas entre los leales a la República, casi todos ellos soldados vascos, fue imposible de calcular, pues estaban muy desperdigados por los lados de las carreteras y en las colinas. Algunos sufrieron el impacto de bombas de doscientos kilos, otros se convirtieron en antorchas a causa de las bombas incendiarias de fósforo que producían una llama color rosa cuando quemaban la carne. Muchos más fueron ametrallados por los cazas.

Von Richthofen superponía mentalmente los informes de sus pilotos al mapa de Vizcaya que tenía delante. El mapa adquiría un relieve tridimensional mientras visualizaba diminutas columnas de hombres en retirada, siguiendo los caminos más fáciles, fluyendo como un río en predecibles afluentes, reuniéndose en un punto de poca altura o canalizándose en un desagüe topográfico. La intersección de esos caminos, que hizo que Gernika se convirtiera en pueblo siglos antes, la convertía en una cuenca de agrupamiento para las tropas. Si los soldados huían desde el sur o el este hacia la protección de lo que quedaba del «Cinturón de Hierro» de Bilbao, se encontrarían detrás de un estrecho paso, el puente de Rentería de Gernika, sobre el estrecho río Oka.

—¿Saben algo de Gernika? —les preguntó a sus compatriotas.

Todos negaron con la cabeza.

Alrededor del punto azul del mapa que simbolizaba la histórica aldea de Gernika, el teniente coronel Wolfram von Richthofen trazó un círculo amarillo. El próximo objetivo de la Legión Cóndor.

* * *

El baile fue idea de Miren. Quería montar una velada como si no hubiera guerra, ni Franco, ni peligro a varias montañas de distancia. Se colgaron luces de los árboles en la plaza de las Escuelas. La música recordaba otras ocasiones; el *txistu* y la pandereta llevaban el ritmo, a los que se añadían un violín y un acordeón. A veces Mendiola hacía sonar su sierra, que cuando la tañía con su arco de violín emitía un gemido casi sobrenatural. Miren era incapaz de oír música y quedarse sentada, de modo que bailó varios valses mientras sus amigos le vigilaban a Catalina, que estaba en el cochecito.

Eso era parte del acuerdo. Tras escuchar el sermón del padre Xabier, Miguel insistió en que Miren y Catalina se fueran a Bilbao, que recibía esporádicas visitas de los bombarderos, pero que estaba fortificada y preparada para ser el último bastión seguro a largo plazo. Xabier lo preparó todo. Miren protestó; su lugar estaba con su marido; opinaba que no había que fragmentar a la familia. Miguel la convenció de que era lo mejor para las dos, sobre todo para Catalina. Él se quedaría a vigilar su hogar y se reuniría con ellas en Bilbao si llegaban los rebeldes.

Aquella noche, tras abandonar su casa, la joven pareja se sentía incómoda. Habían visto cómo los refugiados y los inquietos soldados se retiraban hacia el pueblo, y bailar en su presencia parecía insensible. Coincidieron en que su estancia sería breve. Pero la música arrastró esos pensamientos y el baile hizo que ambos se adentraran en una agradecida fuga que atenuaba todo lo demás.

A Miguel, que ahora era un bailarín aceptable, le encantaba bailar con Miren, se sentía parte de algo especial. Le divertía recordar lo estupefacta que se había quedado al verlo bailar el día de su boda. Nunca fue un bailarín muy seguro de sí mismo, pero al menos se mantenía vertical. Sentía el ritmo de la música y conseguía que sus movimientos respondieran a él. Era incapaz de mirar los pies de su mujer ni el movimiento de sus caderas porque eso perturbaría su impreciso sentido del ritmo. Se concentraba en su cara, en sus ojos.

—Sólo una más —pidió Miguel al tiempo que sacaba a Catalina del cochecito. Colocaron a la niña entre ellos y bailaron un lento—. Papá va a echar de menos a su pequeña —dijo mientras besaba a Catalina en la mejilla y abrazaba suavemente a Miren—. Y a su chica grande.

Era un vals lento, en el que Mendiola emitía unos lastimeros gemidos. Miren lloró al oírlos. Es la segunda vez en las últimas semanas, se dijo Miguel, y la atrajo más hacia sí. Miren desvió la mirada hacia las luces y le parecieron estrellas deformes, alineadas en constelaciones en forma de árbol. Mientras daban vueltas, todo lo demás giraba en torno a ese núcleo; la confusión, el desorden, el hambre, la guerra, el dolor estaban en todas partes. Todo lo que estaba fuera quedaba difuminado por las lágrimas.

—No será por mucho tiempo, *kuttuna* —dijo Miguel, y le besó la mejilla húmeda—. Esto acabará pronto y volveremos a estar juntos.

Miguel intentó volver a poner a Catalina en el cochecito, pero estaba demasiado dormida y se agarraba a la camisa de su padre. Miguel volvió a besarla y ella lo soltó. Miguel y Miren regresaron a casa abrazados, entre la inquietante visión de un pueblo lleno de forasteros desesperados.

Miren iría al mercado la tarde siguiente para comprar provisiones para Miguel. A lo mejor tenía que estar solo una buena temporada. Miren no quería que además de sentirse solo pasara hambre. Cuando estaba en el mercado, Miren sabía sacarle el máximo provecho al dinero, y Miguel consintió a regañadientes. El martes por la mañana madre e hija subirían al tren que debía llevarlas a la seguridad que pudiera ofrecerles Bilbao.

* * *

Wolfram von Richthofen se acomodó en la cabina de su descapotable y lo pilotó rumbo al sur, hacia Burgos, y en esa hora de viaje puso en orden sus pensamientos. Consultaría con los líderes militares nacionales acerca de cuál era el siguiente paso para conquistar Bilbao.

Delante de la reunión de capitostes de Burgos, Von Richthofen esbozó el plan de bombardear el lunes un pueblo que sabía que carecía de defensas antiaéreas y tampoco tenía más importancia militar que contener un pequeño puente tras el cual, creía, las fuerzas enemigas podían haberse agrupado. Ahora los planes dependían de los informes meteorológicos de los aviones de reconocimiento que sobrevolarían Vizcaya por la mañana.

Von Richthofen escribió en su diario: «El miedo, que no puede simularse en el adiestramiento de tropas en época de paz, es muy importante porque afecta a la moral. Para ganar una batalla, la moral es más importante que las armas. Los ataques aéreos continuos, repetidos y concentrados tienen un poderoso efecto sobre la moral del enemigo».

En el piso de abajo, en la sala de oficiales, dos pilotos celebraban la incursión aérea sobre Markina y se relajaban a base de copas de coñac.

—¿Has oído adónde vamos mañana?

—A un lugar llamado Gernika.

—Nunca he oído hablar de él.

—Otro estercolero español.

PARTE 4

(26 de abril de 1937)

Miren durmió plácidamente, pero Miguel apenas echó alguna cabezada: pasó casi toda la noche haciendo planes mientras estudiaba el perfil de su mujer en la oscuridad. Temía que existieran ángulos y formas que aún no hubiera memorizado. Mentalmente, dibujó los diversos escenarios de los días que se avecinaban y proyectó las reacciones posibles ante cada uno, con el único objetivo de proteger a Miren y Catalina. Haría frente a cualquiera que se acercara a su hogar o amenazara a su familia.

Pero perdía concentración. (Su pelo tiene más ondas desde que se lo había cortado, como si antes el peso lo estirara y alisara y ahora se le permitiera encogerse y contraerse. Antes, su trenza descansaba sobre el almohadón como un grueso cable oscuro. Ahora era más crespo y le enmarcaba la cara cuando dormía).

Si las tropas aparecían por su casa, lucharía. Nacionales, alemanes, italianos, moros. Cualquiera, le daba igual.

(Respira con tanta calma que apenas hace ruido, y está totalmente inmóvil, menos los pies, que a veces sufren como un espasmo, como un cachorro dormido que sueña que corre).

Si las fuerzas se acercaban antes de que se fueran a Bilbao, llevaría a las chicas a las montañas, tras haber explorado grutas y bosques tupidos, para protegerlas. Pero decían que las tropas estaban a cincuenta kilómetros, y aunque avanzaran de manera continuada, no llegarían a las afueras de Gernika hasta el fin de semana.

(Ella siempre dormía sobre el lado izquierdo, de cara a la cuna de Cata, con las dos manos bajo la mejilla izquierda, las rodillas dobladas como en ángulo recto).

Una vez cubiertas las opciones, se concentró en almacenar las imágenes de Miren. Sólo estaría allí otra noche. Se le formó un nudo en la garganta.

Catalina tenía más de un año y sólo se despertaba una vez por la noche pidiendo comida. Lo hizo antes del alba, y Miguel la sacó de la cuna y se la dio a Miren.

—*Kuttuna*, tiene hambre —susurró con la esperanza de despertar a su mujer—. Miren...

Sin llegar a despertarse del todo, Miren se quitó el almohadón que tenía detrás de la cabeza, se incorporó y creó un canasto con los brazos donde colocar a Catalina, quien inmediatamente se puso a la labor. Catalina era encantadora. A veces, cuando se paraba para tomar aliento, levantaba la mirada hacia su madre y le sonreía agradecida. Miren dormitaba, percibiendo el alivio de liberarse de la leche, la proximidad de su hija y la relajante sensación de Miguel frotándole la nuca en la noche. Miren regresó a su plácido sueño en cuanto Catalina estuvo llena y Miguel se la retiró. Pero, como ocurría a menudo cuando Miguel la cogía, Catalina comenzó a patalear y a retorcerse, con ganas de jugar.

Miguel la colocó en la cuna mientras se iba a atizar el fuego de la habitación principal, donde podrían jugar sin molestar a Miren.

—No debería hacer esto, ¿sabes? —le dijo Miguel a la niña mirándola a la carita mientras la sentaba sobre su pierna—. Ahora, cada vez que te despiertes a comer por la noche, pensarás que es hora de jugar.

—Ba-pa-ba-pa —contestó ella.

—Pero te irás por una temporada y cuando vuelvas ya ni te acordarás. —Ella no dio más respuesta que coger el labio superior de su padre y acercárselo a la nariz—. Eh, tú, ugh. —Tras quitarse aquellas pinzas de la boca, Miguel le cogió las dos manos y la hizo trotar sobre su pierna. Fue recompensado con un eructo que habría llenado de orgullo a su abuelo Justo.

* * *

Coincidieron en que Miguel no trabajaría por la mañana; por la tarde, cuando Miren y Catalina se fueran al mercado, subiría a las colinas. Al caer la noche abandonaría la tala y se encontrarían en Errotabarri para cenar con Justo y Mariángeles antes del viaje del martes a Bilbao. Madre e hija se instalarían en el alojamiento temporal que el padre Xabier les había encontrado y esperarían a ver qué les deparaba el futuro.

Todavía despierto al alba, Miguel dejó dormir a su mujer y a su hija y se fue a la panadería de la calle Santa María con la esperanza de encontrar algo que no fuera ese pan negro y granuloso para el desayuno. Los forasteros llenaban la calles, forasteros hambrientos y asustados, sucios y sin casa.

En la panadería, donde no vio nada que mereciera la pena, le dijeron que la noche antes habían entrado a robar en una casa, la primera vez que tenían ese problema. Algunos que aquella mañana estaban sentados delante de la fachada de la panadería, encontrando consuelo en la incertidumbre de los demás, hablaron de centenares de heridos de guerra que habían sido trasladados al convento de carmelitas para pernoctar. Hombres del batallón Loyola habían sido quemados y desfigurados por bombas de fósforo, otros habían perdido un brazo o una pierna o se habían desangrado antes de que el médico pudiera atenderles.

Miguel se dijo que probablemente se trataba de historias contadas por los más alarmistas, una exageración, como tantas otras cosas que se contaban. Fuentes más fiables afirmaban que el mercado de por la tarde se cancelaría, así como los partidos de pelota. En el último momento el ayuntamiento decidió que a la gente se le haría muy difícil pasar la semana sin que hubiera mercado y que sería imposible informar a los campesinos de la periferia, que ya debían de estar conduciendo su ganado al pueblo. Y cancelar los partidos de pelota podía causar más alarma de la necesaria.

Las noticias de que todo seguiría como siempre tranquilizaron a Miguel, que regresó a su casa sin el pan que quería comprar.

* * *

Wolfram von Richthofen se levantó antes del alba, hizo sus ejercicios de calistenia, se pasó una esponja con agua fría y se afeitó al ras. Se peinó el pelo hacia atrás y se puso la gorra de la guarnición, tan calada que el águila alemana extendía las alas sobre su frente a poca distancia de sus ojos. Escrutando el cielo en el breve trayecto hacia el aeródromo, Von Richthofen vio que la claridad daba paso a una fina película gris sobre las montañas del norte.

La sola posibilidad de abortar una misión por el mal tiempo originaba problemas. Los aviones que se quedaban en tierra no hacían nada para que la guerra avanzara. A las

9.30 los aparatos de reconocimiento aterrizaron en el aeropuerto de Vitoria y los técnicos entraron apresuradamente para revelar, fijar y positivar las fotos para el impaciente Von Richthofen. Los informes eran concretos y alentadores: nubes ligeras entrarían en la región hasta mediodía, pero se esperaba que se disiparan por la tarde, dejando unas condiciones ideales.

* * *

El padre Xabier asistió sin prestar mucha atención a una serie de asuntos irrelevantes en el presbiterio de Santa María, y cuando se vio quitando el polvo a los pies de un Cristo de un crucifijo colgado en la pared, por fin admitió que todo lo que estaba demorando su regreso a Bilbao no obedecía más que a sus pocos deseos de volver. No tenía manera de saber si su enardecedor sermón había llegado a oídos de sus superiores en Bilbao. No había pedido la aprobación de éstos antes de aceptar la misión que le había encargado el presidente Aguirre, la cual, en sí misma, podía considerarse como una ruptura del protocolo. Temía que ya se hubiera puesto en marcha la rueda para apartarlo del sacerdocio.

Poder oír desde su cama en el presbiterio la música de baile del domingo por la noche en la plaza de las Escuelas le convenció de que su mensaje había hallado oídos sordos. Si los feligreses hubieran comprendido cabalmente la amenaza, no habrían organizado un baile, sino que habrían huido del valle a un lugar seguro; no habría habido más música que el constante murmullo de las ruedas de las carretas en la carretera de Bilbao.

De haber sabido durante la misa del domingo que las fuerzas republicanas estaban siendo bombardeadas y ametralladas desde el aire en Markina, habría destacado ese hecho durante el sermón. De haber sabido que el hospital provisional del convento de las carmelitas estaría a rebosar por la noche de agonizantes y desfigurados, habría instado a la grey a que fueran a verlo por sí mismos. Hablar de sangre es algo teórico; verla, pisarla, olerla mientras formaba charcos oscuros sería infinitamente más ilustrativo.

Pero lo que habían hecho era bailar. De haber sido los peligros menos inminentes, eso le habría divertido. Si va a celebrarse un baile, es una estupidez pensar que algo puede impedirles bailar. Si va a haber pelea, pelearán... y *luego* bailarán. Nadie podía discutir que las circunstancias no merecían batirse hasta la muerte, pero para ellos no eran lo bastante graves como para renunciar a un baile.

Dominus vobiscum.

Xabier bajó la calle Santa María, pasó junto al horroroso refugio de la calle, hacia la estación. En la plaza de la estación se encontró con centenares de personas haciendo cola para los trenes de pasajeros que circulaban siguiendo un horario impredecible. Aunque tenía muy pocas ganas de regresar, birrete en mano, para enfrentarse a sus superiores, comprendió que no podía posponerlo otro día. Regresó a Santa María, donde un joven sacerdote le consiguió un coche y un chófer para recorrer aquella tarde los treinta y dos kilómetros hasta Bilbao. Cuanto antes, mejor, se dijo Xabier.

* * *

Justo estaba acostumbrado a hacer una pausa al mediodía, aun cuando ahora hubiera poco que comer. En junio se cumpliría el vigésimo tercer aniversario de su boda y aguardaba con impaciencia las charlas que mantenía con Mariángeles durante el almuerzo, aunque sólo llevaran una mañana separados.

Había estado removiendo la tierra con un azadón, y quitando las malas hierbas de las primeras siembras, y cuando entró en la casa se encontró a Mariángeles remendándole un par de pantalones ya tan remendados que sólo era el hilo que ella ponía lo que sostenía el mosaico de fina tela. El desinterés de Justo por su aspecto siempre le hacía gracia. Si ella no le decía que los fondillos de los pantalones estaban abiertos y le exigía que se los diera para zurcirlos, Justo era capaz de pasarse meses llevándolos.

Las ovejas nunca se han quejado, siempre respondía Justo, aun cuando ya no tenían ovejas. Mariángeles también se había ofrecido para coser unos pantalones que Miguel había rasgado mientras talaba árboles, pues Miren estaba muy ocupada con Catalina.

—Voy a echar de menos a la pequeña —dijo Justo, ya nostálgico—. Dale un besote de parte de su *aitxitxa* cuando la veas en el mercado.

—Podrás dárselo tú mismo. Esta noche vienen a cenar para que comamos juntos antes de irse a Bilbao.

—¿Tenemos migas de pan y trocitos de ese queso rancio que les hemos robado a los ratones para poder compartir con ellos? —preguntó sarcástico—. ¿O hemos tenido suerte y podemos comernos a los propios ratones?

—¡Justo! Comeremos sopa, verduras y pan, y nos haremos compañía —dijo Mariángeles, mordiendo el extremo del hilo antes de preguntar—: ¿Crees que deberíamos invitar a Miguel a quedarse aquí cuando esté solo?

—Aquí no estaría tan solo —dijo Justo—. Pero si no tuviera que trabajar en el taller o en el bosque, se iría con ellas a Bilbao. Además, si se quedara con nosotros se vería en la obligación de ayudarnos en lugar de ocuparse de su trabajo.

—A lo mejor podemos convencerle de que aquí estará más seguro que en el pueblo —añadió Mariángeles.

—Si le decimos que aquí estará más seguro, eso sólo le llevará a pensar que su casa y sus pertenencias corren auténtico peligro, y eso, sin la menor duda, le hará quedarse en su casa —replicó Justo, sentado a la mesa, examinando el maíz seco que Mariángeles había transformado en sopa—. Con tanto forastero por aquí, seguro que preferirá quedarse allí y proteger sus cosas.

La imagen de los rebeldes y los mercenarios moros paseándose por Gernika les helaba la sangre. ¿Era posible que se adentraran en las colinas y los caseríos y se llevaran lo que quisieran? ¿Tendrían que combatir a los intrusos con *laias,* azadas y guadañas?

—Mari... —dijo Justo.

—Sí...

—¿No has pensado en irte con Miren y Catalina? Podría ser bueno que os fuerais las tres. Sé que aquí estarás a salvo y que nos podríamos proteger mutuamente, pero podrías ayudar a Miren con Catalina.

—¿Intentas librarte de mí? No hemos pasado ni una noche separados. Mi sitio está aquí... contigo. Miren estará bien con Cata. Ella también se quedaría con Miguel si no fuera por la pequeña.

—Es joven, y Bilbao es un lugar muy grande y no siempre seguro, incluso en época de paz —insistió Justo—. Me preocupa que esté sola con Catalina.

—Justo, no es sólo por Miren, y lo sabes. Te preocupa que me quede aquí. Creo que los dos necesitamos quedarnos en Errotabarri... juntos.

—Esto me preocupa, Mari.

Justo se acabó la mitad de la sopa y le ofreció el resto a su mujer, con el pretexto de que estaba lleno a reventar. Mariángeles rechazó el plato de sopa de su marido y, sin levantarse, lo abrazó y besó aquellas mejillas que siempre pinchaban.

La intolerancia de Von Richthofen con los errores le hizo comprobar dos veces las fotos de reconocimiento y la información de los servicios de inteligencia antes de entrar en el centro de operaciones.

Que un solo bombardero sobrevolara la zona sería suficiente para atraer el fuego de las defensas antiaéreas, lo que permitiría detectarlas y eliminarlas. El avión de vanguardia volvería describiendo un círculo y conduciría a los bombarderos hacia el sur a través del valle. Los pilotos de los cazas tenían órdenes de atacar todo lo que se moviera por esas carreteras y se considerara hostil.

Los informes de la inteligencia aseguraron a Von Richthofen que el monte Oiz estaba bajo el control de las fuerzas del general Mola y que sería un palco perfecto desde el que observar el bombardeo. La montaña se alzaba a mil metros de altura y se consideraba el mirador de Vizcaya. Los habitantes de la zona afirmaban que en las montañas moraba una poderosa divinidad, Mari, que controlaba las fuerzas del trueno y el viento. A veces asumía la forma de una nube blanca o un arco iris, o se decía que montaba sobre bolas de fuego entre las cumbres de las montañas, o que cruzaba el cielo sobre un carro tirado por carneros que resoplaban.

Acompañado de un ayudante, Von Richthofen aceleró su Mercedes por la empinada y sinuosa carretera de la ladera occidental de la montaña a velocidad de ataque. Llevaba su pesado gabán, el cuello subido atrás y guantes de lana.

Después de aparcar, Von Richthofen encendió un cigarrillo y admiró la templada tarde.

—El tiempo no podría ser mejor —dijo, y aspiró profundamente su cigarrillo. Arrojó la colilla entre un brezal, soltó una columna blanca de humo y escrutó las espectaculares colinas hacia el norte.

* * *

Miguel jugó con Catalina toda la mañana, tirando del carnero de cartón y paseándola por toda la casa, tomando las curvas lentamente para que la niña no saliera disparada. Miren hizo el equipaje, luchando contra la indecisión, colocando una cosa en la bolsa y luego quitándola mientras meditaba si era útil. ¿Qué se lleva uno cuando se convierte en refugiado? Cada decisión era como poner a prueba su fe en el retorno. Debo acordarme de limpiarlo y recogerlo todo, se decía antes de comprender lo absurdo que era adecentar su casa para una posible invasión.

Mientras Miren le daba de comer a Catalina, Miguel talló una rama ahorquillada de roble que había cortado días antes. Con una tira de cuero que había quitado del viejo torno fabricó un tirachinas. Tras haber derribado aquel sabroso urogallo, quería cobrar otra pieza.

—Oh, ésta sí que es buena —dijo Miren en broma—. El gran cazador.

—Estoy preparado por si me atacan unos conejos o ardillas rebeldes —proclamó, poniendo a prueba la tensión del tirachinas y apuntando a un objetivo imaginario que le pasara por delante.

—¿Por qué no me puedo creer que seas capaz de darle a un conejo?

—Lo haré si se queda quieto un buen rato y es lo bastante paciente para que le dispare tantas veces como hagan falta para darle —dijo Miguel—. Las ardillas son demasiado rápidas, se esconden detrás de los árboles y se ríen de mí. Admito que tengo reparos en matar palomas. Me gustan demasiado.

—Así pues, ¿hoy no he de comprar carne en el mercado, pues vas a traer suficiente caza de las colinas?

—Como si hubiera carne, o pudiéramos permitírnosla... o tuviéramos el valor suficiente para comernos lo que venden —contestó Miguel.

—¿Qué quieres decir con eso?

—Mendiola me ha contado que un vendedor ambulante le tradujo qué significan las palabras que corren hoy por los mercados: a los perros pequeños se les llama «conejos», y a los perros grandes, «corderos». Y a las gaviotas...

—No... —Miren puso una mueca de desagrado mientras esperaba la horrorosa traducción.

—Pavos.

—Miguel, empiezas a hablar como mi padre —aseguró Miren.

—Ya verás, volveré de la montaña con algo que añadir al puchero de Errotabarri de esta noche. Y tu padre, con toda justificación, podrá contarnos sus magníficas experiencias como cazador de cuando era joven. —Miren acabó de dar de comer a la niña y preparó el cochecito—. No te preocupes por la comida —prosiguió Miguel—. No me faltará de nada, y seguro que tu madre se pondrá muy pesada intentando cuidarme. ¿No ha pensado en irse contigo?

—No se lo he preguntado porque no quiero que crea que la necesito —dijo Miren—. La verdad es que su ayuda y su compañía no me molestarían. Nunca he estado en Bilbao. Pero si viene se sentirá culpable por estar lejos de papá. Sé que ella cree que no podría dejarlo solo, que acabaría yendo descalzo vestido con harapos.

—Bueno, no te preocupes por mí. Tendré tanta carne fresca que todos los días les llevaré algo —dijo Miguel, tensando y soltando el cuero del tirachinas, con un ojo cerrado para facilitar la puntería.

Cuando Catalina estuvo instalada en el cochecito, Miren se acercó a Miguel para un beso rápido antes de marcharse.

—Ten cuidado allá arriba, *astotxo* —bromeó Miren, pellizcándole el culo—. No dejes que te muerda una ardilla.

—Miren —dijo él muy serio—. Ten cuidado, hay muchos forasteros en el pueblo.

Volvieron a besarse y Miguel se inclinó para oler el pelo negro y dulzón de la coronilla de su hija.

—¿Le has lavado el pelo con el jabón de Alaia?

—Claro, tiene que empezar pronto, todas las Navarro lo utilizan.

Miren abrió la puerta y sacó el cochecito.

* * *

El líder de la escuadrilla miró su reloj. Como le habían ordenado, las ruedas comenzaron a rodar a las 3.45 de la tarde, y al poco despegaba el nuevo bombardero Heinkel de la pista de aterrizaje. Puso rumbo al norte, a una altura predeterminada sobre el pueblo de Garay, donde le recibiría su escuadrón con los seis cazas Messerschmitt que cubrirían la primera oleada de bombarderos. Desde Garay volarían hacia el norte, hasta el golfo de Vizcaya y la aldea de pescadores de Elantxobe, un poco más arriba de Lekeitio. Una vez en la bahía se dirigirían al sur siguiendo el camino del estuario de Mundaka y luego el río Oka hasta Gernika. Von Richthofen había trazado una ruta indirecta para evitar que los detectaran demasiado pronto.

Mientras corregía el rumbo para compensar un viento lateral, el piloto contempló las verdes colinas y la sombra transfiguradora de su avión, contrayéndose hasta formar una nítida cruz mientras ascendía la empinada topografía y ensanchándose hasta formar una imprecisa nube oscura al alcanzar el fondo de los valles. Aquella campiña poseía una belleza natural, se dijo el piloto, una mezcla entre los Alpes y la Selva Negra.

José María Navarro, mientras halaba las finas redes que utilizaban para las anchoas delante de la costa de Elantxobe, el pueblo que daba su nombre a ese pequeño pez, estaba a punto de rematar una jornada de trabajo sin incidentes. Primero oyó los aviones, gruñendo furiosos sobre la costa, y luego observó cómo ladeaban las alas justo encima del *Egun On* antes de dirigirse tierra adentro.

* * *

Alaia Aldecoa estaba pensando en volver a casa. Mientras se acercaba a la linde del pueblo, se sentía cada vez más incómoda con el denso tráfico humano. Del gentío escapaba un sonido discordante que creaba una desasosegante vibración que le cerraba el estómago. Ni siquiera en los días normales de mercado de primavera, cuando los campesinos de las colinas y los pueblos cercanos se unían a los compradores del pueblo, se creaba un murmullo tan ominoso. La costumbre del pueblo, siempre que alguien veía a Alaia acercarse por la acera o por la calzada, era apartarse un poco y saludarla, lo que la alertaba de su presencia y la ayudaba a determinar su posición.

Ahora las calzadas y las aceras estaban demasiado pobladas para poder hacerlo, y un buen número de los que se cruzaban con ella ni la conocían ni sabían que era ciega. Muchos sólo miraban al suelo, y en el camino al mercado sufrió numerosos empujones. Olía a los soldados por los sucios uniformes de lana impregnados de sangre y sudor. A muchos les acompañaba el olor más inquietante del fósforo y el miedo. No se molestaban en dejarle paso, de hecho algunos se inmiscuían en su radio de seguridad, aprovechando la oportunidad de arrimarse a una hermosa muchacha después de meses en el campo de batalla. Uno golpeó la bolsa que llevaba al hombro y mientras Alaia intentaba impedir que cayera, dio con el bastón en el soldado. Hasta que el bastón no se alzó en dirección a él, éste no se dio cuenta de que era ciega. Los compañeros de la víctima se metieron con él por ser tan torpe que no había podido evitar ser golpeado por una ciega. ¿Cómo esperaba evitar las balas fascistas, si no podía esquivar el bastón de una muchacha ciega?

—Hoy hay mucha gente. No estoy acostumbrada a esta multitud —les explicó Alaia a Miren y Mariángeles cuando llegó a su puesto en el mercado.

—¿Cómo podemos ayudarte, querida? —preguntó Mariángeles.

—Estoy bien, gracias. La verdad es que no tengo mucho que vender, y no creo que hoy a la gente le interese comprar jabón —contestó Alaia, y sacó dos pastillas envueltas aparte para ellas—. Éstas son para vosotras.

—Gracias —dijo Mariángeles—. El otro día Justo me preguntaba por el jabón. Lo echaba de menos.

—No creo que papá se fije en esas cosas.

—Nota si falta el jabón de Alaia.

Alaia oyó farfullar a Catalina en el cochecito, palpó el borde del interior y con cuidado avanzó la mano hacia la pequeña. Catalina le agarró el pulgar y el índice y comenzó a estirarlos como si ordeñara una vaca. A continuación se incorporó y se puso en pie al borde del cochecito. Éste pronto le quedaría pequeño. Miren ya le había dicho a Miguel que se pusiera a trabajar en uno de paseo, pero, por favor, ¿lo harás más pequeño que una carreta de bueyes?

—Oh, se está poniendo fuerte —dijo Alaia.

—Ella y yo nos vamos a Bilbao por la mañana —anunció Miren—. Nos dirigíamos a la estación a comprar los billetes.

—Miren, cuando pasé por delante la cola era muy larga —intervino Mariángeles—. No quiero que Catalina y tú estéis horas allí. Acaba la compra y yo conseguiré los billetes.

—Gracias —dijo Miren—. Si de verdad no te importa.

—Claro que no me importa. —Mariángeles besó a su hija en las dos mejillas y acarició la cabeza de Catalina.

* * *

En el extremo del mercado, Miren levantó a Catalina para que ésta pudiera tocar las orejas largas y blandas de los burros aparcados. Lo hizo por Cata, pero también por ella, porque le encantaba estar cerca de ellos. Los campesinos utilizaban los burros para transportar cajas de pollos al mercado. Miren acariciaba el hocico peludo de los burros mientras Catalina les movía las orejas adelante y atrás. Miren le enseñó los pollos que estaban dentro de las cajas, recordando cuántos había matado y desplumado en Errotabarri antes de que se volvieran algo tan preciado. Las aves enjauladas estaban inquietas y su roce contra el alambre hacía que una ráfaga de plumas acabara formando un charco blanco en el suelo de la jaula.

Más allá de los carros de burros estaban los corrales donde los ganaderos dejaban los poderosos y simpáticos bueyes, y los temibles y grandes toros. Miren no llevó a su hija muy cerca de los toros, pero, como siempre, se paró en el siguiente aprisco, en el que las ovejas y las inquisitivas cabras mascaban sin cesar con sus ojos amarillentos.

Desde el borde del mercado, Miren podía ver la extensión de la multitud que se movía a empujones, gente ansiosa por llegar a alguna parte mezclada con otra que no tenía destino aparente. Y, aunque la mitad de los puestos habían cerrado temprano, Miren nunca había visto a tanta gente allí reunida. Los hombres que vendían los barquillos que siempre compraba para Cata ya se habían ido. En el frontón, un cartel escrito a mano anunciaba que los partidos de pelota se habían suspendido y que no habría baile. No habría baile. La gente se iba del pueblo.

* * *

Mariángeles no había exagerado la longitud de la cola que había delante de la estación; podía pasarse allí horas. Aunque llamar cola a esa confusión humana era otorgarle más orden del que tenía. Nunca había visto una congregación tal de almas afligidas. Algunos habían encendido una hoguera con maderas que habían encontrado y cocinaban mezclas irreconocibles de sobras. El movimiento continuo de grupos informes parecía crear una fricción, y con ella una carga eléctrica que se percibía a punto de estallar. Se alegró de que Miren y Catalina no hubieran ido. Por abarrotado y caótico que estuviera el mercado, eso era peor, aquello era más turba que gente.

A la desaliñada mujer que había delante de Mariángeles, quizá un año mayor que ella, se le cayó del saco algo envuelto en un papel. Mientras la mujer luchaba por que no se le cayera nada más, Mariángeles se lo entregó.

—Gracias —dijo la mujer, tras decidir que Mariángeles no pretendía robarle. Sus ojos enrojecidos lanzaron esa mirada de cauta suspicacia que muchos compartían en la plaza—. Es nuestra Biblia familiar.

—Supongo que no querría perderla —comentó Mariángeles solemnemente.

—Lleva escritos todos los nombres de nuestra familia.

—¿De dónde sois? —preguntó Mariángeles con toda la simpatía que pudo, para demostrarle que no era una amenaza.

—De Durango.

Mariángeles sabía lo que significaba: bombardeo rebelde. No tuvo ánimo para preguntarle nada más. La una junto a la otra, las dos avanzaron unos pasos para no perder el contacto con la masa que tenían delante.

—En el pueblo teníamos una tienda de ropa —le dijo la mujer motu proprio—, pero quedó destruida durante el primer ataque. Mis dos hijas mayores se habían ido a San Sebastián, gracias a Dios que estaban fuera.

Mariángeles asintió.

—¿Perdiste la tienda?

—Sí... y a mi marido.

Lo dijo con una voz neutra, como el final de una lista de posesiones perdidas. La acumulación de pérdidas de aquellas semanas la había dejado vacía. Cuando dijo «mi marido» igual podría haber dicho «mi cómoda». Todo era ya secundario comparado con la mera supervivencia.

En aquel momento ésa era también la guerra de Mariángeles. Esa mujer demacrada y despojada podría haber sido ella. Ella misma podría estar ahora sin casa, con su vida reducida a todo lo que pudiera transportar y a todo lo que no pudiera olvidar. Podría estar intentando encontrar una manera de vivir sin su marido. Qué cruel podía llegar a ser la vida cuando un matrimonio, después de décadas de momentos compartidos, podía destilarse en ese seco comentario: «Sí... y a mi marido». Mariángeles sufrió un estremecimiento. Sollozaba cada vez que aspiraba aire. La mujer le puso la mano en la manga y Mariángeles la apretó desesperadamente.

—Lo siento, lo siento —dijo ésta, consciente de la ironía de que fuera la otra quien la consolara. Nunca se había derrumbado así. Siempre se había considerado una persona fuerte.

Cuando Mariángeles consiguió recuperar la compostura, la mujer le contestó a todas las preguntas que aquélla no le había hecho por lo afectada que estaba. Su marido había muerto en el primer ataque a Durango. Su casa estaba situada en la segunda planta, encima de la tienda, y todo el edificio se había derrumbado después de que una bomba estallara en la calle. Ella escapó porque se encontraba en la trastienda recogiendo material. La explosión la tiró al suelo, pero consiguió levantarse y hacerse cargo de la situación. La tienda se hallaba hecha añicos a su alrededor y su marido estaba enterrado debajo de todas sus pertenencias. Se quedó sentada junto a su cadáver todo el día, pues nadie se paró a ayudarla a quitar los pesados cascotes. Cuando oyó que los rebeldes se acercaban al pueblo, comprendió que nada la retenía en Durango y se unió a un grupo de gente que se encaminaba al norte como si siguieran el cencerro de una vaca.

Pasó muchos días aturdida, llorando, avanzando sólo arrastrada por la marea humana. Cuando empezó a tener hambre, lloró menos y dejó de pensar en lo que había perdido. Llevaba el mismo delantal que el día del bombardeo, con la misma lista de productos que necesitaba reponer en el bolsillo. Dijo que ya había pasado un mes de eso.

Un domingo le vendió el anillo de boda a un joven soldado que tenía proyectado casarse con su novia. Aunque no le pagó mucho, consiguió lo suficiente para comprar el billete a Bilbao.

—¿No has pensado en ir a San Sebastián a estar con tus hijas? —preguntó Mariángeles—. ¿Es porque los rebeldes ya han llegado?

—Tienen sus propios problemas —dijo—. Además, no fueron los rebeldes quienes nos bombardearon, sino los alemanes. No eran aviones españoles. Las tropas rebeldes llegaron luego.

La cola apenas se movía. Mariángeles sintió cómo le afloraba de nuevo la emoción. Le hablaría a Justo de esa mujer, le diría que había reconsiderado su plan de quedarse. Quizá lo mejor sería que todos abandonaran Gernika, que se fueran a Bilbao, a Lekeitio; quizá incluso conseguirían que Josepe los pasara a Francia. Sabía que Justo nunca abandonaría Errotabarri, pero Errotabarri estaría allí donde fueran.

L as monjas que daban vueltas por el tejado del convento los vieron primero, gracias a un reflejo de luz, como si fueran las alas de unas grullas lejanas. Hicieron repicar las campanas, como si ese melódico sonido pudiera despertar la atención de un pueblo atestado de refugiados. A continuación, las campanas de Santa María amplificaron la alerta, pero crearon más confusión. Ya habían dado las cuatro, y eso no era una llamada a misa. ¿Qué era?

Mientras las monjas observaban con sus binoculares, el bombardero de vanguardia aminoró la velocidad para permitir la inspección visual del artillero. Para cuando casi todos comprendieron el significado del repique, éste quedó apagado por el rugido de los motores sobre sus cabezas. Unos cuantos corrieron a los refugios, otros hacia Santa María porque era la casa de Dios. Otros se quedaron helados.

Pero el avión no dejó caer ninguna bomba. Cobró altura y dio media vuelta. Los que estaban en el mercado lanzaron vítores. El diablo sólo estaba de visita.

Mariángeles Ansotegui reaccionó a las campanas, a la visión del aeroplano y al caos generalizado permaneciendo fiel a su tarea: hacer cola. A su alrededor, los refugiados buscaban protección y proferían palabrotas desconocidas para Mariángeles. La mujer que estaba delante de ella desapareció, y sólo quedó el saco que acarreaba. Mariángeles se inclinó para cogerlo; su Biblia familiar seguía allí. La guardó para que estuviera a buen recaudo. Mariángeles comenzaba a pensar que la aparición del avión había sido beneficiosa. Muchos habían abandonado la cola y ella había avanzado un buen trecho. Las campanas seguían repicando. Deben de decir que estamos a salvo.

* * *

Miren y Catalina abandonaron los corrales y comenzaron a inspeccionar las escasas verduras, en bastante mal estado, que había a la venta. Lo único que había visto que mereciera la pena eran patatas, pero Miguel podría hacerlas durar, sobre todo si conseguía matar un conejo o una ardilla, como había pronosticado. Sonrió al imaginarlo acechando la caza. Más probable sería que acabara compartiendo su comida con los conejos y las ardillas.

Las campanas de Santa María comenzaron a sonar con inesperada insistencia. Miren llevó la mirada hacia la iglesia. Oyó el rugido de un motor al norte del pueblo y entonces lo vio aparecer en su campo de visión.

—Cata, mira —dijo señalando el cielo.

Catalina miró a donde apuntaba el brazo levantado de Miren. Pero la voz de su madre sonaba alterada, lo que significaba que quería que viera algo interesante, y se puso a dar patadas y a reír en el cochecito. Se incorporó en el borde para asomarse.

* * *

Mientras el conductor doblaba la curva que salía del valle en dirección a Bilbao, el padre Xabier vio una sombra negra como de pájaro bajando la colina y cruzando la carretera. Desde la ventanilla distinguió cómo el aeroplano cambiaba de dirección detrás de una montaña. El presidente Aguirre había compartido con él que la presencia aérea republicana era escasa, así que Xabier supo que tenía que ser alemán. Ordenó al conductor que buscara un sitio donde dar media vuelta para volver a Gernika. A lo mejor no era más que un vuelo de reconocimiento, pero sabía que el pueblo estaría sumido en el pánico.

El conductor, que se había quedado horrorizado al oír el sermón del día anterior, ahora estaba más seguro que antes de que el cura estaba loco. Aparcó a un lado de la carretera antes de entrar en el pueblo y se negó a seguir, sin molestarse en cerrar la puerta mientras abandonaba el coche y al sacerdote y se metía en el agua hasta las rodillas en una zanja de desagüe para ser un blanco más difícil cuando las fuerzas del Apocalipsis arrasaran Gernika.

Con el birrete afianzado en la cabeza, con las piernas corriendo ocultas bajo la sotana negra, el padre Xabier parecía flotar a toda velocidad hacia el centro del pueblo. La poderosa corriente de personas que huían en dirección contraria apenas le hacía frenar. La visión de un sacerdote corriendo hacía apartarse al gentío cuando él se acercaba y dejaba a su paso una sólida masa negra. Algunos estaban seguros de haber presenciado un milagro, pero no estaban dispuestos a quedarse y dar testimonio para su canonización. Recordando la muchedumbre de la estación, el padre Xabier decidió que iría allí primero, con la esperanza de poner orden ante lo que preveía iba a ser una peligrosa estampida.

Volvió a oírse el rugido por el norte, y ahora sonaba más fuerte y más cerca, haciendo vibrar el suelo. Mariángeles Ansotegui entrecerró los ojos hacia el cielo casi sin nubes de la tarde. En torno a ella, los que permanecían en la cola echaron a correr en desbandada. Un silbido agudo añadió un nuevo registro al caos musical de la plaza. Caían objetos del avión, silbaban y caían.

La primera bomba explotó en mitad de la plaza. Los cuerpos de varias docenas de personas se alzaron intactos a diversas alturas antes de abrirse como flores de crisantemo.

El padre Xabier había llegado al borde de la plaza cuando fue derribado por la explosión. Dios mío, está ocurriendo. Hazme fuerte. Haz que Tu fuerza sea mi fuerza, rezó en voz alta, volviéndose a colocar el birrete que se le había caído de la cabeza.

El primer reparto de muerte al azar afectó sobre todo a mujeres, entre ellas una refugiada con un delantal blanco y ojos fatigados que había intentado huir y una preciosa mujer que hacía cola y llevaba en la mano una Biblia familiar que no era suya, que fue incinerada en el aire por el calor de la explosión.

* * *

En un cobertizo en el caserío de los Mezo, Justo Ansotegui, concentrado en la reparación de unas herramientas, oyó las campanas de la iglesia. Pero sólo les prestaba atención cuando quería saber la hora, o si era domingo por la mañana y llamaban a misa. Pensó que debían de ser las cuatro.

Pero seguían repicando, y se preguntó por qué habría misa un lunes por la tarde. Cuando las explosiones mandaron sus ondas expansivas a través del valle y hacia las colinas, Amaya Mezo apareció en la puerta del cobertizo y le contó que había visto aviones, señalándole la cúpula de polvo que se levantaba en el centro del pueblo.

—No —dijo Justo—. No.

¿Dónde estaba Mariángeles? ¿Dónde estaban Miren y Catalina?

En el pueblo. Un avión está bombardeando el pueblo.

Justo salió corriendo del cobertizo y cogió una *laia* para protegerse. Había llegado la hora de luchar.

Estaba a más de un kilómetro del pueblo y corría con la *laia* delante de él como un vengador primitivo, gritando:

—Mari... Mari... Mari...

Cuando frenó la carrera por falta de aliento, sus gritos se acompasaron al repique de dos notas de las campanas:

—Ma... ri... Ma... ri... Ma... ri.

* * *

En una ladera cercana, la sierra de través de Miguel emitía una irregular melodía mientras penetraba en el ancho tronco de un roble. También él oyó las campanas a lo lejos, amortiguadas por la distancia, y no prestó atención. Sin embargo, a los pocos momentos sintió fuertes retumbos bajo sus pies, como cuando cae un árbol. Le llegaron oleadas de sonido y se volvió hacia el valle. Por encima de los edificios se levantaba polvo y humo.

Oh, Dios mío, una explosión. Corrió tan deprisa colina abajo que no podía controlar las piernas. Cayó y rodó y se levantó y siguió corriendo en un solo movimiento, impulsado por el instinto y el tañido de las campanas.

* * *

Cuando las explosiones sacudieron la tierra a sólo dos manzanas, Miren bajó la capota del cochecito de Catalina para protegerle los oídos. Empujando el cochecito, echó a correr no hacia el refugio, tal y como le había dicho Miguel, sino hacia la estación, en busca de su madre. Mientras subía la calle de la Estación, hacia la plaza humeante, se convirtió en un borrón de movimiento.

Delante de ella se oían gritos ahogados a causa del velo de polvo que flotaba. Detrás seguía oyéndose el tañir de las campanas.

* * *

Alaia Aldecoa oyó el bombardero antes que nadie lo percibiera. Las ventanas temblaron violentamente en sus marcos. Pero no había nada que invitara a la alarma. Ya les habían pasado aviones por encima; ella los había oído. Le pareció otra mala vibración en un día en que éstas no faltaban. Pero la amenaza fue evidente cuando las campanas iniciaron su tañido impaciente y el gentío echó a correr en torno a ella. Nadie se acordó de guiarla al refugio ni de explicarle aquella locura.

En su mente se dibujaron las historias que contaban las hermanas del aterrador fin de los tiempos. Tal y como éstas habían predicho, las explosiones le succionaban el aire de los pulmones mientras el suelo se levantaba y ondulaba. El infierno se abría paso a través de la corteza terrestre para engullirlos. El azufre olía exactamente como le habían descrito.

Lo mejor que podía hacer era quedarse donde estaba; Miren volvería a por ella. Pero cuando se abrió la tierra, su instinto la impulsó a correr. Algo que no había hecho nunca.

Comenzó a trotar con los pies planos, como si intentara tantear con los dedos de los pies, los brazos extendidos delante como antenas rígidas. No tenía el bastón en la mano.

Los gritos llegaban de su derecha, así que corrió hacia la izquierda, cerca de un bordillo.

Volvió a oírse el ruido en el cielo, sólo que más fuerte, con mayor vibración, más imperioso. Había más aviones.

El silbido era más intenso. A los pocos momentos, más gritos de muerte.

Con los brazos extendidos, tocó la fachada de un edificio y siguió la áspera superficie de ladrillo hasta doblar la esquina.

Volvió a correr cuando llegó a la calle.

Una explosión la derribó.

Volvió a correr.

La gente la tiraba al suelo. Se levantaba. La volvían a tirar.

Se arrastró por debajo del humo que lo invadía todo. El pueblo estaba en llamas.

A la siguiente explosión, Alaia Aldecoa desapareció.

* * *

Amaya Mezo, tras haber hecho entrar a sus hijos en casa y contemplar cómo Justo corría hacia el pueblo, regresó al campo que había en la ladera de la loma para ver qué era el ruido y el pánico que se oía a lo lejos. Su hija mayor desobedeció la orden de no salir de casa, pensando que su madre podría necesitarla. Vieron aquellos grandes aviones que llegaban en sucesivas formaciones, con otros aviones más pequeños volando en rumbos erráticos, como golondrinas en medio de una bandada de gansos migratorios.

Uno se separó encima de la linde del pueblo y se lanzó hacia ella como si pretendiera hacerla picadillo con las hélices.

Unos remolinos de polvo rectilíneos y paralelos avanzaron hacia ella con el sonido de unos rápidos sones de tambor. Su hija echó a correr al verlo, gritándole a su madre que se tirara al suelo. Pero Amaya no tenía noción del peligro y se quedó de pie chillándole al aparato, haciéndole señas de que se alejara de sus tierras y sus seres queridos.

Una bala se le incrustó en el hombro derecho. El piloto voló tan cerca de ella que Amaya vio su cara mirándola. Llevaba un gorro de cuero y los ojos cubiertos por unas gafas redondas que reflejaban el sol de la tarde.

* * *

Al padre Xabier las imágenes le llegaban en destellos mientras buscaba dónde hacer la obra de Dios. Acuclillándose entre carrera y carrera, se dirigió al mercado cuando llegó el segundo aluvión de bombarderos.

Pasó junto al puesto de bomberos, donde una bomba había destruido el único carro de bomberos del pueblo, matando al mozo de cuadra y a los enormes caballos de tiro en sus caballerizas. La sangre de los caballos y la del mozo se juntaban en la entrada en pendiente, caía por la alcantarilla y corría por la cuneta.

A su izquierda, varias bombas incendiarias habían alcanzado el establo provisional y un toro en llamas blancas y azules mugía mientras rompía la cerca, lanzándose contra la multitud.

Las ovejas se incendiaron y la lana se carbonizó mientras intentaban salir del aprisco.

Una gran bomba había matado a varios bueyes y campesinos, y Xabier procuraba no resbalar con los viscosos restos.

Las balas de los cazas silbaban e impactaban en hombres y animales.

Todo ardía.

Una mujer con tres niños se había acurrucado en la protección de un portal, y el sacerdote se colocó ante ellos en toda su anchura. Cuando un paréntesis en el bombardeo les permitió cierto respiro a los oídos, que les zumbaban, la familia escapó de las faldas del sacerdote y echó a correr por en medio de la calle.

—¡Esperad! —gritó Xabier.

No habían cubierto ni veinte metros cuando un caza taladró la calle con su ametralladora, derribando a tres de los cuatro en una ráfaga. La niña que sobrevivió, herida, se lanzó hacia su madre, chillando e intentando levantarla y hacerla correr.

Los cazas pasaban en todas direcciones, atacando a cualquiera. Por la mente de Xabier pasó la imagen de perros pastores corriendo de un lado a otro y llevando a la gente a la muerte.

A una manzana, un grupo de bombas incendiarias atravesó el tejado de la fábrica de caramelos y lanzó una gran llamarada cuando la bomba de termita incendió la sustancia más combustible, el pelo de las mujeres que trabajaban dentro.

A otra manzana, un grupo de adolescentes que jugaban cerca del frontón de pelota buscaron refugio en un conducto subterráneo de cemento. Cuando una bomba explotó a pocos metros de ellos, la carne de todos se fundió en una masa irreconocible.

En la Residencia Calzada, un asilo de ancianos, una bomba vaporizó a muchos de los viejos que allí vivían, junto con las monjas que intentaban sacarlos como podían.

Un hombre, al no ver otra manera de escapar de la segunda planta de un edificio en llamas, saltó por la ventana, agitando los brazos para apagar las llamas que le brotaban de la espalda, o quizá esperando volar.

En el refugio de un sótano, dos docenas de cadáveres componían un mosaico. Estaban intactos, sin heridas ni sangre: habían muerto asfixiados.

Bajo el techo en arco de la iglesia de Santa María se congregaban cientos de personas, rezando frenéticamente ante las estatuas de los santos.

Una bomba incendiaria acuchilló el tejado y empaló el suelo. El fuego que debería haberlo incinerado todo nunca ardió. La bomba no estalló.

* * *

Miren dejó de buscar a Mariángeles para proteger a Catalina. En su carrera calle arriba empujando el cochecito se vio perdida en su pueblo. Las ruedas del cochecito levantaban salpicaduras de un fluido oscuro. Se enfrentaba al torbellino del tráfico humano que abandonaba la plaza de la estación y se veía arrastrada al flujo igualmente desencaminado de los que pretendían abandonar la plaza del mercado.

Iría más deprisa con Catalina en brazos, pero los escombros caían en ráfagas calientes, como granizo. La multitud casi la había derribado, por lo que Catalina estaba más segura dentro del cochecito. No dejaba de hablarle, de decirle a través de la capota que todo iba bien. Todo va bien, Cata.

El rugido de los bombarderos volvió a apagar los gritos de auxilio.

Miren se ahogaba en el polvo, en el calor, en el olor. Cuando pasó por delante del hotel Julián, vio a varias madres que metían en la entrada a un grupo de escolares que no dejaban de chillar.

Miren se dirigió hacia la entrada para seguirlos, pero un silbido la hizo fijarse en el aire lleno de humo cuando una bomba partió en dos el pequeño hotel. La explosión arrojó una columna de aire a través del embudo de la entrada y a los pocos segundos la fachada de cemento del hotel se desmoronó, sepultando a aquellos que estaban debajo con toneladas de escombros en llamas.

Cuando los cazas se fueron a por otras víctimas, Xabier se arrodilló para examinar a aquella familia que había sido ametrallada. La más pequeña, una niña de cuatro años, sangraba por un costado, pero seguía tirando de su madre como si quisiera despertarla de la siesta.

Xabier la apartó de su familia muerta y la llevó al refugio más cercano. La puerta se abrió rápidamente y Xabier entró en otro nivel del infierno.

Había cientos de personas en un espacio concebido para decenas, y a medida que entraba más gente, comprimían a los que estaban atrás.

Los primeros que habían llegado, ahogándose en aquel aire tan caliente, imploraban a los de delante que dejaran las puertas abiertas para ventilar.

—Sacadnos —gritó una mujer.

Pero cuando abrieron las puertas dobles, una bomba de percusión estalló justo delante y su violenta aspiración de aire sorbió a cuatro personas dentro de su bola de fuego. Asustados, los demás intentaron cerrar las puertas, pero éstas quedaron bloqueadas por una pierna sin cuerpo que aún llevaba una alpargata negra.

En la parte de atrás, en la oscuridad, la gente lamía las paredes intentando chupar la condensación para aliviar el sofocante calor.

Tropezaban, y en la oscuridad sus pies notaban que ya no pisaban el suelo, sino los cuerpos de los que se habían desplomado.

De vez en cuando se oían chillidos desaforados de los que sucumbían a la claustrofobia, que arañaban a los demás para abrirse paso hacia la puerta.

Preferían enfrentarse a las bombas y el fuego a morir pisoteados o asfixiados.

Con toda la serenidad que pudo, junto a aquella puerta que separaba dos infiernos, con la niña agonizante en brazos, el padre Xabier les ofreció oraciones de absolución.

—Santa María, madre de Dios, ruega por nosotros pecadores, ahora y en la hora de nuestra muerte...

* * *

Wolfram von Richthofen y su ayudante, en la cara norte del monte Oiz, admiraban las precisas oleadas de aviones que se cernían sobre el valle. Pero ni siquiera desde esa posición privilegiada, a unos quince kilómetros al sur de Gernika, podían ver el pueblo propiamente dicho. Una masa de humo y polvo que se alzaba por encima de los tejados era la prueba de la destrucción que se había infligido. Pero Von Richthofen no podía ver la destrucción tan claramente como esperaba.

Lanzó su cigarrillo y bajó la montaña para iniciar el trayecto en coche hasta Vitoria.

* * *

Mientras el pueblo se vaciaba, Miguel corría hacia el centro de la devastación. Su instinto era abrirse paso entre el tumulto y llegar al mercado.

Miren y Cata estarían con Alaia. Se habrían metido en el refugio más cercano en mitad de la calle Santa María, el que Miguel les había enseñado.

¿Por qué se había dejado convencer para que se quedaran otro día?

La reñiría cuando la viera.

No, no la reñiría.

Las bombas seguían cayendo de los aviones en formación en V que zumbaban sobre el pueblo. En medio del humo y el polvo, Miguel ni se daba cuenta de las explosiones, ajeno a cualquier impulso de huir de la destrucción.

Cerca del mercado, la señora Arana estaba inclinada, como si estuviera rezando ante una masa de escombros de cemento y ladrillo que antes fueran una tienda. Vio a Miguel correr en dirección a ella y gritó:

—Están aquí, ayúdelas.

Miguel se arrojó sobre el montón de escombros. No podía saber que se hallaba a varias manzanas de su familia. No podía entender que eso no servía para nada, que los cadáveres de debajo ni estaban vivos ni eran sus seres queridos.

No se le ocurrió ninguna de esas posibilidades. «Están aquí», había oído.

Miguel levantaba cemento, fragmento tras fragmento, quitaba de en medio los ladrillos y se abría paso entre montones de cristales rotos con las manos desnudas.

Las bombas caían y los edificios se incendiaban. Él no oía nada.

Excava para encontrarlas. Excava para salvarlas.

Miren. Miren y Cata.

Arrancó más bloques de cemento y más cristales, que se le clavaban. La sangre lo hacía todo resbaladizo y le costaba coger hasta los ladrillos más pequeños.

No había aire.

Las bombas caían, el suelo se estremecía, las metralletas disparaban. No oía nada. No oía a la señora Arana, que le decía que parara y se mirara las manos.

No tenía manos, no tenía sensibilidad; cavaría hasta que las rescatara. Cavaría porque lo había prometido. Cavaría hasta que las encontrara.

Hasta que una explosión lo arrancó del montón de escombros.

* * *

Almas vestidas de harapos, con las bocas abiertas y los ojos en blanco, se cruzaban con Justo mientras las calles se convertían en salidas de humos. Soltó la *laia* al entrar en el pueblo, tras comprender que su vieja herramienta no le serviría de nada contra los aviones que volaban sobre su cabeza.

Legarreta, el bombero, lo paró agarrándolo por los hombros y le habló a la cara. Justo forcejeó con él, buscando con la mirada dónde podría haber intentado encontrar protección su mujer.

—Aún hay gente con vida en este edificio, Justo, tienes que ayudarme a sacarlos —le dijo Legarreta con una calma fuera de lo corriente, apenas apartando la mirada de Justo cuando un hombre con las piernas destrozadas pasó junto a ellos reptando con los brazos.

—¿Has visto a Mariángeles o a Miren? —gritó Justo, y una bomba explotó a una manzana de distancia.

—No, Justo. Necesito que me ayudes a mover escombros. Necesito gente —insistió Legarreta con la cara tan negra como la de una oveja—. Hay gente ahí dentro.

—¿Y Mariángeles y Miren?

—Te lo prometo... Te prometo que te ayudaré a buscarlas si me ayudas a sacar a esta gente.

Una bomba había caído sobre una pensión y las vigas y las viguetas de madera, al derrumbarse, habían quedado de tal manera que la gente podía respirar, pero no huir. Legarreta sabía que entrar y levantar vigas al azar sin soportes y puntales haría que la estructura se desplomara sobre todo aquel que hubiera sobrevivido.

Pero cuando Justo entró arrastrándose y descubrió a una joven con la cabeza retorcida sobre el cuello y los huesos asomando de su vestido azul lavanda, no respetó el consejo de Legarreta de que tuviera cuidado.

—Ayúdame —llamó otra mujer en un hilo de voz. Estaba más hundida en los escombros, empotrada debajo de una maraña de vigas, la cara cubierta del polvo que se le había acumulado sobre los afluentes de sangre que le brotaban de un corte en la cabeza.

Justo la reconoció: era la mujer del panadero. Los escombros se esparcían como un puzle, y los ojos de Justo subieron desde sus piernas atrapadas, siguiendo el dibujo de las vigas de carga.

—No muevas nada, Justo, tenemos que entrar ahí y apuntalarlo... —La voz de Legarreta quedó enmudecida por una bomba que sacudió más polvo y trozos más grandes de madera.

—Socorro... —volvió a llamar la mujer. La voz era más débil, más imperiosa—. Justo... ayúdame.

La clave para soltarla era mover una viga de roble que quedaba oblicua con el montón. Si pudiera alzarla sólo unos centímetros, levantaría la pila de escombros y la mujer podría salir.

Ésa era su especialidad, se dijo mientras colocaba la espalda bajo la viga y probaba la resistencia del suelo y el punto de apoyo.

Hinchándose mentalmente mientras encontraba un buen punto de apoyo entre los escombros, Justo empujó la viga con el hombro izquierdo, la cabeza ladeada lo más posible a la derecha, mientras con el brazo izquierdo la agarraba con fuerza.

Al principio la empujó suavemente, para probar, y notó que se movía.

Puedo hacerlo. Nadie más puede, pero yo sí.

Con un grito, empujó hacia arriba con los músculos de las piernas, la espalda y el hombro. La viga crujió y se separó de las piernas de la mujer del panadero, y el crujido de detrás fue reemplazado por un chirrido procedente de arriba. Una vigueta atravesada sobre la viga en ángulo se soltó y cayó hacia Justo como si la hubieran engrasado.

Justo no la vio deslizarse por la viga más grande con el peso del edificio detrás y no se frenó cuando le arrancó el brazo que tenía en lo alto de la viga y lo dejó colgando detrás de la cabeza. Se desplomó bajo la confusión de madera, cemento y huesos.

* * *

Los cadáveres estaban destrozados y Gernika calcinada. A las seis de la tarde el ataque duraba ya casi dos horas, pero el grueso de los bombarderos de la Legión Cóndor apenas estaba despegando. El escuadrón más numeroso, casi dos docenas de Junkers, daba vueltas sobre el aeródromo de Vitoria antes de dirigirse hacia el norte.

Los cazas Messerschmitt volvieron a unirse a ellos para cumplir con su cometido de rematar a los que intentaban huir a los campos o a los bosques. A las 19.00 regresaron más Heinkel para completar el ciclo de bombardeo-repostaje-bombardeo. A las 19.30, más de tres horas después de que cayera la primera bomba, los aviadores se retiraron.

Las campanas de Santa María repicaron a las 20.00, en un eco que atravesó el humo de los incendios que consumían los edificios del pueblo.

Se formó una cadena de cubos de agua que se extendía hasta el río y llegaron camiones y bomberos de Bilbao. Pero las bombas habían destrozado las tuberías, y las mangueras no tenían presión, y lo único que podían hacer los bomberos era quedarse mirando los fuegos. Se unieron a la cadena de cubos de agua.

Cuando los cubos acababan de pasar por docenas de manos, sólo quedaba un culo de agua y los incendios habían alcanzado una temperatura tal que el último hombre de la cadena no podía acercarse lo suficiente como para que aquellas pequeñas cantidades de agua tocaran los edificios que se desmoronaban. Los que estaban cerca de las llamas se daban cuenta del absurdo de la empresa, pero sabían que eso ayudaba a que los que se encontraban en la cola tuvieran la sensación de que hacían algo útil, con lo que prosiguieron con la charada hasta que los incendios consumieron todo lo que podía arder.

El padre Xabier iba de un grupo a otro de gente, dando consuelo a los que sufrían, ayudando con las camillas de heridos y uniéndose a los equipos de rescate. Todo el rato gritaba: «¡Justo!», buscando a su hermano y a su familia. Veía a hombres que, respetuosos, alineaban a figuras ennegrecidas, inidentificables de tan calcinadas. Otros intentaban reconstruir las partes, intentando encontrar algo, lo que fuera, que ayudara a los vivos a llorar a las víctimas.

El padre Xabier se daba cuenta de que había sido un ataque al azar. Casi todo el pueblo estaba destruido o en llamas, pero sobre un montón de cascotes se veía una tarta de cumpleaños que había conseguido quedar intacta, aunque todos los que se habían reunido para la celebración estaban muertos. Vio a niños ilesos, corriendo y persiguiendo a otros cerca de los restos despedazados de sus compañeros de clase. Sobre la colina vislumbró que el parlamento había quedado indemne y que, gracias a Dios, no habían alcanzado el árbol de Gernika.

En el periodo posterior al ataque, que parecía eternizarse, siguió buscando, inclinándose para rezar sobre los heridos y los muertos cada varios metros. Pero seguía buscando. Y cuando llegó a la plaza de la estación, un tren que traía trabajadores de rescate llegaba de Bilbao. Xabier sabía que tenía que contarle la atrocidad al presidente Aguirre. Quizá éste no consiguiera comprender la enormidad del ataque si no se lo relataba alguien de su confianza, alguien que lo hubiera visto en persona. Decidió que podría regresar a Gernika en el próximo tren para seguir buscando después de informar a Aguirre.

Xabier se subió al tren con centenares de atónitos refugiados, y los heridos, los ancianos, los ensangrentados. Avanzaba como podía de vagón en vagón, buscando a algún familiar. A medida que se alejaban de Gernika, Xabier veía el resplandor ambarino de la ciudad en llamas, y su mente de sacerdote se preguntaba si el cielo nocturno se estaba llenando de humo por las llamas o por las almas de los que habían muerto innecesariamente en su ascenso a los cielos.

* * *

Las tripulaciones que ya habían aterrizado aplaudían cada vez que se ponían los calzos a un avión y desembarcaban los aviadores. Los pilotos que habían ido y venido toda la tarde por el norte de España habían regresado exultantes a sus aeródromos de Burgos y Vitoria.

Tras oír el informe inicial de la misión, Von Richthofen mandó un rápido mensaje a sus superiores: «El ataque aéreo concentrado sobre Gernika ha sido un éxito rotundo». Von Richthofen sabía que la guerra es impaciente e imposible de apaciguar; no te da mucho tiempo para saborear la victoria. No obstante, estaba más que satisfecho de cómo había transcurrido la jornada. Nunca había gastado tantos recursos en la destrucción de un solo objetivo, y el pueblo de Gernika había quedado arrasado sin una sola baja de la Legión Cóndor.

Siempre había sido cauto en sus informes a Berlín, sabedor de que más valía ser exacto y conservador con la evaluación de los daños que granjearse una reputación de hiperbólico entre los capitostes. Pero sí, no tenía ningún problema en informar de que los sucesos del día habían sido «un éxito rotundo».

Las tripulaciones estuvieron toda la noche celebrándolo en el hotel Frontón, bebiendo y cantando. Imitando las alas de los aviones con las manos planas, los pilotos de los cazas imitaban las inclinaciones laterales y los descensos en picado con los que ametrallaban a los campesinos que huían, haciendo unos oclusivos ra-ta-ta-ta-ta-ta para representar el sonido de los disparos.

Von Richthofen no se había equivocado: la gente se había comportado como borregos, agrupándose en patrones predecibles, exponiéndose en los recodos de la carretera y en las lindes de los bosques, como si las hojas y el follaje pudieran detener el fuego de ametralladora. Les había enseñado un arte. En la guerra que vendría después habría pruebas más difíciles, pero ahora estaban aprendiendo el oficio.

Von Richthofen decidió no unirse a las celebraciones, sino que prefirió dar su paseo nocturno entre los aparatos del aeródromo, llevando a cabo su rutinaria inspección mientras formulaba el informe oficial más detallado que enviaría a Berlín. Se dijo que aquél era un momento genesiaco. Había sido una acción inesperada, instantánea, arrasadora, irresistiblemente letal y sin hacer distinción entre militares y civiles. Eficaz. Moderna. La nueva guerra.

Naturalmente, no podía estar seguro de que las fuerzas de infantería de Mola actuaran debidamente y ocuparan el pueblo rápidamente, antes de que los vascos pudieran atrincherarse físicamente o recuperarse emocionalmente del bombardeo. Su experiencia con los españoles era más bien la contraria: siempre encontraban razones para demorar su avance y reducir la efectividad de toda la campaña.

Sabía que el siguiente objetivo sería Bilbao, y eso precisaría un enfoque distinto, que exigiría mayor precisión. Bilbao sería la batalla final del frente septentrional y los vascos se retirarían con todos los recursos que les quedaran. Acabar de expulsarlos llevaría tiempo, aunque el bloqueo naval y el asedio terrestre socavarían su determinación. Pero ¿cuánta moral les quedaría después de los sucesos de aquel día?

Entró por una puerta lateral y ascendió las escaleras del hotel para evitar los festejos del salón. En su suite, Von Richthofen redactó el informe oficial que mandaría a Berlín:

La población de Gernika ha quedado literalmente arrasada. El ataque se llevó a cabo con bombas de doscientos cincuenta kilos e incendiarias, y éstas supusieron más o menos un tercio del total. Cuando llegó el primer escuadrón de Junkers, ya había humo por todas partes (del ataque de vanguardia); nadie pudo identificar como objetivos carreteras, puentes o barrios de las afueras, de manera que los aviones dejaron caer todas las bombas en el centro. Las bombas de doscientos cincuenta kilos derribaron las casas y destruyeron las cañerías. Entonces pudieron lanzarse las incendiarias, ganando en efectividad. El material de las casas —techumbres de teja, porches de madera y entramados de madera— quedó totalmente arrasado. En las calles se veían los cráteres de las bombas. Sencillamente terrorífico.

No explicaba por qué una potencia de fuego aerotransportada superior a la que se había gastado en toda la

Primera Guerra Mundial se había dedicado a destruir un único objetivo de importancia militar: el pequeño puente de Rentería. Tampoco revelaba por qué el puente de Rentería no sólo seguía en pie, sino que estaba intacto.

PARTE 5

(27 de abril de 1937-mayo de 1939)

Capítulo
18

E l padre Xabier entró apresuradamente en el despacho del presidente Aguirre, al que llegó a las tres de la
mañana del martes. Llevaba las ropas apergaminadas de flui-
dos secos y olía a azufre, humo y tejido medio putrefacto.
Combatiendo la fatiga, las manos le temblaban y le flaqueaban
las piernas.

—Dios mío —exclamó entrecortadamente Aguirre al
tiempo que rodeaba su escritorio para abrazar al sacerdote
e intentar calmar su parálisis.

—Lo sé... Lo siento —se disculpó el cura.

Los militares habían informado a Aguirre, pero éste no
había hablado cara a cara con nadie que hubiera estado en
Gernika durante el bombardeo.

—Tranquilo —dijo Aguirre—. Cuéntamelo todo.

Xabier se sentó en una silla de madera de respaldo duro; las piernas le temblaban tan violentamente que la silla vibraba contra el suelo. Sabía que Aguirre precisaba una cro-
nología desapasionada, sin detalles sanguinarios, pero tenía
que detenerse y tomar aliento a medida que lo invadían los
recuerdos. Lo que había visto estaba almacenado en forma
de imágenes inconexas, que se amontonaban en su mente co-

mo fotografías. Pero mientras le reconstruía a Aguirre lo ocurrido, su mente lo revivía como un noticiario. Tener que explicar la avalancha de acontecimientos le obligó a cristalizar todo lo que había dejado intencionadamente desenfocado. Y eso significaba asignarle palabras.

Aguirre lo interrumpió a los pocos momentos; ya le habían hecho un resumen antes. Necesitaba unos cuantos detalles inmediatos de alguien en quien confiara.

—¿Hay alguna posibilidad de que los aviones no fueran alemanes? —preguntó.

—¿Qué iban a ser, si no?

—Italianos, quizá nacionales.

Xabier se lo pensó. Claro que eran alemanes, pero podrían haber participado también los italianos.

—Un bombero me enseñó en la calle una bomba incendiaria sin explotar cubierta de insignias con el águila alemana.

—Eso es importante. No me imagino qué mentiras utilizará Franco para explicar todo eso. Si ha habido algún argumento contra el Pacto de No Intervención, es éste. El mundo no lo tolerará. Sigue habiendo una oportunidad de ganar esta guerra si este bombardeo saca a los franceses, los ingleses y los americanos de su neutralidad.

—¡Política! —chilló Xabier—. ¿Es que esto es política?

Pero antes de que el sonido de su voz se apagara en la habitación, comprendió que sí, claro que eso era política.

—Lo sé... lo sé... lo sé, y lo siento —dijo Aguirre.

Tras acabar su informe, Xabier volvió a acordarse de su familia: ¿están a salvo? ¿Qué puedo decirles? ¿Quién quedará? Sabía que Aguirre tenía que verlo desde la perspectiva más general de cómo afectaba a los vascos. Él también tenía familia.

Y de todas las preguntas que le rondaban por la cabeza, Xabier formuló una en voz alta:

—¿Qué quieres que haga?

—Cuéntale al mundo todo lo que me has contado a mí.

Aguirre regresó detrás de su escritorio abarrotado de papeles y comenzó a redactar unos documentos que permitieran que el padre Xabier saliera rápidamente de Bilbao.

—Necesito que vayas a París, que le cuentes a la prensa lo ocurrido —dijo el presidente—. Quiero un testigo presencial... un sacerdote con sotana... que le cuente la verdad a la gente. Cuéntales lo que ha pasado. Diles quién fue el responsable. Cuéntalo todo. Cuanto antes, mejor. Escribe un discurso de camino y no omitas nada. He oído tus sermones, padre, ve a predicar al mundo.

—Muy bien, puedo ir más tarde. Tengo que lavarme y cambiarme.

—Padre —le interrumpió Aguirre—. No.

Xabier lo comprendió.

—¿Puedes hacer algo por mí? ¿Puedes hacer que alguien encuentre a mi familia?

Aguirre le prometió que lo haría y lo acompañó a la puerta. Ahora tenía que concentrarse en el crucial comunicado radiado de esa mañana. La gente tenía que convencerse de que ése no era el final. Seguía habiendo una opción de salvar Bilbao, que era el principal objetivo rebelde en Vizcaya. Ahora necesitaban que su líder les infundiera ánimos. Que los tranquilizara. Estaba seguro de que ese ataque no aplastaría la determinación de los vascos, sino que la reforzaría.

Horas más tarde, en Radio Bilbao, anunció:

La aviación alemana al servicio de los rebeldes españoles ha bombardeado Gernika, arrasando esa histórica población tan venerada por todos los vascos. Han pre-

tendido herirnos en nuestro sentimiento patriótico más sensible, dejando claro una vez más qué puede esperar Euskadi de aquellos que no vacilan en destruirnos a nosotros y al santuario emblemático de nuestra democracia y nuestra libertad. El ejército invasor debe saber que los vascos responderán a esta terrible muestra de violencia con una tenacidad y un heroísmo desconocidos hasta ahora.

* * *

Al final de una fresca tarde de abril, Pablo Picasso paseaba por un terreno conocido para él. Se había dirigido hacia el sur desde su estudio en la Rue des Grands-Augustins, rumbo al bullicioso Boulevard Saint-Germain. Pasó junto a la antiquísima iglesia de Saint-Germain-des-Prés en su paseo hasta el Café de Flore, acompañado por su perro afgano.

Aquel día, una marcha en pro de los derechos humanos recorría París y una pasión cívica surgía para los inminentes desfiles del Primero de Mayo. Era improbable que muchos se fijaran en un suelto de las ediciones vespertinas de los periódicos que contenía los primeros detalles del bombardeo de Gernika. Dora Maar, su musa del momento, llevó los periódicos al café y de manera deliberada inflamó a Picasso con el relato de las atrocidades cometidas en su país natal.

—Éste —lo animó Maar, dando golpecitos sobre el papel— es el tema de tu mural. —Pero en aquel suelto no había mucha información.

A la mañana siguiente, mientras el artista hacía una pausa en su estudio, Maar le leyó los titulares que encabezaban las crónicas más exhaustivas de *L'Humanité*: «Terrible bombardeo en la guerra de España» y «La aviación reduce a cenizas la población de Gernika».

—Sigue leyendo —le pidió Picasso mientras recorría el estudio.

Picasso oía sólo frases sueltas mientras Dora le leía el *Times* de Londres:

> *Gernika, la población más antigua de los vascos... destruida por las incursiones aéreas insurgentes...*
>
> *... los cazas se lanzaban en picado para ametrallar a los que se refugiaban en los campos...*
>
> *... algo sin precedentes en la historia militar... destrucción de la cuna de la raza vasca.*

Dora pasó a una descripción aún más gráfica que aparecía en otro periódico:

> *... un pequeño hospital, volado con sus cuarenta y dos ocupantes heridos...*
>
> *... un refugio antiaéreo en el que más de cincuenta mujeres y niños quedaron atrapados y se quemaron vivos...*

Picasso agarró el montón de periódicos que Maar tenía delante. Imposible. Otras crónicas de *Le Jour* y *L'Echo de Paris* y *Action Française* minimizaban los daños. Algunas incluso sugerían que pirómanos vascos habían participado en la destrucción de su propio hogar espiritual.

Picasso conocía y admiraba a muchos vascos. Eran más recios que la corteza de los árboles, decía, y defensores naturales de su tierra. Nunca habrían incendiado su propia tierra. Y tampoco se rendirían, le dijo a Maar.

* * *

A primera hora del jueves por la mañana, el padre Xabier Ansotegui llegó a la Gare de Lyon de París y se reunió con los periodistas dispuestos a escuchar un relato presencial creíble de la destrucción de Gernika. Los informes que llegaban de diversas fuentes españolas eran contradictorios y el pueblo estaba cerrado a los forasteros.

El sacerdote vasco se presentó ante los reporteros sin lavar y con un aspecto terrible. Tenía el pelo enmarañado, la sotana estaba rígida en muchas zonas y el crucifijo de oro se encontraba cubierto de una materia marronosa. Se presentó como alguien que había nacido en Gernika y ahora vivía en Bilbao. Su credibilidad era irrebatible.

Había esbozado una presentación en el tren, pero no la leería, pues sabía que era mejor dejarse llevar por sus sentimientos.

—*Era uno de esos días claros, preciosos, el cielo límpido y sereno. Las calles estaban invadidas por el ajetreo de un día de mercado.*

Hablaba con serenidad, y algunos periodistas estaban tan impresionados por su aspecto que tardaron en comenzar a tomar notas.

—*... mujeres, niños y ancianos caían a montones, como moscas, había lagos de sangre por doquier.*

Xabier tragó saliva, mirando a los ojos de los periodistas.

—*... vi un viejo campesino solo en un campo, una bala de ametralladora lo había matado... El sonido de las explosiones y de las casas que se derrumbaban es inimaginable.*

Les explicó cómo habían sido los bombardeos, las oleadas de aviones barriendo el valle, los cráteres que se habían abierto en el pueblo, cómo las bombas incendiarias convirtieron la ciudad en «un inmenso horno».

—*... éramos totalmente incapaces de creer lo que veíamos.*

Respetuosamente, los periodistas levantaron la mano e intentaron que el sacerdote pasara de su emotivo relato a detalles más concretos. Querían que definiera el suceso con un número de bajas. Pero el padre Xabier Ansotegui fue incapaz.

—¿Cuántos? —le preguntó un reportero que quería tener una estimación del número de víctimas.

—¿Cuántos? —replicó el padre Xabier—. ¿Cuántos qué? ¿Cuánta gente? ¿Cuántos pedazos? ¿Cuántas vidas? ¿Cuántos niños?

¿Cómo podía explicarlo? Su amigo Aguirre conocía la política de los números. Pero para él era como amontonar cadáveres en una báscula para pesar las pérdidas.

—Cuando ves niños quemados en la calle, carbonizados... derretidos, no los cuentas —dijo Xabier—. Cuando ves un grupo de chavales fusionados en una masa negra, no haces inventario. ¿Cuántos murieron? ¿Cuántos? La muerte era infinita.

* * *

En la edición del viernes de *L'Humanité,* Picasso leyó la crónica del conmovedor relato del sacerdote. Era capaz de imaginarse el cielo que describía. Podía sentir el miedo de la gente, oír las explosiones.

En el periódico de aquel día aparecía la primera declaración escrita del presidente vasco, José Antonio Aguirre, haciendo un llamamiento al mundo libre para que ayudara a salvar un pequeño país que pronto se vería invadido por el fascismo: «... Hoy le pregunto al mundo civilizado si va a permitir el exterminio de un pueblo cuya primera preocupación ha sido siempre la defensa de su libertad y su democracia, que el árbol de Gernika ha simbolizado durante siglos».

En la mente de Picasso las imágenes se formaban y se hacían añicos, con los símbolos clásicos de España anclados en su conciencia, desgarrados por un tormento sin precedentes. Ése sería su mural, su «Gernika».

* * *

Miren se volvió hacia Miguel y le besó en el cuello, detrás de la oreja, demorándose lo suficiente como para darle un travieso mordisquito. Dios, qué bien olía, se dijo Miguel. Era estupendo tenerla de vuelta. Había estado tan preocupado.

Estaban sentados en el espejo de popa del *Egun On*. A Miguel se le hacía extraño sentirse tan cómodo a bordo de un barco. Pero así era como se sentía con ella, igual que en su primer viaje, cuando la llevó a conocer a su familia en Lekeitio. Sólo que ahora es mayor, se dijo, y lleva el pelo más corto. Está más guapa que nunca.

—Intenté encontrarte —dijo Miguel.

—Lo sé —contestó ella.

—No pude.

—Lo sé. No te preocupes.

La barca se movía tan suavemente sobre el mar sin oleaje que a Miguel no le costaba nada concentrarse en Miren, cuyo tupido pelo azabache absorbía la luz y cuyos grandes ojos azabache emitían su propia luz.

—Te he echado de menos —dijo Miguel.

—Yo también.

—¿Por qué tardaste tanto en volver?

—No sabía por dónde tirar. Había tanta confusión... Había tantos...

Miren se fijó en una bandada de gaviotas que sobrevolaban el agua.

—Estás estupenda —dijo él.

Miguel la atrajo hacia sí y se la sentó en el regazo, alisando las capas de la falda de su vestido de novia para que se sintiera cómoda. Volvió a abrazarla con fuerza y aspiró el aroma de su nuca. Se pusieron en pie y bailaron un vals lento en cubierta. Se movían sin hablar.

Mariángeles, que pilotaba la barca, se volvió hacia ellos y sonrió... Sí, sí, Miren, yo le enseñé a bailar. La barca comenzó a bambolearse con sus pasos, más fuerte a medida que la música se aceleraba, hasta el punto de que las olas salpicaban la borda por los dos lados. Miguel comenzó a sentir un nudo en la garganta, como si hubiera de marearse pronto.

—¿Dónde está Cata? —preguntó.

Miren se quedó mirándole y le cogió la mano.

—Mira —le dijo—. Mira allí.

Señaló dos líneas que formaban un sendero paralelo y otro que convergía en ángulo.

—Mira allí —repitió.

Él miró. Parecían las manos de su padre.

—Sigue mirando.

Miró las líneas con más concentración.

Una gruesa lágrima aterrizó entre las dos líneas y bajó por el pulgar, extendiéndose como mercurio.

—Sigue mirando —dijo ella.

Él siguió mirando, pero lo que había caído no era una lágrima. Era ácido cáustico, y mientras caía iba disolviendo la carne, corroyendo la carne de su mano, deshaciendo los huesos, que caían sobre cubierta.

—¡Miren! —gritó Miguel.

Pero ya no estaba.

* * *

Un toro cegado por el fuego había asolado el mercado antes de desplomarse y morir sobre la pila de madera en llamas que había sido el puesto del carbonero. El toro se estuvo cociendo ahí durante un día y sus gases internos se calentaron y expandieron; el cadáver se hinchó al doble de su tamaño. Cuando reventó, fue como el eco de una bomba, y Teodoro Mendiola quedó atrapado en un torrente de entrañas y restos chisporroteantes. Se quitó la chaqueta y se limpió la porquería de los ojos y la boca con desagrado antes de reemprender el trabajo.

Acompañado de la mayoría de hombres de Gernika que no habían quedado lisiados por el ataque, Mendiola combatía los incendios, llevaba a los heridos a refugios y hospitales provisionales y buscaba entre las víctimas. Una vez le aseguraron que su familia estaba a salvo, Mendiola trabajó un día y medio sin parar. Su repugnancia ante la espeluznante tarea se apagaba con las horas, permitiéndole continuar una labor para la que nadie estaba preparado. Aunque eran más los cadáveres irreconocibles, a veces se encontraba con una cara conocida que lo miraba cuando volvían a colocar un trozo de cemento o una viga caída. La reacción instintiva era decir: «Eh, José», como si lo saludara. Pero al cabo de varias horas ya había comprendido que ninguno de los que aparecían de ese modo había sobrevivido, y la visión de la cara de un amigo sólo provocaba más tristeza, que se acumulaba sobre tanta que casi lo aplastaba.

A veces, los equipos de rescate miraban las cavernas de bordes recortados de metal fundido y madera astillada que se habían derrumbado dentro de los cráteres dejados por las bombas más pesadas. Veían la parte de atrás de un vestido blanco, y una pierna con el zapato y una pierna sin el zapato. Llamaban: ¿hay alguien vivo? ¿Hay alguien ahí abajo? Necesitarían equipo pesado para levantar y desenredar esas madrigueras, y la mujer del vestido blanco tendría que tener otro día de paciencia.

Los cadáveres que podían recuperar los depositaban en el suelo, hombro con hombro, cubiertos hasta el cuello con lonas o tela. Dejaban la cabeza al descubierto para que se pudieran identificar. Los vivos pasaban arrastrando los pies, miraban las caras, rezaban para encontrar a sus seres queridos y también para no encontrarlos.

Muchos de los que habían quedado sin identificar habían sido enterrados rápidamente en fosas comunes, con lo que un recuento exacto de víctimas y su completa identificación sería ya imposible. Pero el verdadero trabajo de retirar los escombros aún no había comenzado. En distintas partes del pueblo, los edificios que se tambaleaban en ángulos delicados se acababan derrumbando, y los medrosos equipos de rescate levantaban los ojos al cielo pensando que los aviones habían regresado.

Al otro lado de la calle, en lo que había sido el hotel Julián, Mendiola vio el armazón del cochecito de madera que su amigo Miguel Navarro había construido para su hija. Lo puso en pie lentamente. Calcinado y vacío. Se volvió hacia el hotel y casi tropezó con el cadáver de un niño. No, eran varios. No sabía decir cuántos.

Juntó un equipo de rescate y excavó las toneladas de cemento de lo que antaño había sido el hotel. Fue el que la encontró. Todavía pensaba en ella como Miren Ansotegui, la hija de Mariángeles y Justo, aunque ahora la conocía más como la esposa de Miguel. Cerró los ojos y se concentró. Los recuerdos cruzaron su mente como páginas. Miren bailando; Miren con sus padres en las festividades; Miren el día de su boda; Miren bailando de nuevo. Con todo el respeto de que fue capaz, sacó el cadáver de Miren —pesaba muy poco— y lo alineó con los demás. Regresó a los escombros en busca de Catalina. Pero allí había muchos niños, docenas, de la escuela que habían llevado al hotel, que habían quedado atrapados en la entrada. Ya nunca serían identificados.

Entonces se puso a llover, lo que ayudó a los que luchaban por apagar los fuegos más tercos. Mendiola, a punto de derrumbarse, se sumó a un pequeño grupo de hombres agotados que subieron trastabillando la colina hasta uno de los pocos sitios intocados por el fuego y las bombas. Se desplomaron en el suelo y se quedaron dormidos de inmediato cobijados por las hojas del anciano roble.

* * *

Hizo los primeros esbozos sobre papel azul, desgarrándolo como si dibujara más con un cuchillo que con un lápiz. En esos arrebatos, la conexión entre la pasión y el arte era directa. Tomaba forma un caballo herido, seguido de un toro furioso con un pájaro de largas alas en el lomo. De una ventana, una mujer se asomaba y proyectaba la luz de un farol sobre la escena.

Aquel primer día, los elementos fundamentales de lo que acabaría siendo la composición definitiva ya ocuparon sus lugares. Eran puzles que resolver, problemas de ángulos y perspectivas, con el añadido de lo oculto y lo misterioso. Pero el caballo, el toro, el guerrero caído, la madre con un niño muerto, la mujer sosteniendo un farol: todo eso ya estaba ahí. Esos elementos serían las piedras angulares, y los presentarían en un descarnado vocabulario de blanco y negro y gris. Habría un fondo y un primer plano, sombras y luces, y narración, pero no explicaciones.

Su segundo día de trabajo en el proyecto fue una larga y frenética repetición del primero. Al final, exhausto y vacío, el artista dejó los lápices para que sus personajes recién nacidos pudieran descansar tras aquellos partos tan difíciles.

Por primera vez desde que Miguel renunciara a pescar en el mar, los monstruos le atacaban cuando dormía. En su sueño era otoño y los alisos que bordeaban su río favorito se habían vuelto amarillos; el tiempo era fresco. Pero los fuegos del valle tenían un olor acre, como a productos químicos.

Las truchas se aferraban a su anzuelo con sorprendente firmeza y las sacaba con esfuerzo, pero cuando intentaba quitarles el anzuelo le mordían con unos dientes afilados, como los de los pequeños tiburones que a veces atrapaban en las redes. Cada uno le mordía la mano, royéndole hasta el hueso. Llamaba a Justo, pero éste no contestaba. Entonces oía a su madre cantando en la calle: «¡En nombre de Dios, levántate!». Ah, era hora de salir de la cama y dirigirse a misa antes de unirse al *patroia* y a Dodo en la barca. Pero era incapaz de levantarse.

Un ladrillo que había salido disparado de un edificio cercano le había dado a Miguel Navarro en la sien. La señora Arana lo había sacado a rastras del montón de madera y cemento.

La herida en la cabeza no era nada. De hecho, había sido una bendición, pues le había impedido seguir cavando en aquel edificio desplomado. Los dedos le sangraban mucho, pero no era una pérdida de sangre mortal. Más peligrosa era la sepsis de las heridas. Durante más de un día, Miguel yació en el sótano del convento de carmelitas, inconsciente y sordo a los gritos de las víctimas quemadas y a los estertores de los que ya no tenían salvación. El escaso personal médico salvó a muy pocos, y muchos estaban ya tan cerca del final que no merecía la pena desperdiciar con ellos los escasos anestésicos. Los que ya estaban condenados por haber perdido mucha sangre o por los daños en sus tejidos recibían una cura superficial y se les administraba la extremaunción en una sala trasera, donde los azulejos blancos de las paredes estaban manchados de sangre.

Tan anónimo como los demás que estaban recubiertos de ese estucado gris oscuro de sangre y cemento, el joven de las manos destrozadas no era una prioridad para los pocos médicos disponibles, y durante varios días se le permitió flotar entre su conciencia atribulada.

Cuando finalmente examinaron las manos de Miguel, el médico vio que en muchas zonas la piel y la fibra del músculo estaban desgarradas y el hueso, al descubierto, erosionado. El paciente no sufría quemaduras; los dedos no habían sido arrancados por ninguna explosión. No había visto nada igual.

—¿Alguien sabe qué le ha pasado a este hombre? —preguntó.

—Se abría paso entre los escombros de cemento y cristales para encontrar a su mujer —dijo una enfermera.

El médico miró a la enfermera por encima de su máscara y luego la cara del paciente.

—¿Se lo hizo él solo?

—Intentaba encontrar a su mujer —repitió la enfermera.

—Los dedos tienen más terminaciones nerviosas que los genitales —le dijo el médico a la enfermera con clínico laconismo.

Con los huesos abiertos hasta la médula, el riesgo de infección o embolia era evidente, al igual que la posibilidad de que algún fragmento entrara en su sistema circulatorio y creara una obstrucción fatal.

El médico volvió a examinar la cara del hombre; era joven, y amputarle las dos manos significaba condenarlo a una vida difícil. Decidió que los dedos más dañados, los dos primeros de cada mano, precisaban amputarse. Para los pulgares quizá pudiera crear unos toscos muñones cosiendo piel sobre el hueso que quedaba. Le quedaría lo bastante como para coger cosas, pero poco más. Los dos dedos exteriores de cada mano podían dejarse casi intactos, y con lo que le quedaría de los pulgares al menos podría asir cosas. El médico se dijo que ojalá no fuera alguien que construyera cosas con las manos.

* * *

Justo Ansotegui olió a su esposa Mariángeles en la cama, junto a él. Adoraba ese olor desde que comenzara a comprarle el jabón a Alaia Aldecoa. Olía igual que cuando volvía del prado o después de cocinar en Errotabarri.

—Justo, Justo —dijo Mariángeles. Debía despertarse pronto, pues había mucho que hacer, pero si se quedaba un rato más en la cama a lo mejor se levantaba con el olor de unos huevos fritos con chorizo. A lo mejor le hacía unos pimientos para comer, y luego cordero con su salsa de menta especial. Pero ahora pensaba en los huevos fritos con chorizo. Adoraba ese olor casi tanto como el de la nuca recién lavada de Mariángeles.

—Justo, Justo. —Justo volvió la cabeza hacia el olor de Mariángeles y abrió los ojos para ver, a través de una ventana parcialmente abierta, el árbol que florecía fuera.

—Justo, Justo.

Era Xabier.

Miró de nuevo en dirección a aquel olor y se dio cuenta de que no estaba en su dormitorio. Tampoco Mariángeles se encontraba a su lado. Y tenía los sentidos embotados, como si se hubiera emborrachado en un día de fiesta, y lo único que quería hacer era seguir durmiendo y perderse en el olor de Mariángeles y los chorizos.

—Justo.

Xabier seguía sacudiéndolo para apartarlo de Mariángeles. La luz que llegaba de una bombilla desnuda que estaba sobre su cabeza le hacía daño en los ojos y el sabor del éter le quemaba en la garganta.

—Justo.

Su hermano estaba apoyado en la cama, con el hábito completo. ¿Iba a administrarle la extremaunción? Se sentía bastante mal.

—¿Qué ha pasado?

—Justo, Dios te bendiga, vas a recuperarte.

—¿Qué ha pasado?

—Te quedaste atrapado debajo de un edificio.

Eso fue bastante para evocar los recuerdos del bombardeo y la mujer con la cabeza hacia atrás, y la mujer del panadero. Pero nada más.

—Justo, han tenido que amputarte el brazo, no había manera de salvarlo —explicó Xabier.

Justo miró hacia el lado izquierdo. Aunque sentía los dedos, la mano y el brazo y mandaba instrucciones mentales para que se movieran, no veía nada a ese lado. Eso le dio que pensar.

—No era mi mejor brazo —dijo Justo.

Xabier casi se rió.

—¿Lo sabe Mariángeles?

—Justo... Lo siento... —Xabier sabía que lo único que podía hacer era decírselo—. La mató una bomba.

La mató una bomba. Tenía que seguir preguntando, acabar con eso.

—¿Miren?

—Justo... Lo siento...

—¿Catalina?

—Justo, había tantos niños en el mercado... Sí, murió.

Justo volvió la cabeza hacia la ventana y miró hacia el exterior. Había sido un estúpido al pensar que por ser tan fuerte podría proteger a su familia.

Xabier había regresado de París inmediatamente después de su encuentro con la prensa, y los ayudantes de Aguirre ya habían localizado a Justo y redactado un informe sobre el destino de su familia. Resultó que Xabier había entrado en la plaza de la estación de tren a tiempo para presenciar la muerte de Mariángeles, aunque no tuviera ni idea de que ella se encontrara entre ese primer grupo de víctimas. Luego habían encontrado a Miren, a la que habían identificado enseguida porque todo el pueblo la conocía. Para tranquilizar a Justo le dijo que no había sufrido.

Legarreta le habló del valor insensato de Justo. Permaneció muchas horas atrapado y sangrando, con el brazo descoyuntado detrás de la cabeza a causa del peso de una viga de roble. Con la ayuda de los bomberos de Bilbao, Legarreta colocó una serie de soportes y puntales y extrajo a las víctimas y a los supervivientes.

—¿Dónde estoy? —preguntó Justo. Le daba igual donde estuviera, pero si hablaba y escuchaba no tenía que pensar.

—En el hospital de Bilbao. En Gernika te estabilizaron y te anestesiaron para el viaje. No se podía hacer gran cosa, y los médicos dijeron que no había otra opción que amputar.

Justo miró de nuevo a su izquierda, donde la sábana estaba lisa.

—¿Y mi anillo?

—Te lo he traído —dijo Xabier. Había llegado de Francia la mañana misma de la amputación de Justo. El médico le preguntó si deseaba bendecir a su hermano antes de la operación. Así lo hizo, y cuando examinó el apéndice grotescamente deformado, vio carne morada e hinchada en torno al anillo.

—¿Puede sacarle el anillo? —le preguntó al cirujano.

—Tendré que cortarlo y arrancarlo, porque el tejido está muy hinchado y dañado.

—No haga eso —dijo Xabier, a quien desagradaba ese simbolismo—. Una vez le haya cortado el brazo, ¿podría cortarle el dedo para llegar al anillo?

El cirujano asintió.

—No sentirá nada.

Mientras Xabier esperaba a que acabara la operación de Justo, recorría los pasillos abarrotados e impartía bendiciones a los pacientes. Después de varias horas, apareció el médico con el anillo, intacto y recién esterilizado.

—¿Ha ido bien la operación? —preguntó Xabier.

—Eso creo, pero hemos tardado el doble de lo que pensaba —dijo el médico—. Nunca había visto un brazo como ése. Era como serrar un hueso de jamón. Pero debería estar bien. Debería considerarse afortunado, esa viga podría haberle arrancado la cabeza. De hecho, esa herida habría matado a cualquier otro hombre.

Junto a la cama de su hermano, Xabier se sacó el anillo del bolsillo y lo puso en el anular de la mano derecha de Justo. No, se dijo, no creo que Justo se considere afortunado.

* * *

Cuando llegó el lienzo y lo extendieron sobre el bastidor, una extraña casualidad sorprendió a Picasso. Aquel caro estudio no tenía problema alguno para dar cabida a los ocho metros de largo de tela, pero los cuatro metros de altura no cabían verticales. Lo que hizo Picasso fue incrustar el bastidor contra las vigas formando un leve ángulo y mantenerlo así con una serie de calces que él mismo talló. Pero le preocupaba que el ángulo alterara la perspectiva.

Picasso comenzó a trasladar a esa tela inclinada los estudios a lápiz. Los esbozos sobre el papel habían pasado de la vaga geometría del mural a las detalladas explicaciones de cada componente. Un caballo como de dibujos animados cobraba vida junto a una madre con un bebé muerto en brazos; los ojos del bebé estaban abiertos y mostraban unas diminutas pupilas. El artista dibujaba repetidamente el caballo, la mujer y el guerrero caído, a veces a lápiz, a veces con pincel.

El toro estaba girado y transmutado, con la cara gruesa, unas fosas nasales gigantes y unas mejillas enormes y musculosas sobre unos labios humanos. Sobre el surco prominente de la frente se veían unas cejas enmarañadas, gruesas como las de los vascos. Comenzaron a aparecer lágrimas por todas partes: narices con lágrimas, ojos con lágrimas, junto con lenguas y orejas marcadamente cónicas.

Con un fino pincel y tinta negra, Picasso esbozó las imágenes sobre la tela. Utilizaba una escalera larga o un palo largo para llegar con el pincel a la parte superior. Con la camisa arremangada hasta el codo y un cigarrillo en la izquierda, Picasso se acuclillaba para trabajar en las zonas inferiores. El pelo, peinado en una larga cortinilla sobre el lado derecho para cubrirse la calvicie, le resbalaba y le caía sobre la frente.

* * *

La ceguera de Alaia Aldecoa le salvó la vida. Mientras huía trastabillando de sucesivas explosiones, la tierra se abrió y la engulló. Cayó dentro del cráter de una bomba de varios metros de profundidad, una depresión que la protegió de la fuerza de una bomba que la hubiera vaporizado de haber estado al nivel de la calle. Atónita y casi inconsciente, sangrando a causa de la caída, se aovilló en el fondo del cráter hasta mucho después del ataque. Se despertó tosiendo, ahogándose del polvo que aspiraba. Los equipos de rescate la oyeron en el fondo del hoyo y la llevaron a un centro de asistencia que habían instalado en el convento de las carmelitas.

La herida de poca importancia en la cabeza y la conmoción producidas por la caída tuvieron unos misericordiosos efectos narcóticos, y apenas percibió los ruidos de los incendios y los edificios que se desplomaban, ni los olores de los animales carbonizados. Cuando las dos monjas comenzaron a lavarla con agua fría, recobró la conciencia.

—¿Qué ha ocurrido? ¿Dónde...?

—Ha habido un ataque aéreo —contestó una monja—. No te muevas, tienes una herida.

—Mi amiga Miren, ¿la has visto? ¿Está bien? Miren Ansotegui.

La hermana que limpiaba la cara de Alaia con un trapo desvió la mirada hacia la monja de al lado. Negó levemente con la cabeza.

—Aún no lo sabemos —mintió la primera hermana—. Ahora deberías descansar.

A Alaia no le importó perder la conciencia.

Varios días más tarde, un grupo de monjas la llevó hasta el convento de Santa Clara, donde sus viejas amigas volvieron a recoger a la huérfana abandonada.

Con los dos meñiques asomando de las manos vendadas, Miguel forcejeaba con la puerta de Errotabarri para abrirla. El dolor le hacía aspirar profundamente y le cerraba los ojos hasta que lloraban. Había entrado gente. Tropas, quizá, o a lo mejor sólo refugiados hambrientos, causando cierto desorden. No se habían llevado ni roto nada importante. El delantal estampado aún colgaba del clavo. La trenza oscura de Miren colgaba del rincón de la repisa de la chimenea.

Cuando vio la trenza, sintió una presión en el pecho. Percibió el contorno exacto de su propio corazón y casi no pudo respirar. Era incapaz de mirarla, e incapaz de quitarla. Tendría que decidir qué hacer con ella antes de que llegara Justo. Sería lo primero que vería. Pero ¿qué le dolería más, su presencia o su ausencia? En algún momento lo hablarían. O quizá nunca.

Las semillas que se secaban sobre la viga habían desaparecido; las hierbas medicinales, también. Al menos alguien engañaría el hambre. Salió y miró a su alrededor. En el corral no quedaba ningún animal, claro. En un destello de gris y blanco, Miguel vio a un conejo buscando refugio tras una gavilla de paja podrida. Podría matarlo con el tirachinas... Vaya, se lo había dejado en la montaña cuando empezó el bombardeo. Todavía estaba ahí, junto con la sierra. Iré a por ellos luego, se dijo, como si pudiera utilizarlos.

Tras abandonar el hospital, Miguel fue primero caminando a su casa para descubrir que el fuego había destruido el interior, lo que había provocado el desplome del tejado, dejando un estucado de paredes calcinadas rodeando un montón de tejas destrozadas. En su taller quedaban algunas herramientas intactas, pero los muebles, lo que había construido para Cata... la cama... todo había desaparecido. Poco más que los goznes carbonizados y el cierre quedaba del arcón que le había regalado por su boda a Miren. El día de su boda. Miren.

Las astas pintadas del carnero de cartón de Cata estaban intactas, pero no encontró mucho más.

En las calles veía a otros deambulando igual que él, buscando cosas que ya no existían. Todos inspeccionaban el suelo mientras caminaban. A sus pies, Miguel vio unas cartas. Muchas cartas y papeles. Y trozos de vajilla rota. Unas gafas rotas. Zapatos sueltos. Zapatos por doquier, pero nunca con su pareja. Manchas de color entre el gris. Manchas de color sobre el papel. ¿Cómo podía haber habido tanto papel? ¿Es que los bomberos arrojaban papel para apagar el fuego? El agua negra de los bomberos formaba charcos y olía a ceniza húmeda. Vio una cinta para el pelo con el lazo aún anudado. Y más papel, quemado en los bordes, mojado en los charcos.

Había numerosas tropas rebeldes en el pueblo, pero no mostraban hostilidad ni amenaza, y ninguno le dirigió nada más que un gesto casual. Se daban cuenta de que Miguel no estaba en condiciones de ofrecer resistencia. Llevaba las manos vendadas en una posición protectora, sobre el pecho, al igual que las ardillas que solía ver en el bosque. Inconscientemente doblaba el torso para protegérselas de los empujones y caminaba encorvado como un anciano. Miguel no sentía rabia hacia las tropas. No era a ellos a quienes consideraba responsables de aquel daño. Ellos no habían arrojado las bombas. Tenían una expresión tan adusta como casi todos los del pueblo; no emanaban ninguna sensación de victoria. Deambulaban igual que los que no tenían casa; algunos estaban heridos y también sufrían.

Cuando Miguel se cruzaba con alguien que conocía, se saludaban con la cabeza, diciendo poco o nada. ¿Qué decir?

¿A quién beneficiaría comparar sus sufrimientos? He perdido un marido, dos hijos, el negocio y una pierna. Oh, es terrible. Yo he perdido a mi esposa, a mi suegra, dos manos, un hogar... y una hijita. Una niña pequeña. Basta, se dijo.

Al principio quería encontrar a alguien a quien preguntar lo que les había pasado a Miren y a Catalina, dónde y cómo habían muerto. ¿Estaban enterradas o tan sólo habían desaparecido? Pero cuando vio lo que quedaba del pueblo, comprendió que era absurdo. Los detalles serían una carga más. Para él, habían desaparecido tras dejar su casa aquella tarde. Las recordaría como eran en ese momento.

Antes de salir del hospital, Miguel decidió que se quedaría en Gernika, en Errotabarri, y ayudaría a Justo todo lo que pudiera. Puesto que en el pueblo todos conocían a Justo Ansotegui y habían oído cómo «había levantado un edificio entero para salvar a la mujer del panadero», a Miguel le habían contado lo de la pérdida del brazo nada más recobrar la conciencia. «Los médicos tuvieron que utilizar una sierra de través para amputar ese brazo gigante», decían.

Al menos Justo había conseguido algo, se dijo: hacer crecer su leyenda.

Otra opción era volver a Lekeitio: sus padres lo atenderían y lo alimentarían. Sus hermanas lo cuidarían. Podría comer pescado. Pero si lo hacía sería la víctima de la familia, y sabía que eso no podría tolerarlo. Araitz le abriría la puerta todos los días, Irantzu querría darle de comer. Los Ansotegui estarían al otro lado de la calle, y habían conocido a Miren... Miren... desde mucho antes que él; comprenderían su dolor y serían serviciales hasta el agobio. En Lekeitio también habría muchas cosas que le recordaran a Miren.

A lo mejor podía irse a América y volver a empezar. Tal vez encontraría a aquel antiguo vecino que se había ido allí. Sí, en América seguro que había una gran demanda de carpinteros con cuatro dedos. No, no se iría a ninguna parte; el dolor no es una cuestión de geografía. Necesitaba quedarse en Gernika. Sería el único lugar en el que no era un forastero. Ahora todos estamos forjados en la misma aleación, se dijo.

Pero lo que antes era Gernika ahora estaba irreconocible. Un hondo cráter ocupaba la plaza a la que iban a bailar. Las calles estaban obstruidas debido a los escombros que los trabajadores apilaban para llevarse. Se cruzó con un hombre que antaño le había comprado una cómoda para su mujer.

¿Qué decirle? ¿Qué decirle a nadie? Nada.

Se dirigió lentamente a Errotabarri sin levantar la vista del suelo, procurando no pisar los papeles y las cartas, ni los zapatos desparejados. Tenía que prepararlo todo para el regreso de Justo, y conseguir algo para comer. Juntos intentarían curar esa herida. A lo mejor entre los dos tendrían suficientes brazos y piernas para ir tirando lo que les quedaba de vida.

Mientras se encaminaba a Errotabarri, intentó evocar a Miren, pero no pudo. ¿Qué diría ella ahora? Miren siempre leía sus pensamientos, se los robaba. Así fue desde el principio. ¿Y ahora? ¿Qué diría ella ahora? «Estamos bien, *astokilo;* cuida de mi padre», y «Ahora cuida de Alaia, te necesita».

¿Está viva Alaia? ¿Cómo iba a estarlo?

¿Y qué diría Miren de la trenza? ¿Qué querría que hiciera?

* * *

Dodo tuvo noticias del ataque a través de los pescadores del puerto. La crónica de éstos, exagerada por ser de enésima mano, era que el pueblo había quedado reducido a cenizas y que aquellos que no habían muerto por las bombas o bien se habían quemado o bien los habían abatido las ametralladoras. Dodo pensó primero en el bienestar de su hermano, luego en la venganza. Instó a sus amigos pescadores a que le organizaran un encuentro con su padre y Josepe Ansotegui lo antes posible. No se le ocurría otra manera de saber quién vivía realmente y quién no.

Al cabo de un día, un amigo lo llevó en un pequeño esquife hasta el *Egun On.* Josepe y José María habían intentado llegar a Gernika nada más enterarse del bombardeo, pero la carretera estaba bloqueada y no se enteraron de lo ocurrido hasta que el padre Xabier contactó con ellos. Entrelazaron sus brazos con los de Dodo y le contaron lo ocurrido.

—Envidiaba a Miguel por haberse casado con Miren —dijo Dodo—. Nadie lo merecía más que él. Pero lo envidiaba. Pensaba que tenía todo lo que había deseado.

—Lo tenía, hijo —contestó José María—. Tenía una familia maravillosa.

El hablar en pasado los pilló a todos de improviso mientras seguían con los brazos entrelazados en la cubierta de la barca.

—La verdad es que no sabemos cómo ha quedado —continuó José María—. Perdió algunos dedos mientras intentaba desenterrar a Miren y a Catalina de entre los escombros.

—Tendrías que haberlo matado para pararlo, de eso estoy seguro —aseveró Dodo—. ¿Ha vuelto a casa?

—No, quiere quedarse en Errotabarri y ayudar a Justo.

Dodo los abrazó a ambos e hizo ademán de regresar al esquife.

—Coméntale que en cuanto se cure, si quiere marcharse de Gernika, podemos darle trabajo en las montañas —dijo Dodo mientras se disponía a abordar la lancha.

—Eso le llevará algún tiempo, hijo —contestó José María.

—Bueno, sé que va a sufrir —dijo Dodo—. Y seguro que se me ocurre alguna manera de ayudarle con eso.

A lo largo de casi todo el día anterior, los huérfanos habían sido transportados desde la estación de Portugalete, Bilbao, hasta el puerto principal de Santurce. Por la mañana, casi todos ellos habían cruzado la plancha del barco de vapor *Habana*, dándose la mano como si fueran recortables de papel. El *Habana*, un viejo barco de pasajeros de una sola chimenea convertido en barco de transporte de tropas, ahora estaba anclado en el muelle de Bilbao, un blanco perfecto para los bombarderos de la Legión Cóndor o para los italianos que servían a la causa rebelde. Aquella mañana las bombas rebeldes cayeron en el río, lo bastante cerca como para salpicar el *Habana*, pero los cuatro mil niños vascos subieron a bordo de todos modos, y parecían encantados de marcharse.

Se trataba de huérfanos de fallecidos en la guerra o de hijos de desplazados que estaban en peligro en Bilbao. Algunos eran bebés subidos a bordo por enfermeras y voluntarios de los orfanatos. Otros eran adolescentes. Esos pasajeros habían comido poco y habían visto demasiado; una combinación que sólo empeoraría con los efectos del bloqueo, los continuos bombardeos y la inminente ocupación rebelde. Tenían que evacuarlos. El gobierno inglés, escudándose aún tras el Pacto de No Intervención, consintió a regañadientes en evacuar a esos niños. Pero sólo a los niños.

Antes de que el *Habana* zarpara, Aguirre y el padre Xabier subieron a bordo. Aguirre, para asegurar a los niños que se iban sólo por poco tiempo y que eso sería una aventura memorable; Xabier, para bendecir el viaje y asegurarles que Dios los protegía.

Aguirre salió de allí animado por las caras felices de los niños, sobrecogido por su resistencia. Los habían bombardeado, matado de hambre, desarraigado, habían soportado la muerte de sus seres queridos, pero exhibían poco temor y ninguna tristeza. Les dijo que estuvieran orgullosos de ser vascos, porque todos los vascos estaban orgullosos de ellos. Aplaudieron al hombre del traje negro, aunque pocos sabían quién era.

—¿Crees que estarán fuera sólo unos meses? —le insistió Xabier a su amigo cuando bajaron al muelle.

—Sé que si se quedan aquí puede que en los próximos meses, o incluso en los próximos días, estén muertos.

—¿Junto con el resto de nosotros?

—Puede —reconoció el presidente forzando una sonrisa mientras despedía con la mano a los niños.

Aquellos chavales eran demasiado pequeños para comprender que el *Habana* era para ellos un bote salvavidas. Tenía otras cualidades que apreciaban de manera más inmediata. En él había comida. Muchos de aquellos niños habían pasado meses casi muertos de hambre. A bordo les daban huevos, carne y pan de cereales. Se atiborraban y se llenaban los bolsillos de comida. La comida era tan nutritiva y tanta cantidad que muchos enfermaron. Una borrasca de verano azotaba las aguas del golfo de Vizcaya, y nada más iniciarse aquel breve viaje de cuarenta y ocho horas muchos niños ya estaban mareados.

La tarde del segundo día, el *Habana* fondeó delante de Fowley, cerca del puerto de Southampton, y subieron a bordo algunos médicos voluntarios para reconocer a los niños. Aparte de algún malestar sufrido durante el viaje, los pequeños estaban sanos y animados. Desde la cubierta veían las casas que bordeaban la ensenada, decoradas con flores y precedidas de jardines perfectamente atendidos. Parecía un mundo de fantasía, tan distinto de lo que habían conocido, y repetidamente gritaban: «¡Viva Inglaterra!». Al día siguiente, atracaron con el acompañamiento musical de la banda del Ejército de Salvación. A causa de sus uniformes, los niños las llamaban las «Señoras Policías».

En el campamento donde los recibieron habían desplegado una pancarta sobre un camino de tierra que proclamaba que era el «Campamento de los niños vascos». Un conjunto de quinientas tiendas circulares, con una pica en el centro, brotaba en el campo. A los niños los bañaron, volvieron a examinarlos y un grupo de voluntarios les dio de comer.

A la mañana siguiente, el *Southern Daily Echo* publicaba un artículo bajo el siguiente titular: «Un saludo cordial y sincero».

> *... nos hacemos cargo de todo lo que deben de haber pasado estos muchachos en las últimas semanas, y esperamos que en los tranquilos y verdes campos de Hampshire encuentren descanso, alegría y —lo más importante— paz.*

En contraste con la posición de su gobierno, la generosa gente de la zona se alegró de poder «intervenir». Después de todo eran niños, bebés. Muchos recibían ropas nuevas de Marks & Spencer y chocolate de Cadbury. Transcurridos pocos meses, no fueron repatriados al País Vasco, sino trasladados a campamentos más permanentes en Stoneham, Cambridge, Pampisford y otras docenas de poblaciones que prestaban apoyo a las colonias de niños vascos. Iban a la escuela y jugaban, y comenzaron el proceso de recuperarse de lo que habían visto.

La Guerra Civil seguía asolando su país mientras Inglaterra estaba en paz, aunque en plena zozobra. Devolverlos a España sería condenarlos a muerte, o a una privación peor que la de antes. Los niños se integraban rápidamente, excepto los que vivían en un campamento cercano a una base aérea, donde las enfermeras y los supervisores repetidamente tenían que prometerles que los aviones que los sobrevolaban no arrojarían bombas.

* * *

El padre Xabier necesitaba un confidente. Su cómplice era una vieja amiga llamada hermana Encarnación. De un metro y cuarenta centímetros de altura, no pesaba más que un saco de plumas, tenía una edad indeterminada entre cincuenta y noventa años y era tan bondadosa como cualquiera de los santos mártires representados por las estatuas que había en el hospital. La hermana Encarnación era una ayudante de enfermería que también solía pasar unas horas en la basílica de Begoña, donde se encargaba de algunos pacientes que buscaban el consuelo de un altar o un confesionario. Allí conoció al padre Xabier, quien admiraba tanto su energía que en una ocasión le preguntó a la hermana si alguna vez se paraba a descansar.

—Las que somos pequeñitas no necesitamos descansar —le dijo—. ¿Alguna vez ha visto un colibrí dormitando en una rama? Un pestañeo ya nos descansa.

Justo, tras una serie de operaciones que le amputaron el brazo izquierdo hasta el hombro, fue trasladado al pabellón de rehabilitación. Cuando Xabier se dio cuenta de que no podía visitarlo todos los días, encargó a la hermana Encarnación que hiciera de vigilante. Justo, a quien le encantaba el vigor de la hermana, la adoptó y comenzó a llamarla «hermana *Txanpon*». Le cabía en el bolsillo.

Soldados y civiles heridos, pacientes amputados y quemados en diversos grados de rehabilitación, llenaban los pabellones. Eran las víctimas que se esperaba que sobrevivieran, si aún querían tomarse la molestia. Al hospital se le habían agotado las piernas de madera, y los pedidos de muletas y bastones llegaban con muchísimo retraso. Con la guerra, los fabricantes y distribuidores de esos productos no daban abasto.

Mientras tanto, la hermana Encarnación ayudaba a los heridos a aprender a adaptarse a su nuevo estado de mutilación. A los que les faltaba una pierna les enseñaba a ir con muletas, a subir escaleras, a adaptarse a su nuevo centro de gravedad. A otros les mostraba los trucos de vivir con un solo brazo; a bañarse y vestirse, a utilizar otras partes del cuerpo como una segunda mano para coger objetos. Enseñaba a enhebrar la aguja y a coser a las mujeres que les faltaba un brazo. A los campesinos que habían perdido una pierna les ilustraba cómo utilizar la guadaña mientras se apoyaban en las dos muletas. Equilibrio y punto de apoyo, repetía. Equilibrio y punto de apoyo. El mundo está lleno de perros de tres patas y gaviotas de una, afirmaba. Si ellos, con el cerebrillo que Dios les ha dado, lo consiguen, tú también puedes.

A los pacientes con quemaduras les sugería que afrontaran el dolor y la realidad de vivir desfigurados. El pelo de un lado de la cabeza podía peinarse sobre la zona quemada del otro lado de la cara. Manga larga, guantes y sombreros también ayudaban a disimular, si eso era lo que querían. Tenían que recordar que las miradas que recibían de la gente con la que se cruzaban eran de curiosidad, no malintencionadas ni un insulto. Y de ser así, se trataba de gente estúpida, y daba igual lo que pensaran.

Además de la destreza física, la hermana Encarnación pretendía mejorar la actitud de los inseguros, inculcar ánimo a los que lo habían perdido. A aquellos que necesitaban un empujoncito, les imponía una disciplina férrea. Con los que necesitaban consideración, era paciente y compasiva. Y con aquellos que sólo buscaban que los compadecieran, se mostraba totalmente indiferente. No estaba allí para recompensar la autocompasión.

A los que se quejaban siempre les decía lo mismo: «Mira a tu alrededor». Piensa en todos aquellos que ya no están con nosotros. Descubre el valor de lo que permanece. Equilibrio y punto de apoyo, señoras y señores, equilibrio y punto de apoyo.

No le costaba nada estar al corriente de las actividades de Justo. Con esa monja que era más o menos un tercio de su tamaño, Justo sentía una fraternidad espiritual. Su energía era magnética. Y puesto que a Justo la falta de un brazo no le impedía moverse entre operación y operación, la seguía a todas partes.

—Todo el día lo tengo como mi sombra —le informó la hermana a Xabier—. Me quiere llevar las cosas, si he de levantar peso lo hace él. Está impaciente por demostrar que está sano, fuerte, entero. Si ve alguna tarea para alguna persona con dos brazos, intenta demostrar que puede hacerla. Y ha empezado a ponerse duro con otros pacientes, a empujarlos. Amenazó a uno con sacudirle si me volvía a contestar mal o no hacía exactamente lo que yo le decía. Un soldado herido al que tuve que poner en su sitio me dijo que lo trataba como si fuera una fascista. Justo casi lo mata.

—¿Así que le crea problemas?

—Bueno, no necesito un alguacil —dijo la hermana Encarnación—. Y los médicos están hartos de que los rete a echar un pulso. —A Xabier no le sorprendía—. Constantemente me pide que le dé un golpe en el brazo derecho para que vea lo mucho que aguanta —añadió la hermana.

—Así pues, ¿hemos de presumir que está curado y a punto para irse a casa?

—No, no, en absoluto, ése es el problema —exclamó la monja—. Los médicos han hecho lo que han podido con su brazo, y pronto podrán darle el alta. Pero está tan ocupado convenciéndonos a todos de que está sano, que todavía no ha afrontado el hecho de que ha perdido un brazo. Se comporta como si hubiera nacido así.

—Hermana, el problema no es la pérdida del brazo, eso se lo garantizo —dijo Xabier—. Justo lo ve como un reto. Cuando lo ve queriendo trabajar y ayudar a los demás a curarse, aunque tenga que estrangularles para ello, no le quepa duda de que es así. No es el brazo lo que me preocupa. ¿Qué ha dicho de su familia?

—Ni una palabra. Por las noches se queda callado y triste. Le he echado un vistazo y sé que finge dormir, aunque casi nunca lo consiga. Padre, las enfermeras y yo nos hemos dado cuenta de que es el único paciente que ha llegado a ese punto en la rehabilitación y no suplica que lo mandemos a casa. Cuando llega ese momento, suelen estar hartos de nosotros y quieren volver con sus vidas. Él no ha dicho una palabra de su casa ni de querer volver. Parece que le haga feliz quedarse aquí y seguirme a todas partes.

—¿Alguien le ha asesorado?

—Padre, estamos esperando que venga a llevárselo.

—¿Yo?

—Para ser honesta, los médicos le tienen un poco de miedo —dijo la hermana Encarnación—. Nadie quiere hacerle enfadar. Cuando se pone huraño, es como si no oyera lo que le decimos. Sabemos que algo le ronda por la cabeza, pero ignoramos qué.

* * *

El mural proyectaba caos, y en ese aspecto casaba perfectamente con el taller del artista. Picasso, una auténtica urraca, apenas podía dar un paso en su estudio sin tropezar con una máscara tribal africana, un molde de bronce antiguo, esculturas de sus amigos, esbozos de obras inacabadas, valiosísimos cuadros de Matisse, Modigliani, Gris y otros desperdigados entre ese museo de la confusión. Intercalados entre los objetos artísticos había un caos de zapatos, libros, sombreros, correo sin abrir, botellas de vino vacías y comida sin acabar. Al otro lado del mural estaba el detritus de su arte, tubos arrugados de pintura y una alfombra de colillas aplastadas. Había un fuerte olor a humo y pintura, aceite de linaza y al afrutado perfume de Dora Maar.

Picasso había cambiado de posición los personajes. El toro, que había llegado demasiado tarde para ser el salvador, se enroscaba en una pose protectora en torno a la mujer con el bebé muerto. Había utilizado la imagen del minotauro en numerosas obras, pero ése no era el mito del hombre-toro, ése era un animal anatómicamente completo, listo para la corrida.

Borró las diminutas pupilas del bebé y dejó un inquietante vacío. El brazo levantado del guerrero había caído. El girasol estallaba como una lámpara incandescente que proyectaba rayos zigzagueantes de luz a la escena. Sutilmente,

Picasso encerraba todo el sufrimiento humano y animal y el exterior en llamas de un edificio dentro de una habitación con iluminación eléctrica, creando un diorama del dolor. A la derecha había pintado una puerta en este mundo al revés, ligeramente entreabierta.

A través de sucesivas encarnaciones, eliminó lo más patentemente sangriento. Muchos de los primeros estudios y de las primeras figuras esbozadas mostraban agujeros de bala de los que salía una sangre negra y trozos de cuerpo esparcidos al azar. Coqueteó con la idea de añadir textura con técnicas de *collage* y pegarle a una mujer un pañuelo en la cabeza, y en una ocasión pegó con cinta adhesiva un trozo de papel que parecía una lágrima roja a la mejilla de la madre, con lo que era el único punto de color en esa escena acromática. Demasiado evidente. Desasosegar a la gente es fácil; hacerla pensar resulta más difícil.

* * *

La culpa consumía a la penitente que estaba en el confesionario. Le explicó los detalles al cura, cómo se había metido una hogaza de pan bajo el delantal en el mercado. No era para ella, sino para sus hijos. Que ella no comiera no tenía mucha importancia, pero no podía hacer caso omiso de las lastimeras súplicas de sus hijos.

—Sí, he robado —dijo—. Y por una tarde los niños han tenido algo de pan rancio en la tripa. Estoy arrepentida ante Dios. Estoy arrepentida ante el panadero. Cuando acabe la guerra, le pagaré el doble de su valor. Dios lo comprende, ¿verdad?

El padre Xabier se enfrentaba todos los días a relatos como ése, junto con otras preguntas más difíciles de los feligreses acerca de cómo seguir adelante, cuántas plegarias quedarían sin atender. Habían perdido a sus padres en un bombardeo, o sus hermanas habían muerto de hambre, o, lo más frecuente, los maridos habían perecido a causa de un obús a medida que el frente se estrechaba en torno a ellos.

Le pedían explicaciones al padre Xabier, pero éste no podía ser el intérprete de lo inexplicable. De haber seguido la rutina, Xabier le habría recordado a la mujer que las pruebas difíciles eran un tema bíblico corriente y que los fuertes que tenían una fe profunda sobrevivían y luego conocían las recompensas de la virtud. Pero no dijo nada de eso al ver a través de la celosía la cara demacrada que hacía que una madre aún joven pareciera prematuramente envejecida. Lo que le dijo fue que no tenía que sentirse culpable por intentar alimentar a sus hijos. Era su tarea más importante.

—Procura hacerlo sin robar. Recuerda que los hijos del panadero también tienen hambre —dijo el padre Xabier, consciente de que a la mujer no le quedaban muchas opciones—. Intenta encontrar un cobijo. Y ten fe.

—Lo haré, padre.

—Entonces vete, hija. —Volvió a sentirse ridículo con esa expresión de paternalismo.

—¿No hay penitencia, padre?

Xabier sabía que la mujer ya había sufrido suficiente como para imponerle nuevos deberes, pero también estaba seguro de que no se sentiría absuelta de verdad sin sus oraciones de penitencia.

—Sí... reza.

—¿Rezar? ¿Cuántas oraciones?

—Todas las que puedas.

—Ya lo hago, padre.

* * *

Picasso adoraba y detestaba las ceremonias de inauguración: la manera en que todos se quedaban boquiabiertos aun cuando no tuvieran ni idea de si lo que veían era arte o una mierda. Pero aquel cuadro se daba a conocer enseguida, pues no había cortina lo bastante grande para ocultarlo. Cuando los invitados entraron en la sala, se dieron de bruces con el cuadro.

La pintura era un aullido, y lo oyeron de inmediato, aunque tardaron un poco más en captar los susurros. Vieron el guerrero caído antes de detectar una pequeña flor junto a la espada rota. Vieron el toro antes que el pájaro de alas rotas que había sobre la mesa, en un segundo plano más oscuro. La herida del caballo sólo era perceptible tras apartar la atención de la expresión de dolor de la boca. El público se quedaba mirándolo, lo recorría de un extremo a otro, descubriendo cosas nuevas mientras pasaban de un ángulo a otro.

A casi todos les impactó la obra, aunque sólo fuera la extensión y su alcance. No había asomo de color, y todo era puro blanco y negro, con algún apagado toque de gris. Necesitaron muchos minutos para asimilarla, mirándola primero de lejos y luego de cerca, de derecha a izquierda, a continuación retrocediendo para verla de nuevo en su conjunto. Su motilidad no se descubría enseguida; cosas ocultas en las sombras, formas medio borradas y progresivas, que crecían y se desdibujaban con el movimiento.

El toro ahora miraba al espectador, exhibiendo el ano arrugado y los testículos colgando, y los pezones de las mujeres parecían chupetes. En las palmas de las manos visibles se cruzaban una serie de líneas que presumiblemente predecían su desgracia común.

Cuando se expuso en el Pabellón Español, muchos cuestionaron el simbolismo y el significado. Le dijeron a Picasso que esperaban un retrato más literal del bombardeo. El mensaje está claro, aseguró él.

Una mujer intentó explicar su reacción ante el mural y sólo pudo decir: «Me siento como si alguien me cortara en pedazos».

Al preguntarle a Picasso cómo creía que se vería su obra con el tiempo, éste no se quiso comprometer. Dependería del transcurrir de la historia.

—Si la paz vence en el mundo —dijo—, la guerra que he pintado será cosa del pasado.

* * *

El presidente Aguirre alertó al padre Xabier de que necesitaba hablar con él en la rectoría, lo que significaba que no aparecería de repente en el confesionario. Las tropas rebeldes casi habían rodeado Bilbao y el único medio de escape era la carretera a Santander.

—¿Cuándo? —preguntó el sacerdote.

—Anoche estaba reunido en mi despacho con algunos ministros, planeando la evacuación, cuando estalló la ventana —le explicó Aguirre a Xabier—. Los rebeldes de monte Artxanda se encontraban lo bastante cerca como para dispararnos. Tres balas dieron en el escritorio y en la pared. Una rompió un cristal delante de mí. No sólo sabían dónde estábamos, sino que nos hallábamos al alcance de sus disparos.

—¿Ahora están tan cerca? —dijo Xabier, más como expresión de alarma que como pregunta.

—El monte Pagasarri está cayendo en este mismo momento —contestó Aguirre—. Nos quedan tres batallones, que se encaminan a las montañas sin nada más que fusiles de cerrojo y granadas. Les he escuchado cantar himnos en los camiones: «Somos soldados vascos; para liberar Eus-

kadi estamos dispuestos a derramar nuestra sangre por ella».
—Aguirre recitó la letra. Xabier emitió un gruñido de simpatía—. Hemos embarcado a más de diez mil refugiados a
Francia en los últimos dos meses, pero todavía quedan muchos...

—Amigo —le interrumpió Xabier—. Quiero decirte
que me pareció admirable que liberaras a los prisioneros rebeldes. Sé que fue una decisión dura y que te granjeó críticas, pero hiciste lo que debías.

—Me daba miedo que los mataran por venganza antes
de la llegada de los rebeldes —dijo Aguirre—. No lo lamento.
A cambio obtuvimos un alto el fuego de unas horas para preparar su regreso a las líneas rebeldes.

—Eso es algo que ellos no habrían hecho —señaló el
sacerdote.

—Nosotros no nos dedicamos al asesinato. La guerra
es horrible, pero el asesinato es otra cosa distinta.

—Yo soy el sacerdote, pero he vilipendiado a los rebeldes mucho más que tú. Sobre todo después de lo que le
hicieron a Lorca.

Los rebeldes habían capturado al poeta favorito del sacerdote y, como tenían entendido que era homosexual, le
habían disparado repetidamente en el recto antes de rema-
tarlo de un tiro en la cabeza.

—Lo sé —dijo Aguirre—. Pero los dos bandos tenemos mucho de que avergonzarnos.

—¿Cuánto falta antes de que entren en Bilbao?

—Depende de las ganas que tengan. En este momento
les conviene más rodearnos y matarnos de hambre. Conse-
guirán lo mismo gastando menos munición.

—Y entonces, ¿qué?

—En lugar de hacer que las tropas luchen aquí hasta el
último aliento, vamos a trasladar nuestras últimas divisiones

al frente de Barcelona. Aquí no podemos hacer nada más, pero allí las tropas pueden seguir combatiendo por la República.

—¿Y tú?

—Por eso estoy aquí. Esta noche me voy a Santander —dijo Aguirre—. Hemos considerado mantener aquí las tropas y el gobierno y luchar hasta la muerte, pero la sensación es de que nuestro destino ya está decidido. Vamos a exiliarnos.

—Me alegro de que te vayas, y me alegro de que vinieras a verme antes de irte —dijo Xabier—. Echaré de menos tus confesiones.

—Volveré —aseguró Aguirre—. Puede que tarde un poco, pero intentamos mantener el gobierno unido para no tener que remodelarlo del todo. Finalmente conseguimos la autonomía, y por eso vale la pena volver. Además, tengo que regresar porque no puedo perder de vista al sacerdote radical de Begoña.

—Vete con Dios, hijo mío —le despidió Xabier por costumbre, antes de enmendarse y decir—: Hasta pronto, amigo mío.

Aguirre salió de la rectoría, pero dejó un rastro de olor a tabaco.

Aquella noche, Aguirre y su familia subieron a un avión mientras el aeródromo de Santander sufría un fuerte bombardeo y el aparato despegó cuando las fuerzas rebeldes irrumpían en la pista. En los meses siguientes, los Aguirre fueron perseguidos por toda Europa, y a menudo tuvieron que ir disfrazados. Varios miembros de su familia fueron tiroteados y muertos.

Aguirre, sabedor de que su regreso a España significaría una ejecución inmediata, no podía volver mientras Francisco Franco fuera el dictador. José Antonio Aguirre, el primer presidente vasco, que juró su cargo bajo el sagrado roble de Gernika, nunca regresaría a su país.

Lo primero que hizo Franco después de la caída de Bilbao fue declarar ilegal el uso del euskera. A los vascos se les decía que «hablaran en cristiano», y a las dos semanas la jerarquía católica española emitió unas proclamas en las que condenaba a los sacerdotes vascos por haber hecho caso omiso de «la voz de la Iglesia».

Miren le llamaba desde el taller de esa manera juguetona que significaba que tenía una tarea para él. Miguel tenía la pata de una silla en el torno y olía a virutas de ciprés y sudor.

—¿Qué te parece este color? —le preguntaba Miren.

—*Kuttuna,* estás toda manchada de pintura —contestaba Miguel—. No deberías pintar con el vestido de boda puesto.

—Me ha parecido que este amarillo es demasiado vivo —decía Miren—. El negro será mejor, ¿no crees?

—Es muy oscuro... pero es diferente.

—Exacto, es diferente —convenía ella. Motas de pintura le manchaban la cara.

—Me da igual cómo quede —decía Miguel—. ¿Quieres que haga la parte de arriba?

—No, ya llego yo.

Miren bajaba la brocha y se abrazaban. Bailaban al son de la sierra de Mendiola.

—No sabes cuánto te añoro —decía Miguel.

Ella asentía.

Miguel le acercaba la boca al oído.

—Te quiero. Te echo de menos.

Ella le susurraba las mismas palabras.

—Te he buscado —decía él.

—Lo sé, *astotxo*, lo sé. Gracias. Sabía que lo harías.

—Me sabe mal que discutiéramos —continuaba Miguel.

—No discutíamos —decía ella, apartando un poco la cara para mirarle a los ojos—. Nunca fuimos de los que discuten. Aquello fue muy poca cosa.

—Fue tiempo que perdimos.

—Puede que no. Eran cosas que teníamos que decirnos, y eso fue todo. A todas las parejas casadas les pasan esas cosas.

Giraban lentamente al compás de la música, moviéndose como un solo cuerpo conectado. Giraban, giraban, se abrazaban con fuerza.

Se dejaban llevar en un lento balanceo. Más cerca.

—Gracias, Miguel —decía Mariángeles. ¿La madre de Miren?

Se unió al baile, abrazándolos a los dos. El mismo tacto. El mismo olor.

—Ella también echa de menos el baile —explicaba Miren.

Giraban, los tres, y la música se hacía más lenta, y las paredes más oscuras, y al final completamente negras.

* * *

Al padre Xabier le resultaba más difícil intentar hacerle de padre a su hermano mayor que dirigirse a una persona mayor llamándola «hijo mío». Siempre había sido el hermano menor de Justo, y de pequeño estaba supeditado a él. Ayudarlo era complicado; guiarlo, imposible. La mejoría física de Justo había impresionado a los médicos, a las enfermeras y a la hermana Encarnación. Pero a todos les preocupaba su retraimiento emocional.

Xabier le había escrito a Josepe para ponerle al corriente del estado de su hermano. En el pasado, Josepe a veces zarpaba hacia Bilbao para visitar a Xabier en la basílica, pero los bloqueos y el minado del puerto impedían ahora esos viajes. Xabier razonaba que Josepe sería quien mejor podría aconsejarle acerca de cómo tratar a su hermano, por su edad y porque tenía más en común con Justo que un clérigo célibe. Cuando menos, lo había conocido un año más. Pero esa súplica de consejo recibió una lacónica respuesta:

> *Querido Xabier:*
>
> *Hazme saber si puedo ayudar en algo —lo que sea—, aparte de aconsejarte en cómo tratar a tu hermano. A lo mejor por eso Justo te envió al seminario. Ahora puedes devolverle el favor. Buena suerte.*
>
> *Josepe*

Xabier, al no ver más alternativas, preparó un sitio para Justo en la rectoría de la basílica de Begoña. Al menos allí tendría comida y atención y estaría lejos del hospital y los médicos. Xabier cuidaría de él, lo mantendría lejos de los rebeldes que habían ocupado el pueblo. A Xabier le daba miedo cómo podría actuar Justo en presencia de los rebeldes, y poco podría hacer si su hermano decidía provocar un enfrentamiento.

Con los feligreses hablaba desde una posición de poder, y aunque hicieran caso omiso de su consejo, al menos fingían respetarlo. Decirle a su hermano cómo reaccionar ante la tragedia que le había azotado exigía una sensibilidad mayor. Pero también sabía que Justo no le toleraría que no fuera estrictamente honesto. Le exigiría franqueza y rechazaría la condescendencia. Pero si Justo no mencionaba a Mariángeles ni a Miren, ¿dónde estaba la honestidad *de él*?

Durante semanas, Justo se despertó antes del alba y trabajó en la rectoría, barriendo, quitando el polvo, recogiendo hojas del suelo.

—Tengo que ganarme los garbanzos —le decía a cualquiera que se acercara—. Puedo ayudar.

Que Justo no hubiera intentado asaltar alguna de las guarniciones rebeldes aliviaba a Xabier, que durmió mal las primeras noches que tuvo a Justo viviendo con él. Los soldados rebeldes no habían entrado en la basílica y Justo no había salido del edificio, de manera que no había existido la posibilidad de un encuentro. Por el contrario, Justo acometía las tareas diarias de la basílica tal y como había hecho siempre en Errotabarri.

Durante toda la misa permanecía sentado cerca de la puerta principal, haciendo de acomodador, ayudando a sentarse a los más ancianos, lo necesitaran o no. A veces levantaba a alguna anciana del reclinatorio si había rezado mucho y le costaba incorporarse. Luego recogía lo que pudiera haber caído entre los bancos y pasaba el mocho cerca de la puerta si había llovido. La basílica tenía un conserje, pero éste se mostraba muy cauto en su trato con Justo.

Justo se animó cuando vio aparecer a la hermana Encarnación y le gritó un poderoso:

—¡Hermana *Txanpon*, mire qué bien estoy! Venga, cierre el puño y golpee —le dijo a la menuda mujer al tiempo que se agachaba para que le llegara si decidía aceptar su invitación.

—No, Justo, no les pego a los pacientes, no está bien —dijo ella.

—Sí, pero míreme —insistió Justo—. ¿Eh?

—Sí, Justo, estás muy bien. Tu hermano me dice que le ayudas mucho.

—Tengo que ganarme los garbanzos —le aseguró—. Mire esto.

Justo esgrimió la escoba con una mano para demostrarle su adaptación.

—Eso está muy bien —dijo la hermana Encarnación como si le hablara a un niño.

La monja le siguió la corriente a Justo, aceptando que físicamente lo veía muy bien. Una alimentación decente y un mejor descanso lo habían ayudado a recobrar su vigor. Pero le parecía que aquella mejoría de su envoltura externa sólo hacía resonar más el vacío de su interior.

—Creo... me parece que está preparado para acometer la tarea más difícil —le dijo la monja a Xabier—. Creo que si espera mucho más las paredes serán demasiado fuertes y no podrá penetrarlas. Él confía en usted, padre, me ha dicho muchas veces lo orgulloso que está de usted y lo maravilloso sacerdote y hermano que es. Si confía en sus instintos con él, incluso podría ayudarle a usted a tirar adelante.

Xabier confiaba en la hermana Encarnación, pues durante décadas había trabajado con gente que se recuperaba de algún trauma. Durante la cena, cuando los hermanos estuvieron solos, Xabier expresó la pregunta que no se había atrevido a formularle desde que se fuera a vivir con él.

—Te veo bien, Justo. ¿Has pensado en cuándo te gustaría volver a Errotabarri?

Xabier calculó mal el momento de la pregunta, pues Justo acababa de engullir un gran trozo de pan. Bajó la mirada, acabando el bocado. Xabier contempló cómo el bigote de Justo ondulaba rítmicamente.

—He pecado de orgullo, hermano —dijo por fin—. Me creí un dios entre los hombres y el Dios verdadero decidió enseñarme la verdad.

—Eso no fue ningún pecado, Justo. Fuiste tú mismo, el que has sido siempre. Tu fuerza nos hizo salir adelante. Tu fuerza nos permitió conservar Errotabarri. Tu fuerza te ayudó a encontrar a Mariángeles. Tu fuerza construyó a tu familia. Casi toda la gente del pueblo quería a tu esposa, a tu hija, incluso a ti. Esas cosas eran importantes.

—Sí —dijo Justo poco convencido—. Pero que te hagan comprender que eres un tonto es muy duro.

—No eres ningún tonto, Justo.

—Te diré lo tonto que soy. Después de aquel sermón que asustó a todo el mundo, me fui a casa y me pasé el día y la noche afilando el hacha en la piedra y las puntas de la *laia*. Fui un tonto.

—¿Qué puedo decir, Justo? —preguntó Xabier—. No es culpa tuya, tienes que saberlo. No puedo decirte cómo dejar de sufrir. En eso no puedo ayudar a nadie, y ése es mi mayor fracaso. Hace que a veces también me sienta como un tonto. Pero tienes que encontrar una manera de afrontar lo ocurrido que no sea fingir que no pasó.

—Oh, sé que pasó —dijo Justo—. Y estoy dispuesto a afrontarlo a mi manera.

Xabier temía adónde podía llevar eso.

—La venganza no te devolverá a Miren ni a Mari —le advirtió—. Si matas a unos cuantos fascistas, pronto te matarán a ti.

—¿Por qué crees que haría algo así?

—¿No se te ha ocurrido?

—Xabier, creo que no te he hablado de la noche que conocí a Miguel —dijo Justo—. Vino a Errotabarri y por la noche me dijo que nuestro padre le parecía un egoísta. —Xabier no sabía la historia y le sorprendió—. Tal cual me lo dijo. Tuvo las pelotas de sentarse a nuestra mesa y decirme eso el día que nos conocimos. Dijo que si nuestro padre hubiera querido de verdad a nuestra madre, no la habría llorado hasta morir. El amor verdadero habría consistido en superarlo, y en vivir, en cuidar de nosotros.

—Nunca se me ocurrió pensarlo porque éramos muy pequeños, Justo, pero creo que tiene razón. Si uno de mis feligreses estuviera en la misma situación, le daría el mismo consejo.

—Me pidió que me preguntara qué le habría dicho nuestra madre a nuestro padre, y dijo que pensaba que ella le habría pedido que la llorara con todas sus fuerzas, sí, pero que luego tuviera entereza y pasara página.

—Justo, ¿qué crees que te diría ahora Mariángeles?

—Creo que diría: «Sigue adelante, Justo, llórame hasta decir basta, pero luego sé fuerte...» —contestó Justo, y agachó la cabeza.

—Creo que tienes que escucharla, hermano —dijo Xabier al tiempo que le cogía la mano a Justo.

* * *

En otoño habían retirado los escombros de casi todos los edificios quemados y destruidos para iniciar la reconstrucción. Los trabajadores metían los escombros de cemento dentro de los cráteres de las bombas, los compactaban y lo allanaban. Los agujeros de bala y metralla aún se veían en muchos de los edificios en pie, y posteriormente los taparían casi todos para borrar las huellas de lo ocurrido. Ésas fueron las cicatrices más fáciles de curar.

Para un carpintero, aquello habría sido época de vacas gordas. El ayuntamiento le solicitó a Mendiola que supervisara algunas partes de la construcción. Le pidió a Miguel que le ayudara, y éste le recordó que la última vez que participó en una iniciativa cívica fue para construir un refugio. ¿Qué normas de construcción se requerían ahora? ¿Iban a reconstruir los edificios en los mismos lugares como si nada hubiera ocurrido? ¿O todo sería nuevo y distinto para evitar comparaciones con lo de antes?

Casi todo lo hacían soldados republicanos —muchos de ellos vascos— condenados a trabajos forzados y obligados ahora a reconstruir el pueblo que habían sido incapaces de proteger. Pero los franquistas que ahora dominaban el ayuntamiento también contrataban a gente del pueblo, a los que pagaban una miseria. Miguel eludió que lo contrataran recordándoles que casi todas sus herramientas se habían perdido o estaban dañadas. Podría haber puesto sus manos como excusa, pero ahora las llevaba en el bolsillo. Había encontrado unas pocas herramientas manuales entre los escombros de su casa y también, oxidándose en la colina que quedaba sobre el pueblo, la sierra de través que había soltado la tarde del bombardeo. Decidió que prefería pasar hambre antes que trabajar junto a los condenados a trabajos forzados que podían haber sido sus vecinos.

Miguel puso a prueba sus manos con algunas tareas ligeras en Errotabarri, sobre todo para mantener la casa y el cobertizo. No había entrado en la habitación donde Miren dormía de pequeña. No había matado el conejo ni se lo había comido, y el no hacerlo encontró su recompensa en la aparición de algunos más que fundaron una colonia en el sótano. De repente apareció un pollo esquelético, como si acabara de salir de un huevo que hubiera quedado aletargado bajo la paja medio podrida. A lo mejor era el último pollo del País Vasco, se dijo Miguel. ¿El País Vasco? ¿Podía seguir llamándolo así?

Se tomó con calma su regreso al trabajo. No por la pena que aún sentía, sino porque lo que se podía conseguir en Errotabarri tenía sus límites. En verano brotó espontáneamente algo de maíz, y casi todo lo guardó para sembrar al año siguiente. Como no había ganado que alimentar, dejaba crecer la hierba con la esperanza de que se regenerara y rebrotara con más fuerza.

Descubrió que su arroyo favorito aún conservaba algunos peces que aceptaban gusanos y larvas, y con éstos preparaba un buen platillo, que acompañaba de setas que aún crecían en los barrancos de la umbría de la colina. Tuvo que reaprender el arte de la pesca a base de mucho probar. Sobre todo aprendió a adaptarse. Era capaz de manejar torpemente la sierra de través y la sierra de arco, y el berbiquí y la barrena. Se trataba de un trabajo agotador y cundía muy poco, pero lograba hacerlo si se lo tomaba con calma.

Miguel no pasaba más tiempo del necesario en el pueblo, pues aún había soldados de la Falange y era incapaz de saludarlos con la cabeza cuando se cruzaba con ellos. A medida que transcurrían las semanas, el número de tropas era menos numeroso, pero seguía habiendo fascistas y números de la Guardia Civil en una cantidad suficiente como para hacerle sentir incómodo.

Pasear por el pueblo conllevaba el riesgo de tener que hablar con alguien, y se daba cuenta de que eso le costaba una enormidad. Aparecer en público le obligaba a salir a la superficie, mientras que el resto del tiempo permanecía en los niveles subterráneos, extraviado en sus pensamientos, en sus ensueños. Si podía permanecer lejos de la gente, sus días eran menos complicados. No más fáciles, porque su vida era como avanzar en medio de un crepúsculo viscoso, pero menos complicados. Durante largos periodos no se daba cuenta de lo lejos que estaba de su conciencia hasta que intentaba decir algo, a las ardillas o al pescado que acababa de coger, y le sorprendía que las palabras le llegaran como en una tos, como si tuviera la garganta recubierta de polvo y telarañas.

El día que salió del hospital preguntó cómo estaba Alaia. Le habían dicho que había salido ilesa y que las hermanas la atendían. Preguntar más detalles habría implicado más charla, más tiempo en el pueblo. Había cumplido con su obligación.

Era mejor quedarse en las montañas, en el *baserri*. Aún podía talar un árbol y blandir un hacha. Era mucho más lento, pero en las colinas tenía tranquilidad, y el agotamiento le embotaba la mente. Hasta que eso no ocurría, era vulnerable a los recuerdos. ¿Qué edad tendría ahora Catalina? ¿Ya andaría? ¿Jugaría con los juguetes más grandes que le había construido? ¿Sería momento ya de tener otro hijo?

Vaciaba la mente e intentaba concentrarse en el murmullo de la sierra, talando un árbol tras otro hasta que el agotamiento le libraba de los recuerdos. A veces, cuando Mendiola le prestaba la mula, él le pagaba llevándole una carga de leña, y ganaba lo suficiente como para ir tirando, para comprar semillas con que replantar y comprar nuevas herramientas.

* * *

Alaia Aldecoa se sentía de nuevo enclaustrada ahora que el silencio se unía a la oscuridad como una constante en su vida. Había buscado con tanto afán abandonar el convento, y luego había gastado tantas energías convenciendo a Miren de que necesitaba ser independiente... Y ahora, de nuevo en su cabaña, no tenía nada aparte de independencia, y su vida antaño vacía se volvía más vacía.

No tendría más socios comerciales, como Miren llamaba a sus clientes. Había acabado con eso. La intimidad que buscaba había resultado ser otra cosa. Nadie llamaba a su puerta, y de todos modos no los habría dejado entrar. Muchos habían muerto; muchos buscaban otras cosas más urgentes. Se quedó con la hachuela que Zubiri utilizaba para partirle la leña. Si llegaban soldados con malas intenciones, la blandiría hacia donde se oyera su voz hasta que impactara o la mataran.

Tampoco acudía nadie a comprar jabón, y el mercado seguía cerrado.

Por la manera en que le colgaba el vestido se daba cuenta de lo mucho que había adelgazado. Zubiri aún la ayudaba como podía. Estaba solo y podía compartir la magra subsistencia que obtenía de su pequeño *baserri*. Zubiri sabía que su acuerdo había cambiado. Ahora eran sólo amigos, y ayudaba a Alaia por esa razón. Hablaban más, y eso parecía importante. Había conseguido esconder una cabra en una cabaña de pastor que tenía en las montañas, lo que significaba que podían disponer de leche fresca y queso. También tenía abejas, y compartía la miel con Alaia. Era una intimidad distinta.

A menudo se acordaba de Miren. Recordaba el olor del desayuno en Errotabarri y cómo Justo las obsequiaba con abrazos y exageradas historias mientras Mariángeles procuraba que no le faltara de nada. Se acordaba de Miren y de Mariángeles, de cómo parecían dos generaciones de la misma persona. Y cuando se iba a dormir recordaba a Miren, evocando las noches en su cama, compartiendo sus pensamientos, riñendo en broma.

Alaia ya no necesitaba saber qué hora era. Dormía cuando se le antojaba y todo lo que podía. Ahora sólo existía el dormir y el despertar, y en su oscuridad solitaria ambos eran muy parecidos.

¿Para qué ir al pueblo? Habían cambiado muchas cosas y no tenía a nadie que la guiara por las nuevas calles que rodeaban las nuevas construcciones. De manera que se quedaba en casa y sobrevivía sin objeto. A veces hacía jabones, aun cuando no hubiera mercado donde venderlos. Recogía hierbas del prado para perfumar el jabón y para hacer té, y verduras para hervir y comer.

Se descubrió pensando en Miguel y en la enormidad de su pérdida. Habían sido una familia perfecta. Pero Miguel había pasado casi dos años con Miren. Tenía a Justo y a su familia. Ella sólo tenía jabones y pensamientos, y le parecía poco motivo para vivir. Pero también contaba con una pequeña y ajada muñeca de trapo que se había vuelto más importante de lo que podía haber imaginado.

* * *

La madera en espinapez que formaba el suelo de la basílica de Begoña parecía empinarse en el trecho que iba de la entrada al altar. La hermana Encarnación ayudaba a una mujer con muletas a llegar hasta el primer banco, le enseñaba a hacer la genuflexión en su estado actual y luego regresaba a la intimidad de sus oraciones. Al final de la nave principal encontró a Justo Ansotegui, que la había estado observando.

—Tienes buen aspecto, Justo —susurró la monja.

—Gracias. —Justo le hizo seña de que se sentara—. Quiero disculparme con usted, hermana. No fui honesto. He hablado con mi hermano Xabier y hemos aclarado unas cuantas cosas.

—¿No has sido honesto con qué, Justo?

—Con mi familia, con mi vida, con todo lo que me pasaba por la cabeza —contestó—. Creía que no sería capaz de hablar de ello sin derrumbarme, sin mostrarme débil. No quería que me viera así.

La monja le dio unas palmaditas en la rodilla.

—Al no hablarle de mi mujer y mi hija le impedí que las conociera —dijo Justo—. Y para mí es importante que entienda quiénes eran.

—Justo, la gente ha de encontrar su propio camino —replicó la hermana Encarnación—. Eso lleva tiempo, y no es ser deshonesto. Es sólo que no estabas preparado.

—Hermana, mi esposa y mi hija eran mi vida —aseguró él—. Sé que constantemente se lo repiten. Lo único que podía hacer era convencerme de que estaban vivas en alguna parte a la que iba a regresar. De manera que sí, fui deshonesto con usted, y probablemente conmigo mismo. Me disculpo. Pues por lo mucho que se esforzó conmigo merecía algo más.

—Justo, yo conocía a tu familia —dijo la monja—. El padre Xabier me había hablado de ella. Sólo que no podía mencionarlos hasta que no estuvieras preparado. Sabía que cuando llegara el momento le dirías al padre Xabier cómo te sentías y que él te ayudaría a pasar por esto.

Se quedaron callados un momento, contemplando las velas del altar, que parpadeaban y se reflejaban en las columnas de piedra mientras los feligreses se dirigían a las capillas laterales para rezar. Era un lugar concurrido, pero solemne.

—Quería decirle que pronto volveré a casa —anunció Justo—. Espero que no pierda de vista a mi hermano. En nuestra familia tenemos el problema de creer que podemos salvar al mundo.

—Justo, eso es exactamente lo que él me dijo de ti —replicó la hermana Encarnación. Los dos rieron tan fuerte que algunos que rezaban se volvieron ceñudos, regresando a sus oraciones al ver que uno de los dos era una monja.

—Me preocupa que convierta los problemas de todos en los suyos, que quiera compartir su sufrimiento —dijo Justo.

—No te preocupes por él, eso es lo que le hace ser tan buen sacerdote —aseveró la monja—. Me dijo que eras tú quien le veía así a él.

—Hermana, sólo quería que se fuera de casa.

—Justo —dijo la hermana Encarnación con severidad—, estás en la casa de Dios, y aquí no deberías mentir.

Del bolsillo sacó un pequeño medallón de tela verde unido a una cuerda para llevar al cuello que llevaba estampada la imagen de la Virgen María y la inscripción: «Inmaculado Corazón de María, ruega por nosotros pecadores ahora y en la hora de nuestra muerte. Amén».

—Justo, quiero que lleves este escapulario.

—Gracias, hermana, lo haré.

—Nunca se sabe cuándo puedes necesitar ayuda de la Virgen.

—Desde luego.

Abrió la cuerda del pequeño medallón para que le cupiera la cabeza, se lo puso al cuello y se lo metió debajo de la camisa.

Los dos se levantaron, hicieron una profunda reverencia al salir al pasillo y se santiguaron. La hermana Encarnación comprobó que su paciente del primer banco aún seguía rezando y se dirigió a la entrada acompañada de Justo.

—Justo, nunca he tenido a un paciente como tú —dijo.

—¿Es un cumplido?

—Creo que sí —afirmó ella con una risita de pajarito—. Quiero que hagas lo que te diga tu hermano. Escúchale. Eres un buen hombre, y hoy en día no abundan.

—Hermana, le prometo que haré lo que pueda para volver a ser yo mismo.

—Bien, Justo —dijo—. Porque no me gustaría tener que ponerme dura contigo.

La menuda monja se le acercó como para abrazarlo. Pero lo que hizo fue extender los brazos todo lo que pudo y darle un puñetazo en el hombro derecho.

* * *

Como lo pasaban mejor ahora era pescando; en las colinas, en la tarde, con el frescor del arroyo bajo los alisos. Ninguno de los dos gritaba cuando cogían un pez, aunque ahora significaba más para ellos. Pero una reacción instintiva afloraba cuando sentía el tirón en el sedal. La relación le parecía a Miguel muy diferente a cuando subían centenares en una red.

La primera vez que regresaron al río, Miguel no sabía si ofrecerle ayuda a Justo a la hora de poner el cebo. Aunque Miguel sólo tuviera dos dedos y parte del pulgar en cada mano, en algunas cosas era más rápido que Justo. Poner el cebo en el anzuelo era una. Después de mutilar a docenas de larvas y gusanos mientras probaba diferentes maneras de clavarlos en el anzuelo, Justo dio con un método que repugnaba a Miguel, aunque tampoco le sorprendía. Cuando Justo encontraba un gusano gordo debajo de un tronco medio podrido o de una rama caída, se lo metía en la boca. Lo inmovilizaba con los dientes y los labios. A continuación se acercaba el anzuelo a la boca y le atravesaba el cuerpo. En una ocasión se lo clavó en el labio y pegó un berrido. A menudo Miguel veía sangre o tripas de gusano en el bigote de Justo y tenía que apartar la mirada.

—¿Qué? —exclamaba Justo cuando Miguel soltaba un gruñido.

—Nada.

—No sabe tan mal, Miguel. No es peor que algunas cosas que nos comemos para cenar. Si hoy no pescamos nada, puede que acabe siendo nuestra cena.

Pero quedaban algunos peces. Sacarles el anzuelo era un poco menos desagradable, aunque tampoco muy ingenioso. Justo ponía el pez en el suelo, lo pisaba con la izquierda y le arrancaba el anzuelo con la derecha. A veces la cuerda se rompía, el anzuelo se doblaba o con el anzuelo le arrancaba el labio al pez. El peso del pie ablandaba al animal, dejándole una textura harinosa. Pero ninguno de los dos era muy melindroso.

Miguel era un poco más diestro, pero algunas veces, cuando intentaba desenganchar el pez, le resbalaba de las manos y volvía al agua.

—Menuda pareja estamos hechos —decía Justo.

—Desde luego —contestaba Miguel—. Entre los dos una mano y puede que nueve dedos.

—Y tres orejas —añadía Justo—. ¿Tienes todos los dedos de los pies?

Sí, la oreja de Justo. Miguel no había esperado que la oreja de Justo le afectara tanto. Cuando el padre Xabier mandó recado a Errotabarri de que lo llevaba a casa, Miguel hizo todo lo que pudo para limpiar la casa y que todo pareciera igual que como lo recordaba. También quiso prepararle la comida. Miguel se fue a casa de los Mezo por si éstos podían ofrecerle algo, pero la casa estaba vacía. Suponía que Roberto probablemente seguía en alguna cárcel, pero no sabía nada del destino de Amaya ni de sus siete hijos. Cuando se acercaba al *baserri*, vio en el jardín un montículo de tierra con una cruz de maderos encima. Con carbón habían escrito sobre el madero horizontal: *Ama*.

Madre.

Lo que les había pasado a los niños era otro misterio. Miguel buscó por toda la casa para asegurarse de que no quedaba nadie. Y al encontrarla desierta, buscó algo que le ayudara a sobrevivir. No había comida, pero, sorprendentemente, encontró una botella de vino en un cajón de la cocina.

La guardó para la comida con que celebrarían el regreso de Justo. Uno de los conejos que había en la parte de abajo fue sacrificado. Miguel había encendido la lumbre y tenía la olla al fuego cuando llegaron los hermanos Ansotegui. Al principio fue un desastre. Justo vio la trenza de Miren y se derrumbó. Miguel vio la oreja de Justo y al instante pensó en Catalina. Sollozaron abrazados al unísono y Xabier los rodeó con sus brazos y recitó algunas oraciones. Esperaba que eso los calmara, que quizá les prestara auxilio espiritual, pero en realidad rezaba porque no se le ocurría otra cosa que decir.

Xabier vio el vino sobre la mesa, se apartó del abrazo y sirvió tres vasos. No hubo brindis, ningún *osasuna*. Y tampoco hablaron mucho. Miguel se acercó a la chimenea y quitó la olla en la que se cocía el conejo con unas cuantas verduras que había recogido. Justo se levantó para ayudar, mirando el delantal que colgaba del clavo.

Cuando llegó la hora de acostarse, los tres durmieron en la habitación principal. Recién llegado del hospital, Miguel había metido un catre pequeño y destartalado del cobertizo de las ovejas y había dormido en él. Se lo ofreció al padre Xabier, que no quiso discutir. Miguel y Justo durmieron en las dos butacas acolchadas.

A la mañana siguiente, antes de regresar a Bilbao, Xabier visitó la iglesia de Santa María, instando sutilmente a sus amigos y colegas a que le echaran un vistazo a su hermano. En ausencia de Xabier, Justo y Miguel tendrían que encontrar la manera de compartir su aflicción.

* * *

Los padres de Renée Labourd, Santi y Claudine, aún eran lo bastante activos e inteligentes para trabajar, pero tenían menos trabajo ahora que la Guerra Civil española había hecho que los guardias fronterizos estuvieran acompañados por las fuerzas militares de Franco, así que no tenían reparos en llevar a cabo ejecuciones improvisadas por deporte. El contrabando era más valioso ahora, pues los refugiados vascos, catalanes y republicanos buscaban una manera de pasar la frontera hacia la relativa paz de Francia. Pero la frontera era cada vez menos permeable, y los Labourd eran reconocibles pues la cruzaban frecuentemente.

Ahora quien operaba mayoritariamente era Renée, acompañada de su nuevo socio, Eduardo Navarro, que una vez superado su desastroso aprendizaje descubrió un talento innato.

—Papá, estarías muy orgulloso de Dodo, siempre se le ocurren nuevas ideas —dijo Renée a la hora de cenar.

—Dinos, hijo —contestó Santi Labourd—. No somos demasiado viejos para aprender.

—No... vosotros sois los héroes de la montaña —objetó Dodo—. Yo soy nuevo en esto. La única ventaja que tengo es que conozco mejor la manera de pensar de los guardias españoles. Vosotros, los vascos franceses, intentáis utilizar la lógica con ellos, pero la lógica no funciona.

—¿Por qué? —preguntó Santi.

—Los guardias españoles son previsibles —dijo Dodo—. Si hace calor, puedes estar seguro de que en las zonas con sombra habrá agentes y estarán impecablemente vigiladas. Así, donde dé el sol podéis hacer lo que queráis. Si llueve, vigilarán las zonas resguardadas de la lluvia. Si hace frío, rodearán la estufa y la protegerán con todo su contingente. Así, podéis ir un paso por delante y esquivarlos. Se reúnen en los pasos más fáciles, por donde suponen que pasaréis. No conciben que a nadie se le ocurra recorrer un sendero rocoso y empinado si puede transitar un camino sencillo.

—¿Y en el pueblo? —preguntó Claudine Labourd.

—Creo que comprendes su pensamiento; la gente se deja llevar por lo que ve y puedes hacerles creer lo que quieras.

—¿Sí?

Renée se rió.

—Deja que yo se lo cuente —le pidió—. Se ha inventado el engaño de la *baguette* —les explicó la joven—. Es muy sencillo y nunca falla. Puedes llevar un saco a rebosar de pistolas y munición, pero si pones una barra de pan encima, no eres más que alguien que va de compras.

—Me he fijado en la gran cantidad de gente que se pasea por la frontera con pan, y que de lo único que sospechan de ellos es que tienen hambre —dijo Dodo—. Es el disfraz más fácil imaginable.

—Y es comestible —añadió Renée—. Cuéntales lo de los cencerros de las ovejas, a mi padre le encantará.

Dodo sonrió.

—Habíamos intentado introducir paquetes a través de algunos de nuestros pases favoritos, pero habían instalado puestos de control. La última oportunidad que teníamos aquella noche era intentar pasar la garita de vigilancia en uno de los puertos donde hay muchos pastores que se desplazan de una zona de pastoreo a otra.

—¿Cómo lo conseguisteis?

—¡Con los cencerros de las ovejas! —exclamó Renée.

—Hacía frío y llovía un poco —dijo Dodo—, y sospechaba que los guardias de la garita estarían vigilando la estufa. Pedí prestados unos cuantos cencerros a un amigo que tiene un rebaño. Pasamos despacio por delante de la garita, haciendo sonar los cencerros cada pocos pasos como si «paciéramos», y nadie salió.

* * *

Para Justo, Miguel era culpable de una imperdonable cortesía; para Miguel, Justo era cruel en su inflexible consideración. Se sentían tan incómodos como en un baile formal entre dos desconocidos. No había manera de que uno comenzara la tarea más sencilla sin que el otro se preguntara si un ofrecimiento de ayuda se tomaría como un insulto.

Excepto la apagada alegría que compartían pescando, lo más fácil era evitar la compañía del otro. En cuanto volvieron a celebrar otra vez mercado, Justo se iba allí sólo para oír hablar a los demás. Miguel se quedaba en las colinas incluso después de haber acabado de talar. Con el tiempo Justo se fue a dormir a la vieja cama de Miren y Miguel se quedó en el catre en la habitación principal.

Los dos se levantaban pronto, pero Miguel solía prepararse un té flojo y se marchaba antes de que Justo saliera de su habitación. Justo trabajaba en Errotabarri, lo suficiente para mantener a los dos, pero no demasiado para que los demás no pensaran que había algo que valiera la pena confiscar. Miguel y Justo sabían por instinto que cuanto menos contacto tuvieran con los saqueadores, más oportunidades tenían de permanecer lejos de la cárcel.

Por la noche los dos solían reunirse para una cena escasa con todo lo que habían conseguido durante el día, ya sea cazando o pescando o comprándolo con los magros ingresos que conseguía Miguel con la madera. Después de varios meses, incluso la cortesía más elemental desapareció y a veces pasaban días sin que se dijeran más que:

—Buenos días, Miguel.

—Buenos días, Justo.

Una noche, una llamada a la puerta trajo un cambio.

—Justo... Miguel... Soy Alaia —oyeron al otro lado de la puerta—. ¿Estáis en casa? ¿Puedo entrar?

Corrieron a la puerta. Justo tiró para abrirla en su mitad y Miguel empujó para abrirla del todo. Alaia había llegado a Errotabarri ayudándose de su bastón, tras haber recordado el camino.

—¿Has comido? Nos queda algo de comida... si se la puede llamar así —le ofreció Justo.

—Ya he comido —dijo ella—. Ya no como gran cosa. Nada parecido a esas comilonas que preparaban Miren y Mariángeles, con cordero, espárragos y pimientos.

—Pues antes tenías un buen saque —recordó Justo—. A Mariángeles le encantaba alimentarte porque disfrutabas mucho comiendo. Ni siquiera hablabas porque no querías perder el tiempo abriendo la boca como no fuera para comer.

—Miren se burlaba de mí todo el rato, pero mientras ella se dedicaba a cotorrear, yo me tragaba un plato tras otro —dijo Alaia mientras Miguel la guiaba hasta una silla de las que rodeaban la mesa—. Y ese flan, Dios mío, qué flan.

—Vaya flan —coincidieron Justo y Miguel en armonía—. Oohhh.

Alaia sólo llevaba unos momentos en Errotabarri y los nombres de Mariángeles y Miren habían sido pronunciados por primera vez en meses desde el regreso de Miguel y Justo. Mientras hablaban con Alaia, no se sentían incómodos. Ella, de algún modo, amortiguaba la conexión entre ambos; eran incapaces de pronunciar los nombres entre ellos, pero sí podían hablar de sus amores e incluso recordar historias agradables de ellas cuando salía el tema.

—Tú me dabas esos maravillosos abrazos de oso —dijo Alaia, extendiendo los brazos en dirección a Justo, quien la abrazó y la rodeó todo lo que pudo con el brazo derecho. Ella lo atrajo hacia sí—. Justo, espero que no te importe, pero te he traído algo —continuó la chica, y colocó un paquetito en la mesa—. Si no lo quieres, lo entiendo. Me dije que a lo mejor a los dos os gustaría tenerlo por casa.

Justo supo lo que era al verlo. Desenvolvió el papel de cera y sacó una de la media docena de pastillas, quizá.

—Es su mezcla —explicó Alaia, aunque estaba segura de que Justo y Miguel reconocerían el olor—. Ya no es tan fácil conseguir los ingredientes, pero no la prepararé para nadie más.

Justo le entregó una pastilla a Miguel. Los dos se llevaron las pastillas a la nariz un momento, aspirando profundamente, y se quedaron mirando a la joven que había devuelto a su casa el aroma de la vida.

E l cartel que había sobre la ruinosa rectoría rezaba: «Bienvenidos, niños». Los miles de niños vascos desplazados que pasaban un año en el campamento
provisional de Southampton fueron distribuidos por la
campiña inglesa en grupos más pequeños, y uno de ellos
fue a parar a Pampisford. Como el gobierno no había cambiado su política de apoyo a los huérfanos, los ciudadanos
de cada localidad reunían ayuda a través de una serie de
hojas y anuncios en los periódicos. La gente de naturaleza caritativa comenzó a presentarse para ofrecer ayuda a
los niños.

Annie Bingham, una muchacha tímida de pelo corto y
rojo y una constelación de pecas en la nariz y las mejillas,
quería ayudar en todo lo que pudiera. Era una más de la media docena de voluntarios que limpiaban y restauraban el
edificio. Cuando Annie entró en la rectoría fría y polvorienta,
ésta palpitaba con los ritmos de los martillos y la melodía de
las sierras. Dado que llameaba como una tea cerca del techo,
se fijó en el pelo de un muchacho encaramado a una alta
escalera. Le salían los rizos de la gorra de carpintero. Si el ca-

bello de Annie era más color cobre, el de él era más color fuego. El joven se subió al último peldaño de la escalera para colocar las varillas de las cortinas.

—Maldita sea. —El joven pelirrojo dejó caer un soporte que golpeó contra el suelo de madera con un eco. Annie se acercó a la base de la escalera, recogió el soporte y se lo devolvió al joven para que no tuviera que bajar. Tuvo que hacer tres intentos antes de acercarlo lo bastante para que no amenazara con derribar al joven de la escalera ni le quedara fuera de su alcance.

—Gracias, pelirroja —dijo el joven.

Ella asintió y sonrió.

Charles Swan acabó de atornillar el soporte de la cortina y bajó para presentarse.

—Mis amigos me llaman Charley —se presentó, tendiéndole la mano tras limpiársela en los pantalones.

—Annie Bingham —dijo ella estrechándole la mano—. De Pampisford.

—¿Y qué te trae a este santo tugurio?

—Debería decir que mi espíritu caritativo, y en cierto modo lo es, aunque la verdad es que algún día espero ser profesora de español. —El joven sonrió—. Pensé que podría ayudar con los pequeños y practicar el idioma al mismo tiempo. Hoy me he acercado para ver cómo iba todo.

—*Maravilloso** —dijo Charley.

—*Hablas bien.*

—*Yo no hablo tan bien como tú.*

—Y a ti, ¿qué te trae por aquí? —preguntó ella, y levantó la palma de la mano como para abarcar todo el trabajo que estaban haciendo.

---

* Las palabras en cursiva de esta página aparecen en español en el original. *(N. del T.)*

—He acabado mi primer año de ingeniería en Cambridge —contestó él—, pero pienso tomarme un tiempo libre para aprender a volar. Un amigo de la universidad me contó lo que hacían aquí y me ofrecí a ayudarles para que el proyecto despegue.

—Volar, ¿el qué?

—Lo que estén dispuestos a enseñarme —dijo—. Quiero aprender a hacer volar algo.

—¿Dónde? ¿En la RAF?

—Buscan gente joven con conocimientos de ingeniería.

O con buena vista y pulso, se dijo ella.

—¿Y si hay guerra? —preguntó Annie.

Charley había considerado la posibilidad, desde luego.

—Siempre me ha interesado la ciencia más que ninguna otra cosa, desde que era pequeño —le dijo—. Es lo que más me atrae.

—¿Cómo despega un avión, por ejemplo?

—Y cómo se queda en el aire —repuso él, riendo.

Se contaron un poco la vida, y cuando llegaron los voluntarios con una vasija de sopa y varias fuentes de sándwiches fríos, se sentaron juntos en un banco, ante el humo que salía de sus cuencos de sopa caliente.

—¿Volverás cuando el edificio esté acabado y lleguen los niños? —preguntó Annie con las gafas un tanto empañadas.

—Eso espero —respondió él, aunque la verdad es que no lo había considerado. Había planeado regresar a casa de sus padres en Londres y pasar unos meses antes de ingresar en la Escuela de Adiestramiento de Vuelo de Reserva de Cambridge—. Si puedo, me encantaría ayudar a esos niños.

—A mí también —dijo Annie.

—¿Te importa si me acerco a verte de vez en cuando? —preguntó Charley.

Anne Bingham no había hecho nada para atraer a los chicos en la escuela. Pero ahí había uno que sabía lo que quería. Además, a ella le gustaba su pelo.

Chocó su taza metálica con la de él para brindar por esa posibilidad.

* * *

Justo comenzó a desaparecer. Miguel se despertaba temprano y descubría que Justo ya se había ido. Mendiola le dijo varias veces a Miguel que había visto a Justo en el pueblo, caminando o sentado tranquilamente en los bancos de calles secundarias a horas intempestivas.

Sin embargo en lugar de hacerse más distante, las esporádicas desapariciones de Justo lo hacían más resuelto. Había recobrado algo de vigor y cuando estaba en casa se le veía más centrado. Aún pasaba gran parte del día apagado, y ya no era tan fanfarrón ni vocinglero, pero hacía sus labores en Errotabarri con más energía.

—Tienes que salir más, Miguel —le dijo Justo un día. Miguel no se habría sorprendido más si Justo le hubiera sugerido que se apuntara a la Guardia Civil.

—¿Salir más?

—Sí, salir más. Salir de esta casa. Encontrar algún proyecto, algo que te mantenga ocupado.

—Estoy fuera de casa desde antes del alba hasta que anochece —le recordó Miguel—. Y trabajo.

—Toma, huele esto —dijo Justo al tiempo que le entregaba una pastilla de jabón del bolsillo, como si eso explicara su renovada vitalidad.

—Sí, lo huelo —replicó Miguel—. No hay ningún rincón de la casa donde no lo huela. —Y cuando lo olía le venían esos pensamientos que tanto le costaba controlar. Quería decirle a Justo: A lo mejor a ti esto te consuela, pero a mí me está matando; allí donde voy en esta casa encuentro estos jabones, huelo este olor, me acuerdo del nacimiento de su cuello, en cómo olía después de lavar a Catalina. Para Miguel no era más que otra razón para irse de Errotabarri.

En una de sus visitas, el padre Xabier observó la mejoría en la actitud de Justo. Felicitó a su hermano por lo bien que lo veía. Le daría un buen informe a la hermana Encarnación.

—¿Le ronda algo por la cabeza? —le preguntó Xabier a Miguel cuando Justo salió.

—Todavía sigue igual de callado, pero se mantiene ocupado, y eso es importante para él —dijo Miguel—. No he oído decir que pase el rato con la gente del pueblo, pero al menos trabaja y sale. Parece que eso ayuda.

—Y a ti, ¿cómo te va, Miguel?

—Hago mi trabajo.

—¿Has visitado a Alaia, la amiga de Miren? —preguntó el sacerdote.

—Vino una vez, pero no la he vuelto a ver.

—¿Debería ir a verla, Miguel? Sé que Miren querría que alguien la visitara de vez en cuando.

* * *

Tras el bombardeo, el nuevo ayuntamiento de Gernika tenía ahora una composición y una misión completamente distintas. Los antiguos partidarios de la República y el nacionalismo vasco estaban exiliados o en campos de trabajo, reemplazados por hombres nuevos en el pueblo o por gente con talento para la maleabilidad política y la lealtad al régimen.

A lo largo de los años Ángel Garmendia se había mostrado tan ambiguo en su posición política que era imposible atribuirle una creencia o una adscripción políticas. A veces carlista, en alguna ocasión vasquista, era ahora concejal del ayuntamiento y franquista convencido. Al igual que casi todos los conversos, Garmendia siempre estaba a punto para demostrar la fuerza de sus convicciones. Hizo que el ayuntamiento declarara que algunos de los negocios que seguían en pie en Gernika tenían que ser entregados a empresarios franquistas por el bien de la reconstrucción.

—La fuerza futura de nuestro pueblo depende de nuestra relación con los nacionales —dijo Garmendia ante el pleno del ayuntamiento, pues a las fuerzas de Franco ya no se las llamaba «rebeldes» ni «Falange».

Garmendia disfrutaba de extender su influencia en el pueblo, y en los cafés, o tomando un vino, impartía improvisados seminarios sobre las maravillas del nuevo gobierno de Franco, si, naturalmente, su público no estaba compuesto de desafectos al régimen o de heridos en el bombardeo.

Predicaba que las leyes referentes al vertido de residuos industriales en el río debían relajarse. En estos tiempos, decía, lo importante es procurar que los negocios prosperen. También resultaba crucial confiscar ciertos negocios, para liberar al país de los izquierdosos y rojos, que eran quienes habían originado todos los problemas, la gente que había dejado entrar el socialismo en el país con su preocupación por los así llamados derechos de los trabajadores.

Una noche, durante uno de esos discursos, Garmendia consumió una gran cantidad de vino. Cuando salía solo a la oscuridad, dio un traspié en el umbral del café.

Así pues, nadie se sorprendió cuando, al día siguiente, corrió la noticia de que Garmendia había tenido un trágico final. Garmendia, ese concejal que tantas ideas tenía para la nueva Gernika —y a quien tanto gustaba compartirlas— se había caído del puente de Rentería y se había ahogado.

Puesto que muchos le habían visto ebrio, no se investigó más cuando se le encontró muerto en las rocas que había un poco más abajo del puente. No obstante, no se sabía que Garmendia fuera un hombre particularmente devoto, por lo que resultó curioso que lo encontraran con un escapulario religioso verde colgándole del cuello roto. Rezaba: «Ruega por nosotros pecadores, ahora y en la hora de nuestra muerte».

* * *

Los niños procedían de hogares del auxilio social de Bilbao. Muchos habían perdido a sus padres en la guerra o a sus madres en el bombardeo. Reverenciaban a Annie Bingham por su sentido de la unidad y su espíritu. Ésta no se imaginaba las cosas que habían visto, y no obstante los veía felices y con ganas de jugar. Bromeaban acerca de los bombarderos fascistas que sobrevolaban Bilbao, sobre todo «El Lechero», que les visitaba todas las mañanas a primera hora. Le contaron a Annie el chiste de la Fuerza Aérea Vasca, compuesta por un solo avión de tan escasa potencia que los niños lo aceleraban con sus bicicletas mientras se esforzaba por despegar.

Annie se preguntaba cuántos nativos de un país cálido se adaptarían al ambiente frío y lluvioso de East Anglia. Cuando lo preguntó, todos manifestaron un unánime amor por ese clima. Un chico mayor lo explicó. «Los bombarderos no pueden volar cuando llueve», dijo. «Las nubes nos permitían jugar en la calle. Nos encantan los días lluviosos».

Cuán distinta había sido la vida de Annie de lo que ellos habían experimentado. Había vivido en una ciudad tranquila, con padres tranquilos, en una casa tranquila. Por las noches, a veces los tres ponían la radio para oír las noticias y los programas. Pero a menudo se sentaban en la sala, su madre bordando, su padre leyendo el periódico, Annie concentrada en sus estudios, con el paso del tiempo marcado por el hipnótico tictac del gran reloj Westminster de la repisa de la chimenea. Apenas se imaginaba, en aquel pacífico entorno, que unos niños, en otro lugar del mundo, tenían que enfrentarse a los efectos de unos bombardeos regulares.

Y así era como desarrollaban ese carácter complaciente que Annie tanto admiraba. La comida era abundante pero bastante sosa. No había quejas; no eran garbanzos ni sardinas podridas. Las camas crujían a causa de los cabezales de hierro sueltos. No había quejas; tenían colchones y mantas sin piojos ni chinches hambrientos. Los chicos jugaban a la pelota o al fútbol en el patio cenagoso. No había quejas; las bombas no interrumpían sus juegos. Las niñas se reunían para bailar en los estrechos pasillos y chillaban cuando los chavales llenos de barro las perseguían. No había quejas; no eran la Guardia Civil ni la Falange. Cuando los pequeños lloraban por la noche, un adolescente se les sentaba en la cama para consolarles. No había quejas; era su familia.

Annie ayudaba al pequeño grupo de enfermeras y maestros que habían acompañado a los huérfanos, cocinando y limpiando e intentando mantener el orden entre los enérgicos niños. Jugaba con los pequeños en el suelo, aconsejaba a los mayores, y a todos ellos les daba un motivo de asombro: su pelo. Los vascos de pelo negro y piel olivácea nunca habían visto ese cabello ni esas pecas. Le dieron el nombre de «Pelirroja», que le gritaban al unísono cuando la veían, y se sentía como si la hubieran adoptado en su familia numerosa. Annie abandonaba su casa contenta todas las mañanas porque sabía que en la «colonia» sería recibida con docenas de abrazos y besos de los niños agradecidos.

Algunos días, Annie traía a su periquito, *Edgar,* en la jaula.

—Qué piernas más flacas. No tiene comida —bromeaban muchos cuando veían a *Edgar* por primera vez, y hacían girar el pulgar y el índice delante de la boca como si mordisquearan un diminuto e invisible palito de tambor. No mucha carne.

Desde el día que comprara a *Edgar,* Annie lo asaltaba con un torrente de «Pajarito... pajarito... pajarito» en un tono nasal de pajarito, intentando enseñarle la frase mientras él se posaba en su jaula del salón familiar. En dos años, el periquito había respondido al recitado de Annie produciendo sólo una especie de tableteo con el pico.

Como Annie decía tan a menudo «pajarito», los niños asumieron que ése era su nombre y se lo gritaban cada vez que los visitaba.

La única respuesta de *Edgar* era: «Tictac, tictac».

Annie Bingham aguardaba con impaciencia sus días con los niños por otra razón. Charles Swan había decidido quedarse en Cambridge e ir a las clases de verano en lugar de regresar a Londres, tal y como había planeado, para pasar una temporada con sus padres antes de comenzar el servicio activo. Charles, a menudo, llegaba al final del día y la llevaba a casa o cenaban en algún pequeño café de la zona. Atraían las miradas de los locales: esas dos personas de piel clara y pelo rojo que tomaban el té mientras conversaban en un español rudimentario. Qué españoles más raros, decidían.

Pero casi todos sabían que estaban ayudando a los niños vascos, cosa que se consideraba una buena acción. Además, eran jóvenes y estaban borrachos o enamorados, de manera que imaginaban que eran forasteros.

* * *

Miguel conocía a Josepe Ansotegui casi desde que tenía uso de razón y lo consideraba un hombre de la máxima integridad. Desde que era joven, había oído a Josepe hablar de su hermano mayor, Justo Ansotegui de Gernika, como si fuera un gigante, el hombre más grande del mundo que tenía la mujer más hermosa. Cuando al final conoció a Justo en Errotabarri, se quedó intimidado, pero un poco decepcionado de que no fuera más alto. Era recio e inmensamente poderoso, pero Miguel era tan alto como él.

Cuando conoció a Justo, comprendió por qué Josepe y Xabier le tenían en tan alta estima. En cualquier caso, Justo impresionó aún más a Miguel por su herida. Seguía intentando hacer más que cualquiera con dos brazos y ocupaba el día con tareas aun cuando el estado del *baserri* no exigiera tanto trabajo. Era la determinación de Justo lo que más asombraba a Miguel. Aunque rara vez mencionaban a Mariángeles y a Miren, y nunca a Catalina, Justo encerraba su dolor en alguna parte, sin que pudiera salir de ahí. Era eso lo que Miguel quiso decirle a Josepe cuando visitó Errotabarri.

Josepe Ansotegui rara vez visitaba Gernika, pero aquella ocasión fue especial, pues llevó una remesa de bacalao salado, suficiente para varias semanas.

—Te acuerdas de cómo se prepara, ¿no? —le preguntó a Miguel.

Éste había visto numerosas veces realizar a su madre el prolongado proceso de desalado, y ya casi podía oler el bacalao.

—Ojalá pudieras quedarte unos días con nosotros —dijo Miguel, sabedor de que era improbable.

—Oh, mi hermanito tiene que coger más peces —comentó Justo.

—No es tan difícil como llevar un *baserri*, pero lo bastante como para que me tenga que marchar —replicó Josepe.

—Cuéntale, Miguel, cuéntale los peces que cogemos. Algunos son así de grandes —dijo Justo intentando hacer el gesto, aunque comprendiendo que con un solo brazo era imposible.

Miguel separó lo que le quedaba de manos poco más de quince centímetros, lo que hizo reír a Josepe.

A Miguel le fascinaba la manera en que Josepe, quizá el hombre más influyente de Lekeitio, asumía el papel de hermano pequeño cuando estaba con Justo. Su relación no había cambiado en cuarenta años. Miguel envidiaba a Justo porque sus hermanos podían ir a visitarlo cuando querían. Y se preguntaba cómo habría sido de distinta su vida de haberse ido a Francia con Dodo. O de haberse quedado en Lekeitio. Pero no habría cambiado por nada su decisión de vivir en Gernika.

—Tengo que irme —dijo Josepe abrazando a su hermano—. Disfrutad del bacalao. Ven conmigo, Miguel, quiero contarte cosas de tu familia.

Pero no tenía ninguna noticia de los Navarro, únicamente quería que Miguel le contara más cosas de su hermano.

—¿Está tan bien como parece?

—Tiene sus momentos —contestó Miguel—, y aún está distante, pero es más fuerte de lo que ninguno de nosotros imaginaba.

Josepe se daba cuenta de eso. La sorpresa de aquel viaje, sin embargo, la supuso Miguel, al que Josepe ya no veía como un joven. Miguel llevaba las manos en los bolsillos, lo que le daba un aspecto encorvado, como si fuera un viejo. Josepe habría creído que una persona joven sería más resistente y que sería Justo el que se vería más acabado. Pero Miguel parecía agotado, menguado.

—¿Y tú? —preguntó Josepe—. ¿Qué le digo a tu padre?

—Que voy tirando, con la ayuda de Justo —repuso Miguel, incómodo con el tema—. ¿Has visto a Dodo?

—Lo veo, sí —dijo Josepe—. Tu padre y yo lo vemos regularmente.

—¿Tenéis negocios juntos?

—En cierto modo, sí.

—¿No estáis metidos en ningún lío?

—Seguimos vivos, lo que significa que no estamos metidos en ningún lío. Aunque, con Dodo, desde luego eso es raro. No meterse en líos no es su fuerte. Pero parece haberse vuelto más sensato. Tiene gente que le ha enseñado mucho. Sobre todo una persona muy especial para él.

—¿De verdad?

—Sí, una persona muy inteligente —aseguró Josepe, y le guiñó un ojo a Miguel, gesto que éste no supo interpretar. Miguel esperó que le dieran más información, pero cuando Josepe hizo un silencio, supo que no debía insistir—. Tengo una pregunta más —dijo—. Quería hacérsela a Justo, pero no quiero que se enfade. ¿Qué es ese olor?

—Lleva jabón en el bolsillo —contestó Miguel—. Es el mismo que utilizaban Miren y Mariángeles. Hace que se sienta mejor.

—¿Y a ti qué te parece?

—A él le va bien.

Josepe nunca se tomaría a la ligera a su hermano. Y de hecho, el olor significaba una gran mejoría. Imaginaba que a Miguel se le haría muy duro oler el perfume de su mujer cada vez que Justo pasaba.

* * *

Aquella noche Miren bailaba para él, en el dormitorio de su casa, girando tan deprisa con la música que las faldas le volaban en una órbita enloquecida y la tela roja se hacía tiras que parpadeaban como llamas de satén.

Dios mío, gruñó sin abrir la boca.

—¿Qué pasa, me echas de menos? —le preguntó ella con una sonrisa coqueta mientras giraba de nuevo de manera que su falda hecha jirones mostrara un trozo de muslo—. Yo también te he echado de menos.

Giró varias veces más mientras se acercaba a los pies de la cama y a continuación se subió al arcón que él había construido para que ella guardara sus objetos más preciados.

La música se tornó más lenta y las notas del acordeón se ensamblaron con la triste melodía del arco de Mendiola, hasta que todo se convirtió en un medido murmullo y suspiro, murmullo y suspiro.

Miguel nunca había visto a Miren moverse de ese modo, meneándose más que bailando, arrastrando los pies más que saltando, moviendo las caderas como si instara a un caballo a ir a un medio galope.

Las cintas de sus zapatillas formaban un sendero por sus esbeltas pantorrillas hasta encima de las rodillas, donde se anudaban. Era más alta y su cara emitía una luz como la primera vez que la viera.

De repente hacía calor.

—Me encanta este baile —dijo Miguel.

—Me lo enseñó Alaia —replicó Miren, con su larga melena revelando la brisa que mecía las silvestres flores granates que de pronto brotaban a su alrededor—. Me ha dicho que te gustaría.

Alaia, sí, Alaia. El problema con Alaia.

—Siento que discutiéramos —dijo Miguel.

—Yo también, *astokilo* —respondió ella.

—No fue por nosotros.

—No fue importante.

Miren se mecía al ritmo de los tallos en flor.

—Intenté encontrarte —dijo Miguel.

—Lo sé. Sabía que lo harías. Me amas.

Miguel sonrió. Ahora le miraba las caderas, se concentraba en ellas, y entonces sentía que se le acercaban. Le tocaban. Le rodeaban.

Pero la mano que le agarra es incompleta y marchita, dolorida, y no puede agarrarlo. Y se despierta y ya no quiere volver a dormirse nunca.

* * *

La ciencia no le suponía ningún problema. La física del vuelo emocionaba a Charley Swan. Pasaba ligero entre los estudios de meteorología, navegación avanzada y las clases de comunicación, aprendiendo métodos que iban desde el Morse hasta radiotelegrafía avanzada.

Por suerte, como piloto novel no tendría que padecer el duro entrenamiento físico de los soldados de infantería. Había sido siempre un hombre de estudios y no había mostrado la menor aptitud para el fútbol ni el críquet. No obstante, pilotar un avión requería un talento físico que era más cuestión de destreza que de coordinación. Y desde el principio quedó claro que Charley lo tenía.

Su primera experiencia en vuelo fue con un Havilland Tiger Moth. A quienes hacían prácticas se les permitía familiarizarse con el timón y la palanca de mando en vuelo horizontal antes de dejar que practicaran el despegue y el aterrizaje. Los instructores recalcaban que un avión en el aire no entrañaba mucho riesgo; los obstáculos surgían cuando el aparato se colocaba tangente a la tierra. «Arriba no hay muchas cosas con que chocar», le decían a Charley. Con cinco horas de vuelo estaba a punto para despegar, y unas pocas salidas después ya le permitieron aterrizar. La primera vez pegó algún salto, la segunda se quedó corto y a partir del tercer aterrizaje se posó suavemente en el suelo.

—Casi todos los pilotos tiran de la palanca como si intentaran estrangular a una serpiente —le dijo el instructor—. Ha de ser algo más suave, como ordeñar a un ratón.

La clase de Swan era una mezcla de ingleses, australianos y canadienses, todos inteligentes, jóvenes y atraídos por el romanticismo de volar. Por la noche hacían incursiones en los pubs del pueblo y Charley Swan se iba a Pampisford antes de que sus colegas comenzaran a hacer la ronda. Éstos iniciaron unos rumores intencionadamente exagerados acerca del amor secreto de Swan que vivía en las afueras del pueblo.

Sólo una fracción de los compañeros de clase de Swan progresaría en su adiestramiento. Algunos eran negados para los estudios, otros nunca se sintieron cómodos con las sutilezas del vuelo y periódicamente aterrizaban fuera de la pista. Casi todos éstos abandonaban por la noche, sin decir nada, y como explicación sólo dejaban una cama vacía.

* * *

El nuevo comandante de la Guardia Civil del pueblo, Julio Menoria, siempre tuvo una visión muy estrecha de los derechos de los ciudadanos en España, sobre todo en el País Vasco, donde la gente era periódicamente incapaz de comprender la futilidad de sus pretensiones de autonomía. Si eran lo bastante afortunados como para vivir en esa zona de España, con su orgullosa tradición, ¿por qué iban a desear tener un país propio?

Ahora que Franco controlaba el gobierno de Salamanca, la aversión que Menoria sentía por los vascos podía expresarse abiertamente, y amplió sus poderes a la búsqueda e incautación de propiedades y tortura recreativa siempre que era necesario promover y proteger al nuevo gobierno.

En su currículum constaba el arresto del poeta y periodista vasco Lauaxeta, cuyas palabras quedaron silenciadas por un pelotón de fusilamiento. Fue un notable logro para Menoria, del que a veces alardeaba mientras tomaba unos vinos.

El agente atendía a sus deberes todas las mañanas a primera hora y trabajaba hasta media tarde, hora en que se iba a cenar. El camino desde su despacho al café donde comía todas las noches estaba cubierto de andamios y materiales que se utilizaban para reconstruir el pueblo. Aún se veían los cráteres de las bombas y otros agujeros excavados para instalar nuevos cimientos.

Quizá concentrado en su plan de trabajo para el día siguiente, Menoria al parecer no vio el cartel de aviso y se cayó en un agujero que se había excavado para reparar la conducción del agua. Era un agujero pequeño, pero profundo, y se tardó varios días en descubrir el cuerpo del guardia civil, sólo después de que los trabajadores notaran un desagradable olor.

Julio Menoria era católico, pero debía de haber sido más devoto de lo que recordaban sus agentes, pues cuando lo descubrieron encontraron que llevaba un escapulario del Inmaculado Corazón de María alrededor del cuello.

La gente del pueblo, siempre dispuesta a atribuir las coincidencias o lo inexplicable a las fuerzas de Dios, del demonio, de las hadas o de los espíritus, comenzó a responsabilizar de los recientes acontecimientos a un poderoso espíritu vengador.

—Es la Virgen María —le dijo un día Mendiola a Miguel en el aserradero—. Los dos llevaban el símbolo del Inmaculado Corazón de María. ¿De verdad te parece una coincidencia?

—¿No es posible que los dos llevaran escapularios? —preguntó Miguel—. A lo mejor son órdenes de Franco.

—¿Y los dos mueren en un accidente? —replicó Mendiola—. ¿Y los dos llevan un escapulario? Eso es obra del Espíritu Santo.

—¿Un milagro? ¿Y por qué aquí?

—Mata fascistas porque arrojaron bombas en su iglesia, Santa María —dijo Mendiola—. Lo ves, *Santa María*. Puede que no te hayas enterado de lo que pasó en la iglesia con... con tantas cosas como ocurrieron, Miguel, pero una bomba incendiaria atravesó el techo y cayó en el suelo. No explotó, Miguel. Muchos dicen que vieron la imagen de la Santa Madre en el polvo que bajó flotando del techo.

—¿Los sacerdotes han dicho algo de los escapularios?

—No van a negar un mensaje tan evidente. Después de todo, estos días los bancos están llenos y se encienden muchas velas.

—¿Alguien ha mencionado esta teoría a los concejales del ayuntamiento?

—Algunos lo han intentado —dijo Mendiola negando con la cabeza—. Pero después de esta segunda muerte, cada vez es más difícil encontrarlos.

$\mathcal{A}$ nnie Bingham, Charley Swan y la señora Esther
Bingham contemplaban cómo el señor Harry Bingham sintonizaba delicadamente la radio. Cada uno extendía reflexivamente la mano derecha, rodeando con los dedos diales invisibles para poder captar una señal lo más nítidamente posible. *Edgar* hacía ejercicio, volando entre la puerta abierta de su jaula y el hombro de Annie. Había sido un día importante para los ingleses, sobre todo para aquellos que tenían algún ser querido en el ejército, y estaban ansiosos por oír el histórico anuncio.

Aquella tarde, en la escuela de vuelo, había corrido la noticia del regreso del primer ministro Neville Chamberlain al aeropuerto de Heston tras su reunión en Múnich con el canciller alemán Adolf Hitler, el dictador italiano Benito Mussolini y el primer ministro francés Édouard Daladier. Varios radiotelegrafistas que trabajaban en su choza sin ventanas informaron a Charley de la declaración de paz de Chamberlain. Se cederían los Sudetes a Alemania. Hitler quedaría satisfecho y se evitaría una guerra que acabaría afectando a todo el continente.

—Igual que los españoles —protestó Annie—. Como no los conocíamos, daba igual lo que les pasara. Bueno, señor Chamberlain, ahora los conozco. Deberíamos haber hecho algo para ayudarles.

Sus padres y Charley, sorprendidos por su apasionamiento, fueron incapaces de contestar. Charley esperaba que las noticias de la noche mitigaran la ansiedad de Annie.

Procedente del número 10 de Downing Street, la voz de Chamberlain llenó el salón de los Bingham.

—Nosotros, el Führer y canciller alemán y el primer ministro británico, coincidimos en reconocer que la cuestión de las relaciones anglo-alemanas es de primordial importancia para los dos países y para Europa. Consideramos que el acuerdo simboliza el deseo de nuestros dos pueblos de no volver a emprender una guerra entre nosotros.

En la transmisión se oyeron los vítores de la multitud congregada en sus gritos de «hip-hip hurra por Chamberlain».

—... estamos decididos a prolongar nuestros esfuerzos por eliminar los orígenes de nuestras diferencias y contribuir así a la paz de Europa.

Charley y el señor Bingham se unieron a los vítores de la radio.

De manera más informal, sin leer ya la declaración que traía preparada, Chamberlain prosiguió:

—Queridos amigos: por segunda vez en nuestra historia, un primer ministro británico regresa de Alemania trayendo una paz honorable. Creo que es una paz para nuestra época. Y ahora... id a casa y dormid tranquilamente.

Los cuatro que estaban en casa de los Bingham respiraron. El primer ministro les aseguraba la paz y les prometía un sueño tranquilo.

Annie y Charley retiraron el servicio de té y las tazas del salón y se quedaron un rato a solas en la cocina. Obedeciendo a Chamberlain, el señor y la señora Bingham dormitaban en su butaca y su respiración se acompasaba al reloj que había sobre la chimenea, encima del cual se posaba ahora *Edgar,* también dormido como un tronco.

* * *

Emilio Sánchez nunca había aspirado a ejercer el poder político al servicio de Franco. Jefe de una guarnición en el sur de España, se unió a la rebelión de Franco porque vio que de lo contrario le pegarían un tiro. Las ideas políticas y las creencias no eran ningún factor, pues carecía de ambas. Aquel día tan sólo se dejó llevar por la corriente. Los agentes rebeldes más fanáticos apuntaban sus armas al azar y disparaban a la menor provocación, de manera que habría sido absurdo protestar. Así surgieron muchos rebeldes indiferentes.

Al mando de la unidad de trabajos forzados de Gernika, Emilio Sánchez ahora apreciaba su trabajo. Le encantaba ese cargo de autoridad sin responsabilidades apremiantes. No había mucho que supervisar, pues a sus superiores tanto les daba la velocidad ni la cualidad de la reconstrucción. El mandato implícito era mantener a los presos ocupados, alimentarlos lo menos posible y no presentarse ante sus superiores pidiendo más recursos. Si los presos morían, se traían otros nuevos. Si protestaban, se les pegaba un tiro. Si los guardias necesitaban más comida, se confiscaba la de la gente del pueblo.

Ahora él era la ley y él hacía y deshacía a su conveniencia. Emilio Sánchez no tenía problemas morales con la teoría del botín de guerra. Los suyos habían ganado. Le sorprendía, de hecho, dada la naturaleza de los tiempos, que el uniforme le quedara cada vez más apretado. Estaba ganando peso.

Los agentes de su unidad habían requisado una casa pequeña e intacta que quedaba en las afueras del pueblo como cuartel general. El despacho de Sánchez era la habitación más grande, en la parte de atrás, y contaba con un porche desde el cual tenía una agradable panorámica de las colinas. En ocasiones, al atardecer, se sentaba en una silla en el porche acompañado de una botella de vino confiscado, fumaba un cigarrillo y contemplaba el bucólico entorno para relajarse.

Una tarde sus reflexiones terminaron abruptamente. Lo descubrió a la mañana siguiente uno de sus ayudantes, que inmediatamente comprendió que en su muerte no había nada de accidental. Le habían clavado en el pecho una azada vasca de dos dientes, la *laia*, con tanta fuerza que había quedado clavado a la pared. La sangre caía en senderos paralelos por la pechera del uniforme. De la *laia* pendía un escapulario verde de la Virgen María, que se mecía a la brisa matinal.

* * *

Charley Swan meditaba acerca de su secreto. Antes de las vacaciones lo iban a mandar a Norwich para aprender a manejar los bombarderos Blenheim. Mientras sus compañeros se le acercaban para felicitarlo, él temía la reacción de Annie. Había decidido darle la noticia en algún momento en que la viera especialmente comprensiva, sólo que éste no llegaba nunca, y se guardó la noticia durante dos semanas.

Cada vez que Annie se encontraba con Charley después del trabajo, le hablaba de tener niños con tal entusiasmo que él nunca tuvo la opción de decírselo. Annie daba clase de conversación en inglés a los niños. A veces se llevaba algún grupo reducido al mercado, donde utilizaban lo que habían aprendido. Los días de sol a menudo iban a un parque cercano, donde no perder de vista a esos niños vocingleros suponía un reto a su energía, si no a su paciencia.

Cuando Charley llegaba al final del turno de Annie, ésta lo sepultaba con las nimiedades del día. ¿Cómo podía escuchar sus felices divagaciones durante media hora y luego soltarle la noticia importante que tenía que darle?

Pasaban casi todas las veladas juntos, medio cortejando. Transcurrieron semanas antes de que se cogieran de la mano y un mes antes de que se les viera caminar del brazo por el pueblo. Iban al cine una vez a la semana y allí, en la oscuridad, entrelazaban los dedos hasta que se les dormían. Tras apretarlos y estirarlos y secarse las palmas en la pernera del pantalón, Charley buscaba de nuevo la mano de ella y se sonreían el uno al otro.

Pero una tarde templada de mitad de otoño, Charley llegó a un punto en el que sería imperdonable seguir guardando silencio. Llegaría cuando ella acabara la jornada, pasearían por un parque cercano y él le comunicaría sus planes. Tras haber ensayado su discurso, Charley Swan se adentró en el caos. Los gritos de los niños resonaban por la vieja rectoría.

Un niño abrió la jaula de *Edgar*. El pájaro dio una vuelta por la habitación y se posó en el alféizar de una ventana abierta. Los niños gritaron: «Pajarito... pajarito». Annie corrió hacia él y colocó el índice horizontalmente en el aire, creando una percha que atraía a *Edgar* siempre que revoloteaba por la sala. *Edgar* contempló aquella muchedumbre vocinglera e inició una apresurada salida sin más que un «tictac, tictac» como despedida.

Annie Bingham no podía culpar a los niños ni a *Edgar*. Y contuvo sus emociones hasta que Charley la sacó de la rectoría. Primero comenzó sorbiendo por la nariz y al final llegaron las lágrimas. Charley sacó un pañuelo y la abrazó. Besó la copa de su gorro de punto y luego sus mejillas húmedas. Annie le devolvió el abrazo hasta que la energía de su proximidad le hizo superar la sensación de pérdida. Charley sacó la jaula vacía y pasearon lentamente por el parque de la mano. Charley decidió que ése no era el momento de decirle que él también se iría pronto.

* * *

Después de que la Inmaculada Madre de Dios mandara a tres fascistas a la tumba, la Señora cambió de táctica. El mensaje ya estaba enviado y había quedado bien claro: aquellos que habían participado en la destrucción de esa histórica población eran vulnerables a la muerte a manos de un espíritu vengador.

* * *

Ángel Garmendia, concejal del ayuntamiento de Gernika, se había ahogado en el río. Julio Menoria, jefe de la Guardia Civil, fue encontrado muerto en un hoyo. Y al comandante de la unidad de trabajos forzados lo encontraron ensartado por un apero de labranza. Todos llevaban un escapulario del Sagrado Corazón de María.

La gente del pueblo sabía que eso era obra de un vengador divino. Ningún mortal podía causar el fallecimiento de los tres sujetos más repugnantes del pueblo sin dejar rastro. Los escapularios lo decían todo. Los milagros ocurren. En misa se mencionaban continuamente. ¿Qué mejor lugar para que la Señora se apareciera? La Madre de Dios lo ve todo, decían, y coincidían en que Ella estaba allí, y sin duda de muy mal humor.

Lo que acabó de convencer a la gente del pueblo de que eso era obra de la Virgen fue que su venganza tuvo fin. Tras mermar la grey de la Falange, las singulares muertes acabaron. Pero no los mensajes.

No habían transcurrido más que unas pocas semanas cuando ciertos individuos comenzaron a recibir unos recordatorios que hicieron crecer el mito. Una mañana en que un capitán de la Guardia Civil se dirigía al trabajo, descubrió un medallón colgando en la puerta principal de su casa. Se encerró en el dormitorio durante tres días.

Un concejal abrió el cajón de su escritorio y se encontró un escapulario con la siguiente inscripción: «Ruega por nosotros pecadores, ahora y en la hora de nuestra muerte». Su reacción inmediata fue dimitir de su cargo.

Entre su correo diario habitual, el comandante de la guarnición local del ejército encontró un sobre sin nombre ni dirección. Con un abrecartas que parecía un sable en miniatura desgarró el sobre y se encontró con un colgante religioso.

Las amenazadoras intrusiones pronto fueron de dominio público en aquel pueblo pequeño y chismoso, fomentando más miedo y suspicacias entre los opresores, así como una considerable satisfacción entre los lugareños. En una época en la que aquella gente tenía pocos motivos de felicidad, la noticia de que una deidad protectora había asustado tanto a un mequetrefe fascista que se había meado en su despacho era suficiente para alegrarte enormemente el día.

* * *

La cola que se había formado para ver el cuadro serpenteaba por varias manzanas de Whitechapel High Street y no avanzaba más que unos pasitos cada vez, entre los que se intercalaban largas pausas. A excepción de su plan de proponerle matrimonio a Annie Bingham, Charley Swan se había concentrado totalmente en los mecanismos concretos físicos y mentales de pilotar el bombardero Blenheim.

Después de dos semanas de vacaciones, incluso de camino a esa exposición, su mente no dejaba de darle vueltas a las exigencias de volar. Doblaba las esquinas como si hiciera virar el avión; sentía la dirección del viento y calculaba cómo su velocidad afectaría a su velocidad relativa de vuelo. Aquellos meses de adiestramiento le habían cambiado. Pero no más que a Annie, que inexplicablemente había florecido durante su ausencia. No podía evitar pensar en ella como en un motor que ahora iba al ralentí a más revoluciones por minuto.

Tratar todos los días con los niños vascos la llenaba de energía. Absorbida por el torbellino que creaban varias docenas de niños, Annie no estaba para comentarios ahogados ni expresiones reservadas. Charley comprendió la diferencia cuando regresó a Pampisford antes de que los dos iniciaran su viaje de placer a Londres. Descubrió a una mujer con carácter en lugar de la tímida muchacha que había dejado meses antes.

Ella lo recibió al grito de «Pelirrojo», le dio un prolongado y efusivo abrazo y un beso en los labios seguido de una inspección y otro beso enérgico. Aunque se habían escrito todos los días desde que Charley se fuera a la base de la RAF, Annie se pasó charlando todo el viaje en tren a Londres, hablándole a Charley de los niños y de su entusiasmo por pasar las vacaciones con la familia de él.

Y si ella era locuaz, él se mostraba reservado, pues ahora había más pensamientos que no podía revelar. Aprender a hacer volar los «Blens» ya no era una cuestión de física y geometría, sino que consistía en el estudio y la práctica de arrojar bombas. Se trataba, ni más ni menos, de la guerra y de matar al enemigo. La realidad de una guerra inminente le hizo plantearse su próximo alto en el camino. Quería casarse con Annie antes de que cayeran las bombas y volaran las balas.

Le propuso que se casara con él en Nochebuena, después de la misa. Annie gritó «Sí» antes de que Charley pudiera abrir la cajita del anillo, y se pasó varios minutos gritándoselo. Decidieron que una buena fecha sería a comienzos de verano, pero el lugar y el momento estarían sometidos a los dictados de la RAF.

Antes de ofrecerle el anillo, Charley camufló su misión más importante con otro regalo meditado: un nuevo periquito. Era joven, azul y amarillo, y Charley lo llamó *Blennie*. A Annie le encantó.

—A lo mejor puedo conseguir que *Blennie* diga unas cuantas cosas —dijo.

—Deberías procurar tenerlo dentro de la jaula en tu habitación, allí podrás enseñarle a hablar siempre —sugirió Charley.

—Pero a mamá y papá les encanta tener un pájaro en el salón —replicó ella.

Una semana después de haberse prometido, Annie decidió que quería asistir a una exposición en la galería de arte Whitechapel, donde se exhibía el mural de Picasso titulado *Guernica*.

—Algunos de mis niños son de allí —le explicó a Charley.

Éste no había oído hablar del cuadro y accedió a ir sólo para estar con Annie. Una vez dentro de la galería, comprendieron por qué la cola se movía tan despacio: a la gente le costaba seguir avanzando cuando se encontraban delante del mural gigante.

Annie había pensado que el cuadro sería muy sangriento, pero se encontró con un retrato en blanco y negro que parecía casi una caricatura. Y cuando se fijaron más, oyeron los gritos silenciosos y el bramido del caballo; y sintieron el calor procedente de aquel disco blanco de luz. Se quedaron paralizados, hasta que el empujón de los que venían detrás les hizo moverse. Y entonces salieron a la calle por una puerta entreabierta. Transformados.

—¿Ésos podríamos ser nosotros? —preguntó Annie, acercándose a él.

Charley la abrazó. De haber hablado, podría haber dicho: «Desde luego que sí. Podría sucedernos a cualquiera de nosotros. No tienes ni idea de lo corto que es un vuelo al otro lado del Canal de la Mancha, ni de qué clase de bombas utilizaron los alemanes en España».

Pero aparte de reprimir ese comentario, Charley Swan también contuvo un pensamiento que no se había permitido considerar del todo. En algún momento sería él quien arrojaría las bombas que arrasarían un pueblo.

* * *

Miguel disfrutaba del ejercicio mecánico de talar y serrar troncos, arrullado por el sonido de la sierra de través, trabajando tan ensimismado que se sorprendía al ver caer el árbol delante de él. Tardaba mucho más que antes, pero en su vida actual el tiempo no le preocupaba mucho.

Las altas colinas boscosas, donde podía estar solo con las ardillas y las palomas, le proporcionaban un entorno más relajado que el pueblo, incluso que Errotabarri. Los árboles no exigían explicaciones. Exudaban un aroma a brea y savia y lanzaban esas astillas de madera que se le quedaban en el pelo y en la pechera de la camisa. El trabajo consumía la energía que de otro modo su mente podría haber aprovechado. Era un agotamiento bien recibido y por la noche, tras todo un día talando y serrando, dormía sin que le sobresaltaran pesadillas ni sueños.

Aquel día llevaba una carga mucho menos pesada colina abajo. Alaia Aldecoa le había pedido que le recogiera cualquier flor aromática que encontrara en el bosque. Miguel agradecía ese cambio, y encontró flores suficientes para llenar un cestillo que llevaba junto con su sierra, su hacha y su cantimplora.

Mientras bordeaba el riachuelo, vio la cabaña de Alaia, casi camuflada por los árboles que ahora la abrazaban. Miguel se dijo que podría ir un día a repararle el tejado y cortar las ramas que parecían envolver la casa. Pero eso sería otro día.

Desde la noche que Alaia llevara el jabón a Errotabarri, Miguel sólo la había visto fugazmente en el pueblo. ¿Qué podía decirle? ¿Qué debía decirle? ¿Debía contarle que Miren había excusado su comportamiento? ¿Que le había sido leal sin cuestionarla? ¿Que ahora, más de dos años después de su muerte, Miren todavía hablaba bien de ella en sus sueños?

Ella estaba junto a la jofaina y esperaba su llamada, y en cuanto entró se volvió. Intuyó dónde estaba situado y caminó hacia él, colocándole una mano en cada mejilla.

Recién lavada, olía a jabón de lilas.

—Estoy aquí, Miguel —dijo mientras le rodeaba con los brazos.

Miguel aspiró hasta que sus pulmones ya no pudieron más y oyó el arroyo canturreando fuera, y volvió a aspirar hondo el olor de su piel. Estaba agotado por el día de trabajo, consumido por dos años de tristeza, socavado por constantes e incomprensibles pensamientos. Y ahí estaban aquellos olores, diferentes pero aún maravillosos. Y los sonidos, y el tacto olvidado. Eran cuatro ojos que no veían, cuatro manos torpes, y le hicieron el amor a un recuerdo al que los dos le tenían un gran cariño.

—No he...

—Lo sé —dijo Alaia—. Yo tampoco...

Miguel volvió a cerrar los ojos y Alaia sintió su aliento errático. Miguel lloraba en silencio, como si pudiera disimular ante ella.

—Lo sé, Miguel, lo sé. —Le acarició la cabeza.

Ella no era Miren, y él lo sabía. No había confusión alguna. Eso era distinto; era una urgencia, un recuerdo.

—Dime, dilo, puedes compartirlo conmigo —dijo ella al tiempo que le acariciaba el pelo.

—Justo y yo no podemos hablar... de nada... de nada —dijo Miguel—. Nos vemos y nos acordamos de ellas.

Alaia lo abrazó con más fuerza.

—Cuéntamelo, cuéntamelo a mí.

—Todos los días los dos vemos esa trenza colgada de la repisa —dijo Miguel.

Alaia lloró con él y él enterró su cabeza en el almohadón de su pelo. El arroyo canturreaba y el día se hizo tarde antes de que pudieran separarse y volver a hablar. En la oscuridad fue más fácil. Hablaron de Miren, y un embalse de pensamientos anegó la habitación. Miguel le recordó a Alaia la energía, la gracia y la exuberancia de su mujer. Ella habló de su voz, de lo cariñosa y bondadosa que era. Se contaron cómo habían conocido a Miren y repasaron sus momentos favoritos con ella. Hablaron de Mariángeles y su sabiduría. Juntos pudieron hablar de ellas superando la emoción que los embargaba.

Ninguno mencionó a Catalina. Eso era demasiado.

Hablaron toda la tarde y gran parte de la noche, y luego se durmieron abrazados en la colcha que Mariángeles había cosido para Miren. Cuando por la mañana Miguel se dispuso a marcharse, ninguno dijo nada y los dos analizaron lo que habían hecho.

—Miguel —dijo ella—. Antes de... debería decirte por qué...

—No —la interrumpió él.

—Yo...

—No. —El segundo fue más enérgico.

Pasó otro momento sin palabras. Alaia abrió un cajón del armarito que tenía junto a la cama.

—Miguel, ven aquí, por favor —dijo Alaia—. Quiero enseñarte una cosa.

Alaia le puso en las manos la muñeca hecha con el calcetín viejo. Tenía otra historia que contarle.

PARTE 6

(1940-1941)

Eduardo Navarro no poseía ni la competencia lingüís-
tica ni la crueldad necesarias para traducir el mensaje
en latín grabado en el campanario de la iglesia. El refugiado polaco, al que ella sólo llamaba «Monsieur», le había señalado la
frase a su mujer, a la que se refería como «Madame». El hombre era un sesentón con barriguita con aspecto de alguien que
ha perdido mucho peso. Lo que quedaba de él era un vientre
abombado y una orgullosa insistencia en proteger a su mujer,
también menguada por los padecimientos que habían sufrido.

«Monsieur» se había despojado de ese residuo de alti-
vez que a veces perdura en los ricos una vez que han perdido
su dinero, aunque seguía ayudando a su apurada mujer con
mucha ostentación, mientras él avanzaba cojeando, agarrándose a ese resabio de dignidad masculina como si fuera
la última reliquia familiar. Y cuando Dodo o Renée les daban alguna instrucción, «Monsieur» le repetía las señales a
su mujer, dando a entender que aprobaba el plan.

El camino de San Juan de Luz a Ciboure y luego Urrugne, a través de un paso cubierto de plátanos, era la parte más
sencilla del viaje. Pero la pareja, ya muy decaída, necesitaba
un descanso en la antigua iglesia de St. Vincent de Urrug-

ne. Tras prolongados tragos de agua de una bota, entre resuellos, «Monsieur» señaló la inscripción que había debajo del reloj de la torre.

Vulnerant omnes
Ultima necat

Manifestaba una verdad expresada sin tapujos: todas las horas hieren, la última mata. Dodo no vio necesidad alguna de traducirlo.

Si por ellos hubiera sido, ni Dodo ni Renée hubieran considerado que valía la pena hacer pasar la frontera a una pareja judía en la nominalmente neutral España, desde donde saldrían hacia Inglaterra o América.

Desde la ocupación nazi de Francia, las numerosas patrullas que recorrían la frontera con España habían cortado las rutas de paso más fáciles. En la época en que introducir refugiados era una simple cuestión de colarlos entre guardias fronterizos españoles o franceses indiferentes, la cosa era bastante segura. Podían calcular los movimientos entre cambios de turno en un puente que cruzaba entre Behobie e Irún, o subirlos a un bote pilotado por el padre de Dodo y luego cubrir el corto trayecto en coche desde Hendaya o San Juan de Luz a cualquier puerto de España.

Pero los nazis consideraban la evasión de subversivos como un insulto y tenían patrullas en el río que aparecían en cualquier momento, guardias instalados en puestos de control que nunca cerraban los ojos, y en cada población fronteriza contaban con una red de confidentes. Ahora, en todos los puertos se registraban concienzudamente las barcas, y una vez mar adentro las paraban y examinaban con mayor entusiasmo.

Los refugiados que capturaban eran enviados a campos de concentración, a menudo acompañados de gente del pueblo que había intentado hacerlos pasar o protegerlos. ¿Y si se topaban con resistencia? Bueno, volaban las balas y a veces el papeleo era menos exigente si se disparaba a la gente mientras intentaba «escapar».

Cuando Renée se enteró de la inminente llegada de una pareja judía, ella y Dodo dudaron. Sería la carga más frágil que habían transportado. Pero aquellos dos refugiados habían cruzado Francia a través de una serie de trenes de cercanías, permaneciendo el menor tiempo posible en el andén, intentando pasar de puntillas por la estrecha línea que separaba el escabullirse de manera eficaz y el que se te note que te escondes. Habían mostrado sus papeles media docena de veces, y sus documentos falsificados habían pasado una rápida inspección. Viajaban como pareja con un pastor que se mantenía a una distancia prudencial para intervenir como tercera persona interesada si detenían a la pareja. De este modo habían llegado hasta allí.

Para Renée y Dodo, ayudar a seres humanos a cruzar la frontera era mucho más fácil que pasar otras mercancías. La comida, el alcohol, las armas, las municiones eran pesados y visibles. Los humanos, hasta cierto punto, se transportaban solos. Pero también hablaban en los momentos de mayor peligro, podían caer y romperse un hueso, y podían ahogarse. Si tiraban al río una caja de fusiles, no se perdía ninguna vida. ¿Refugiados? Eso era otra cosa.

—¿Cuánto deben de haber pasado ya para haber llegado hasta aquí? —le preguntó Renée a Dodo.

—Lo han perdido todo... seguramente lo han perdido todo, familia, casa... todo —contestó él mientras los dos inflamaban su vínculo más fuerte: la indignación compartida.

—No estoy segura de que lo consigan. ¿Y qué ocurrirá con nosotros?

—Estoy casi seguro de que *no* van a conseguirlo —dijo Dodo con una sonrisita traviesa—. Intentémoslo.

Mientras la pareja se esforzaba por bajar del tren en la estación de San Juan de Luz/Ciboure, Renée soltó un gruñido fatalista en dirección a Dodo. Y ahora, cuando llevaban sólo unas horas de lentísimo trayecto, la pareja parecía incapaz de seguir. Después de un año viviendo de sobras en sótanos o desvanes, de subir y bajar de numerosos trenes y de entrar y salir de pisos francos, estaban al borde del desplome.

Era ya última hora de la tarde, y lo mejor que podían hacer era llegar a Behobie y la orilla del río Bidasoa cuando fuera noche cerrada. Su esperanza era poder cruzar el río a remo en el bote de un amigo durante el cambio de guardia. De lo contrario tendrían que entrar nadando en España, y aquella pareja de ancianos no parecía capaz de flotar. El camino por las resbaladizas piedras del río no era fácil para Renée ni Dodo, y para una pareja de más de sesenta años, sin apenas fuerzas, lindaba con lo imposible.

La pareja necesitaba un rato más de descanso en Urrugne, así que Dodo y Renée aprovecharon el tiempo para volver a recordarles unas cuantas cosas. Habían vestido a «Monsieur» con una piel de oveja, *txapela* y alpargatas. Parecía auténtico, pero ridículo. Ella llevaba una falda negra y gorro de lana. Incómodo y antinatural. Ya habían dado orden a la pareja de que no hablaran bajo ninguna circunstancia. Dodo y Renée serían sus nietos, que los llevaban a dar un paseo por el bosque, una idea absurda a las dos o tres de la mañana. Pero si los detenían, la pareja no debía hablar. Si les preguntaban, debían rodearse la oreja con la mano y decir sólo: «¿Eh?».

Para refrescarles la memoria, Renée se colocó delante de «Monsieur» e interpretó el papel de un guardia, apuntándole al pecho con un fusil invisible.

—*Papiers!* —dijo.

—¿Eh? —contestó «Monsieur», no sólo acercándole el oído a Renée, sino también entrecerrando mucho los ojos, como si además de sordo tampoco viera muy bien.

Renée repitió el proceso con «Madame», que era tarda en comprender y soltó una resentida perorata de frases en polaco. Renée apretó el gatillo de su fusil imaginario y, con un convincente movimiento de labios, hizo «pum».

«Madame» lo entendió y se corrigió.

—¿Eh? —dijo.

—*Très bien* —murmuró Renée, y se dio la vuelta. Había llegado la hora de seguir. El sol se hundía lentamente en el golfo de Vizcaya y les quedaban unos ocho o nueve kilómetros más de furtiva caminata antes de llegar a su punto preferido para vadear el río. Tardarían cinco horas en lugar de las dos previstas. Por la carretera que había debajo de ellos pasaron varios coches, quizá transportando nazis, aunque la oscuridad hacía imposible identificarlos.

Antes de la ocupación nazi, Dodo y Renée habían utilizado algunas veces esa ruta sin que los descubrieran. El río era más lento cerca de la desembocadura, pero más ancho y con menos posibilidades de esconderse. Al otro lado del Bidasoa había una serie de pisos francos donde sus conexiones vascas darían de comer a la pareja antes de llevarlos hasta el final del trayecto.

Casi amanecía cuando llegaron a una extensión de alisos cercana a la orilla, con lo que la opción de remar quedaba eliminada. Los nazis habían comenzado a utilizar una flotilla de esquifes de poco calado y habían ayudado a la Guardia Civil a instalar reflectores que podían dirigirse a las zonas del río más atractivas para cruzarlo.

—*Pas bon* —susurró Renée.

Las esperanzas de llevar a buen puerto aquella misión, ya escasas al principio, se iban reduciendo. Lo mejor que podían hacer era retroceder, esconderse en la casa segura más cercana y considerar otros caminos. A lo mejor podrían volver a intentarlo la noche siguiente, comenzar a andar más temprano y remontar más el río.

Renée le dijo por señas a la pareja que se retiraban.

«Monsieur» negó frenéticamente con la cabeza. «Madame» no entendía lo que se debatía, pero comprendió a qué obedecía la cólera de su marido y comenzó a sollozar. El hombre puso a su esposa en pie y la llevó hasta la orilla pedregosa.

Dodo intervino de manera más enérgica cuando vio las luces que escudriñaban el río, extendiendo cintas de plata sobre las aguas onduladas.

—Tienen que detenerse —voceó Dodo con toda la autoridad de que fue capaz sin levantar la voz por encima de los sonidos del río—. *Arrête!* —gritó, imaginando que los polacos entenderían mejor el francés que el español o el vasco.

«Monsieur» se volvió y, tras desembarazarse violentamente de la mano de Dodo, se metió en el agua seguido de «Madame». Dodo se le acercó de nuevo, pero con las prisas resbaló en las piedras del río.

—*Arrête!* —les chilló a la espalda.

«Monsieur», ahora con el agua por las rodillas y avanzando con su mujer agarrada a su zamarra, se volvió hacia Dodo, se rodeó la oreja con la mano y, fingiendo sordera, dijo:

—¿Eh?

A los dos pasos, la mujer había rodeado con los dos brazos el cuello de su marido, con lo que los dos perdieron el equilibrio y cayeron al agua. El río no era profundo y podrían haberse puesto en pie fácilmente, pero cabecearon juntos sobre la superficie y se les vio casi relajados mientras se alejaban flotando. Dodo corrió tras ellos por la orilla. Cuando cruzaron una zona de agua iluminada, vio que ni siquiera intentaban flotar, tan sólo se agarraban el uno al otro. Al día siguiente fueron encontrados, juntos, en la orilla, cerca de Hondarribia. Murieron en España.

* * *

A medida que sus amigos ya no regresaban de sus misiones y el fuego de los antiaéreos y los Messerschmitt le agujereaba su Blenheim, Charley Swan comenzó a entender la relación entre sus vuelos y los resultados de sus bombardeos. Comprendió el proceso de la guerra en cuanto aterrizó después de su primera misión. Ya no era cuestión de la física de los objetos que vuelan. Charley estaba en guerra y creía firmemente en la causa británica. Los bombardeos de Londres habían respetado a su familia, y su mujer estaba ilesa en la región de Cambridge. Pero a través de las cartas de su familia y de Annie se daba cuenta de lo que debía de ser aguantar dos meses de bombardeos nocturnos consecutivos.

Annie nunca se quejaba en sus cartas. Procuraba mandarle noticias de su familia y relatarle lo más relevante de su vida cotidiana.

... *Hablando de* Blennie, *no te lo vas a creer, pero después de más de un año de decirle «pajarito», ha comenzado a hablar.*

¿Dice «pajarito»? No, dice «tic-tac, tic-tac», igualito que Edgar. *¿Te lo puedes creer? No lo llevaré a la residencia de los críos porque me da miedo que le espere un destino tan aciago como a* Edgar. *Claro que, si se escapara,* Blennie *podría encontrarse en alguna parte con* Edgar *y los dos podrían sentarse y decirse sus «tic-tacs» mutuamente. Pájaro tonto.*

Pájaro tonto, y que lo digas, pensó Charley. A veces se llevaba las cartas de Annie con él a las misiones, para leerlas mientras esperaba un taxi o durante los momentos tranquilos en que cruzaba el Canal, pero en el Blenheim se estaba tan apretado que sólo se concedía el lujo de llevar la única foto «familiar» suya y de Annie, con *Blennie* en su jaula sobre el regazo de ella. De todos modos, una vez te aposentabas en el aparato, no había mucho tiempo para pensar en nada que no fuera lo que se traían entre manos. Era responsable de los otros dos tripulantes del aeroplano, por no hablar de la devastación que podía provocar una bomba lanzada en el sitio equivocado, o de lo que podía ocurrir si se demoraba una fracción de segundo a la hora de detectar la amenaza de los cazas.

Los «Blens» se habían quedado desfasados. Eran lentos y pesados, y presa fácil para los cazas enemigos porque era imposible que los superaran en velocidad. La palanca de mandos le impedía la visión de algunos instrumentos, y otros del panel quedaban tan altos que le resultaba imposible ver la pista cuando se acercaba al punto de aterrizaje. Pero tenían una gran autonomía, y eso le permitía a Charley adentrarse bastante en el continente.

Su tripulación lo elogiaba (por cautela o superstición) debido a su capacidad de prever los ataques de los cazas alemanes. Sus esperanzas de esquivarlos eran escasas, pero Charley parecía poseer un don para bajar en picado o inclinarse ligeramente para reducir el perfil que el bombardero ofrecía a los cazas. Con ello esquivaban lo peor del ataque.

No había misión de la que volvieran intactos, y pocas veces aterrizaba Charley sin «un par de abolladuras», tal y como él lo expresaba, en el ala, la cola o el fuselaje. Pero mientras que otros aparatos eran derribados o volvían en pedazos, el avión de Charley Swan era relativamente fácil de reparar y preparar para la próxima misión. Su tripulación lo llamaba un don. Charley no lo llamaba de ninguna manera.

* * *

Fue idea de Renée que Dodo engatusara a su hermano para ir a las montañas. La invitación de Dodo obligó a Miguel a enfrentarse a su necesidad de alejarse de Gernika. Le preocupaba que abandonar Errotabarri implicara abandonar a Justo. Juntos no eran más que una colección de pedazos rotos que, en la mayoría de los casos, conseguía funcionar. Miguel había imaginado que dos manos dañadas podrían reemplazar un brazo perdido en una lenta ensambladura.

Miguel le habló a Justo de su intención de declinar la invitación de Dodo, como si ésta fuera una cortesía, el pago tácito de una deuda.

—No seas idiota —dijo Justo—. Ve a ayudar a tu hermano. Yo estoy bien aquí.

Para demostrarlo, Justo se puso de rodillas, se apoyó sobre la mano derecha e hizo diez flexiones.

—Ven, súbete a mis hombros y añade peso —le invitó Justo.

Miguel rehusó. Justo tenía razón, había pocas ovejas que atender y una parcelilla de verduras. Hasta un hombre con un solo brazo podía encargarse de esas tareas. De todos modos, Miguel tampoco estaba nunca en el caserío.

¿Pero cuáles eran sus responsabilidades con Alaia Aldecoa? ¿Había cambiado algo la noche que habían pasado juntos? Miguel se dijo que Alaia podía contar con la ayuda de Zubiri. Justo también le echaría un vistazo de vez en cuando. Si Justo había estado al corriente de sus otras actividades, nunca lo comentó, y jamás mostró animadversión hacia ella. Era parte de la familia, decía siempre Justo.

Pero si le obligaban a expresar sus razones para marcharse, distanciarse de Alaia sería la primera. Después de esa noche, Miguel había sido cauteloso con sus visitas, procurando que fueran breves e impersonales. Que hubiera pasado una vez era algo excusable, pues los había pillado por sorpresa. Una segunda no sería sólo casualidad.

Renée lo hizo sentirse cómodo en San Juan de Luz desde el primer momento. Mientras alardeaba de la perfecta adaptación de Dodo a las costumbres de los *travailleurs de la nuit,* Renée inadvertidamente desvió la concentración de Miguel sirviéndole comida con aromas y sabores que le hicieron centrarse en su plato. Miguel escuchaba a medias mientras olía un plato de pimientos rojos rellenos de bacalao. Su atención menguó más con la llegada de un filete de salmón con espárragos, y se desconectó del todo cuando Renée le presentó el *gâteau Basque* por el que su familia había obtenido cierto renombre en la región.

—Muy bueno —dijo Miguel cuando acabó. Los residentes en Gernika vivían de sardinas viejas, garbanzos y pan de serrín. Esta comida no la había probado ni en los mejores tiempos. Mientras chupaba el plato de pimientos del piquillo, Renée le explicó que en San Juan de Luz también pasaban privaciones, pero los que se dedicaban a su negocio tenían maneras de proveerse de casi todo.

Tampoco tenían que ir muy lejos a buscar nada, pues muchas de sus reuniones de negocios tenían lugar en el Pub du Corsaire de abajo. Una vez Dodo aprobó el bar y descubrió que era el sitio predilecto de Renée, encontró un apartamento barato en el piso de arriba del edificio. La renta se la pagaban en especias al propietario del bar. Sí, tras algunos percances en las montañas, aprendió el negocio del contrabando de Renée y su familia. Y luego empezó a hacer sus propias aportaciones.

—Dodo ha nacido para este trabajo —le dijo Renée a un distraído Miguel.

—Eso no fue lo que dijo tu padre —protestó Dodo—. Dijo que yo era demasiado grandote y que mi aspecto no era lo bastante anodino.

Los mejores contrabandistas, le contó Santi Labourd a Dodo, eran de un aspecto tan vulgar que resultaban casi invisibles. Eran como una imagen de fondo, un paisaje insignificante. Necesitaban ser lo bastante fuertes como para llevar mucho peso y ser capaces de pasar la noche caminando por la montaña sin cansarse, pero lo suficientemente pequeños como para ser ágiles y poder deslizarse por pasos entre la maleza y las rocas por los que apenas cabría una liebre.

—A lo mejor físicamente no eras perfecto, ¿pero mentalmente? Bueno, tienes un don, hasta mi padre lo dice —afirmó Renée con orgullo mientras colocaba otro cesto de pan sobre la mesa, pues Miguel se había comido la primera barra y ahora estaba enfrascado en rebañar las abundantes salsas.

—Al principio, su experiencia y relaciones con la gente del mar nos fueron muy útiles —añadió Renée—. Durante un tiempo, intercambiamos servicios y excedentes por grano y toda la comida que podíamos recoger se la llevábamos a tu padre, que la embarcaba hacia Vizcaya. Luego nos pusimos con las armas y las municiones.

Miguel levantó los ojos del plato y miró a Dodo. No tenía ni idea de que el *patroia* estaba implicado.

—Discreto, ¿eh? —dijo Dodo.

—Una vez lo mencionó, pero no sabía hasta qué punto estaba metido.

—Ahora ya no tanto —comentó Renée, y puso su plato, aún coloreado de salsas, en el suelo para que *Déjeuner* lo limpiara—. Si por él fuera aún seguiría trabajando con nosotros, pero las cosas se han puesto demasiado peligrosas.

No obstante, cuando tan sólo necesitamos información, sigue siendo muy valioso.

—¿Información? —preguntó Miguel, distraído por el ruido que hacía el perro al lamer el plato.

—Despliegue de tropas, movimientos, defensas, cosas así —dijo Dodo—. Por mucho que las patrullas registren las barcas, si la carga que lleva está en la cabeza del *patroia* no pueden detectarla ni confiscarla.

—Entonces, ¿qué?

—Entonces, a lo mejor se va a Bilbao a descargar la pesca...

—¿Y?

Dodo sabía que el siguiente eslabón en la cadena dejaría a Miguel de una pieza.

—Entonces, lo más normal sería que el *patroia* visitara a su sacerdote favorito, el padre Xabier, y también sería de lo más normal que ese buen sacerdote oyera la confesión de hombres que, digamos, son de origen británico, que quizá trabajan en el consulado, quienes a lo mejor pueden transmitir algunos fragmentos de su divino mensaje.

Miguel sacudió la cabeza como atontado, aún sin comprender a Dodo.

—¿Cómo consigues esa información?

—Igual que lo consigue todo —se rió Renée—. Es listo.

—Tenemos una red de gente que nos ayuda... simpatizantes... la resistencia —dijo Dodo—. A veces es la camarera de un bar que oye a unos nazis borrachos, o a un oficial que intenta impresionarla. En ocasiones es una camarera de hotel en el que hay un oficial de permiso y que después de hacerle la cama le revuelve los papeles. Otras veces hay información en una carta que un soldado manda a casa y que alguien abre en correos. Te asombraría la cantidad de información que podemos recoger.

—¿*Patroia*? —preguntó Miguel, que aún no había acabado de asimilar la información.

—Sí, sí, Miguel —dijo Dodo—. Y ahora trabajamos con un grupo belga que está intentando devolver a Inglaterra a aviadores de la RAF que han sido derribados. Son muy valientes. Recogen a la tripulación, les curan las heridas si tienen alguna, los esconden y falsifican papeles que son lo bastante creíbles para que crucen París y lleguen hasta aquí. Luego les hacemos cruzar la frontera. Una vez han atravesado el río, otros los llevan hasta el consulado de Bilbao, donde consiguen que puedan coger un barco hasta Lisboa o Gibraltar.

La ocupación alemana había cambiado muchas cosas de su trabajo. Pusieron fin a las reuniones en el apartamento de Dodo a medida que el círculo de confianza se reducía por cuestiones de seguridad. La oportunidad de añadir a un pariente digno de confianza como Miguel era una bendición. Pero también una gran responsabilidad. A pesar de ser mayor, Dodo había considerado a Miguel como un igual desde que eran adolescentes a causa de la madurez física y emocional de éste. En algunos aspectos, Miguel era el prudente hermano mayor. Sin embargo, ése era el mundo de Dodo, y aunque sabía que Miguel era capaz de cuidar de sí mismo, quería hacer todo lo posible para evitarle más dolor a su hermano.

—Por todo esto mi padre está tan contento con él —dijo Renée, volviéndose a Miguel—. A pesar de ser tan grande y llamar tanto la atención, nunca se cansa y siempre tiene recursos. —Dodo aceptó el cumplido con un largo beso. Miguel se quedó perplejo—. Enseguida aprendió los caminos y las señales que siempre habíamos utilizado —continuó la chica—. Amontonar piedras o hacer una muesca en el tronco de un árbol. Y se le ocurrió un identificador perfecto para nuestra «hermandad»: la *txapela*. Todos los contrabandistas llevan *txapela*. Eso no significa que todo el que lleva *txapela* sea contrabandista, pero desde luego no es un guardia ni un patrullero. Podría ser alguien que se haya vuelto un confidente, cierto, pero los guardias españoles y los nazis nunca llevan.

—Así que... —intervino Dodo— tendrás que volver a llevarla.

—No la he llevado desde que pescábamos juntos —protestó Miguel.

—Lo sé, pero volverás a ponértela y te acostumbrarás, o de lo contrario a alguno de nuestros amigos podría ocurrírsele dejarte caer una roca en la cabeza si te ve alguna noche por las montañas. —Dodo llamó a su perro y se lo colocó en el regazo—. También hemos puesto a trabajar a *Déjeuner* —dijo Dodo mientras acariciaba al animalillo, fruto evidente de mil cruces—. Si me paseo en público con un aviador, otra persona sana, eso resulta sospechoso. Las autoridades podrían preguntarse: si estos dos no están en el ejército, a lo mejor es que son de la resistencia. Si Renée y un joven llevan un perro de una correa, a lo mejor tan sólo disfrutan mutuamente de su compañía y sacan a pasear a *le petit chien*. Y *Déjeuner* es el perro perfecto de la resistencia.

—¿Ah, sí?

—Sí, todo el tiempo finge no saber nada de la charada —se rió Dodo—. Hay otra cosa. Es una buena idea cojear, o encorvarte como si tuvieras un problema de espalda. No es probable que un cojo pase cosas ilegales por las montañas. A la gente le despierta compasión.

—Al menos a los franceses y los españoles —dijo Renée—. En el caso de los nazis, no cuentes con ello.

—¿Y qué me dices de unas manos tullidas? —preguntó Miguel.

* * *

Una calma se apoderó de Charles Swan. Se sentía como si se hubiera escapado de las tormentas del infierno y ascendiera pacíficamente al cielo. Sólo que iba en dirección contraria, hacia la tierra, a través de la sublime tranquilidad que aguarda al final del caos. Una escuadrilla de Messerschmitt lo había cazado en medio de un fuego frenético y su Blenheim había quedado destrozado al tiempo que el metal chillaba a su alrededor como el aullido mortal de un animal mecánico gigante.

Ahora flotaba en un cielo inmaculado sin más ruido que su pulso martilleándole las orejas. Silencio. Un silencio repentino, se dijo, que extrañamente le recordó una de sus partes favoritas de *Alicia en el país de las maravillas,* de Lewis Carroll, de cuando era joven:

> Y ante el silencio que de pronto impera,
> en su imaginación persiguen
> a la niña soñada que recorre una tierra
> de nuevas y singulares maravillas
> donde pájaro y animal charlan amistosos,
> y casi creen verlo con sus ojos.

Nunca le había recitado esos versos a Annie, la que hablaba con los pájaros, pero decidió que se los repetiría cuando volviera a casa. Annie, sí. A casa. El lugar donde no hay guerra. Aunque no hay lugar donde no haya guerra. Pero al menos hay una vida que acompaña a la guerra. La vida con Annie. Por primera vez miró hacia abajo. No había señal de su avión ni de su escuadrón ni de los cazas como mosquitos que habían llegado en un zumbido letal.

La misión no era nada extraordinario; tenían que bombardear tropas y formaciones de tanques en el sur de Bélgica. Pero había más cazas de defensa de lo que Charley había visto nunca y la mitad de su escuadrilla había sido derribada u obligada a dar media vuelta antes de que atacaran su Blenheim. La primera oleada debía de haberle arrancado la torreta dorsal, pues no oía que su avión disparara. Esquivó la segunda remesa, pero el instinto que le permitía reaccionar ante la amenaza de un ataque le hizo inclinarse ligeramente hacia el fuego directo de otro par de cazas que llegaban del otro lado, y oyó cómo las balas mordían la piel metálica del fuselaje. Al cabo de pocos instantes el avión se desintegró. Hizo seña a la tripulación de que saltara en paracaídas, pero el bombardero y al artillero estaban muertos, y entonces el avión comenzó a descender en espiral y supo que no podría mantener el control.

A medida que la tierra se le acercaba, evaluó rápidamente la situación. La tripulación estaba muerta. Ya no se podía hacer nada por ellos. Fisher era soltero, hijo de un vicario (Pescador de hombres*, bromeó), pero Maplestone tenía esposa en Dover. En algún momento tendría que contactar con sus familias, se dijo, y ojalá pudiera ir a verlas en persona en lugar de contarles las noticias mediante una impersonal carta.

El aire que se oponía a la caída del paracaídas hacía susurrar las cuerdas. Aquella noche no volvería a casa. Y mucho menos Fisher y Maplestone. Las tripulaciones que aquella noche volvieran a casa dirían cosas buenas de ellos, brindarían y harían broma para mitigar el dolor. Lo hacían siempre, intentando poner cierta distancia entre sí mismos y los amigos que habían muerto el mes pasado, la semana pasada o el día anterior. Si te ponías a llorarlos nunca volverías a despegar. Después de la guerra ya los recordarías a todos, y por mucho tiempo.

---

* *Fisher* significa en inglés «pescador». *(N. del T.)*

Céntrate, Charley, céntrate. Debajo había un paisaje bucólico tomado por el enemigo. No tenía armas, ni equipo de supervivencia, ni comida ni agua. Un cuchillo, un mapa y una foto de Annie y *Blennie*. Intentando calcular la desviación causada por el viento, tiró de las cuerdas de su paracaídas para llegar a las inmediaciones de una pequeña arboleda. Ahí podría esconderse o partirse el cuello si quedaba atrapado en una rama. No obstante, consiguió dejarse caer cerca, y cuando chocó con el suelo, una punzada de dolor le hizo abrir otra entrada en su inventario mental.

Una bala alemana acababa de abrirle un profundo surco en el muslo derecho.

La subida por el valle del río Nivelle siguiendo a su hermano aclaró la mente de Miguel y le permitió ordenar sus pensamientos. Dodo había estado extrañamente callado, pues había aprendido el valor del silencio cuando se encontraba en público. El camino hasta Sare estaba surcado de pisadas de la época medieval y seguía una suave pendiente entre pastos en barbecho y sombríos bosquecillos. No tenían razón para transitar una ruta más resguardada, pues no eran más que dos hombres dando un paseo y no llevaban contrabando ni tenían ninguna intención subversiva. Se trataba de una caminata de orientación.

—Sare es el centro de nuestro negocio —dijo Dodo—. Por cada pequeña divisoria de aguas sube un camino hacia la frontera. A veces quedamos con los pastores para que armen follón en un paso mientras nosotros cruzamos por otro.

—¿Tenemos que subir ahí? —preguntó Miguel, señalando con la cabeza la cumbre de La Rhune que sobresalía de una nube en lo alto.

—Sólo como último recurso. No te preocupes, tendrás suficiente terreno como para hacer trabajar el corazón.

Después de comer con los padres de Renée —más pimientos y salsas deliciosas, pollo asado y pastel—, Dodo siguió explicándole a Miguel cómo actuaban los contrabandistas de camino hacia la frontera.

—Te veo bien con la *txapela* —comentó Dodo.

—Me da ganas de vomitar.

—No, no... Nada de marearte aquí arriba —dijo Dodo. Tras una pausa añadió—: Me alegro de que estés aquí, Miguel. Necesitamos tu ayuda. Han derribado a más aviadores ingleses y quiero mantener a Renée en el pueblo y lejos de los caminos en la medida de lo posible, y yo también tengo que mantenerme lo más lejos posible del pueblo. A ella se le da bien recoger a la gente en la estación de tren y llevarlos a casas seguras. Es más importante que tenerla dando vueltas por las colinas. Cuando los nazis la ven nunca se imaginan que sea de la resistencia.

—¿Cómo puedo ayudar?

—Yo te guío y tú me sigues. A veces llevaremos a uno y otras a cuatro o cinco. Quiero que seas el que cierra la marcha, que procures que todos lleven el ritmo y vigiles por si aparece una patrulla por la retaguardia... sobre todo que te encargues de los rezagados.

—Creo que podré hacerlo.

—Lo primero que tuve que aprender fue a frenarme —recordó Dodo—. Aunque yo quería correr, la cuestión es que todos llevemos el mismo ritmo y vayamos juntos. Cualquiera que vaya con prisas llama la atención. La naturaleza no corre... tenemos que movernos a un ritmo constante.

Dodo guió a Miguel hasta la cara este de La Rhune, siguiendo un arroyo que formaba una pequeña cuña en la ladera.

—Debes seguir el curso del agua —le explicó Dodo—. Durante siglos ha sido el mejor camino, y normalmente está más resguardado. Pero la maleza a veces es más tupida. Si la noche es oscura y sin patrullas, ir por fuera del bosque y la maleza no es mucho riesgo si ganas tiempo. Si hay luna o patrullas, mejor mantenerte a cubierto o quedarte en casa.

—Pero tú guiarás siempre, ¿no?

—Eso espero —repuso Dodo—. Pero nunca se sabe. Aquí es donde la cosa se pone fea. —Dodo le llevó hasta un prado expuesto que ocupaba la mayor parte de la ladera oriental. Rocas de granito se amontonaban en la cuesta y parecían calaveras blanqueadas al sol de gigantes muertos mucho tiempo atrás, convirtiendo la subida en la pesadilla del caminante.

—Desde aquí casi no se ven, pero hay caminos entre las rocas —señaló Dodo con la mano—. Lo que es bueno para nosotros y malo para ellos. Te enseñaré las señales y las marcas. Nunca, nunca te apartes del camino, y procura que los demás tampoco lo hagan. Salirse del camino implica romperse una pierna o un brazo... o quizá peor, según cómo caigas o tropieces.

—¿Y vamos a ir por aquí en la oscuridad? —preguntó Miguel.

—En una oscuridad más negra de lo que crees. Y a veces también lloverá —contestó Dodo—. Cuando estamos más seguros es cuando la noche es más negra, lo que significa noches nubosas, lo que a veces significa lluvia. Las rocas resbalan con la lluvia, y si aquí arriba resbalas en una roca te irás rodando hasta Sare.

Dodo se rió. Miguel no. Miró hacia abajo. El sinuoso valle, de distintos tonos de verde a la luz de la tarde, le hizo acordarse de cuando estaba en las colinas que rodeaban Gernika, de cuando pescaba con Justo, de cuando cargaba la mula de Mendiola. Y en el momento en que lo pensaba, oyó resoplar a su mula.

—Te presento al noble *pottok* —dijo Dodo, y señaló un grupo de recios ponis vascos que estaban al otro lado del prado. Habían corrido en estado salvaje por los Pirineos durante generaciones—. Los viejos los utilizaban a menudo para acarrear cargas pesadas. Los que trabajaban por la noche los adoraban. Trabajan duro, nunca se quejan, tienen el pie firme y la deliciosa habilidad de echarse un pedo siempre que se acerca un guardia fronterizo.

Un grupo de seis, incluido un potrillo, pacían sin hacer caso de la presencia de los humanos. Los recién nacidos retozaban alrededor de su madre, y Miguel se dijo que ojalá pudiera dejar de mirar.

—La primera vez que los vi estaba solo en la montaña, y me habían hecho creer que en la montaña había osos que podían matarme —comentó Dodo—. Me cagué de miedo.

Incluso a plena luz, y con su hermano guiando, a Miguel le resultaba difícil permanecer en el camino y no desviarse a los callejones sin salida de las rocas. Sin darle ninguna explicación, Dodo salió de la ladera y se internó en un bosque de hayas que a Miguel le pareció un parque urbano, sin sotobosque ni rocas en que tropezar. Era un lugar hermoso y fresco, y una mariposilla blanca revoloteaba delante de Miguel. En medio del camino apareció un rebaño de ovejas, con los cencerros amortiguados y unos melancólicos balidos que parecían un coro ambulante. De detrás de un árbol salió un pastor cuya presencia le había pasado inadvertida a Miguel.

—*Ami* —dijo el pastor, dirigiéndose a Dodo como «amigo».

—Eh, *ami* —replicó éste.

—¿Un nuevo pastor? —preguntó el hombre. Iba vestido exactamente igual que Dodo y llevaba una *makila* y una bota cruzada sobre el pecho.

—*Oui*, hermano —contestó Dodo. No utilizaban nombres—. Va a ayudarme a atender al rebaño. ¿Hay alguien más por ahí?

Asintieron y el hombre miró a los ojos a Miguel, puso el índice bajo el ojo derecho y le guiñó el ojo. Era para decir: Bienvenido a la hermandad, amigo, pero si me ves fuera de las colinas, no me conoces.

Tras subir otra loma y llegar a un calvero, Dodo se detuvo para enseñarle a Miguel una pequeña gruta oculta por las rocas en la que escondían botellas de Izarra y quesos. Si hacía falta podían esconderse dentro.

—Una vez pernoctamos en una gruta que se adentra más de medio kilómetro en las colinas —dijo Dodo—. Está ahí desde que los hombres de las cavernas la compartían con los osos. Nuestros invitados no se sienten muy felices cuando oyen gorjear a los miles de murciélagos que cuelgan del techo. Para que no piensen en ellos, les contamos que el espíritu de Mari y la *lamia* vivían aquí y que durante muchos años las brujas se reunían en este lugar hasta que las quemaron en la hoguera.

Como siempre, Miguel no sabía hasta qué punto creer las palabras de Dodo, pero se decía que ojalá que pasar la noche en una cueva infestada de murciélagos no formara parte de su nuevo trabajo.

—¿Por aquí hay peces? —preguntó mientras caminaban siguiendo el riachuelo.

—Me han dicho que donde hay la mejor pesca es en el bosque de Irati —respondió Dodo—. ¿Desde cuándo te interesa la pesca? Pensaba que la despreciabas.

—Me gusta cuando no he de ir en barca. Pescar en los ríos, en los arroyos —le explicó Miguel—. A lo mejor un día que no trabajemos podemos ir a Irati y te enseño cómo se pesca en el río.

—¿Y tú cómo es que sabes?

—Justo me enseñó.

—¿Cómo está Justo? —preguntó Dodo, interesándose por primera vez por Gernika y la gente que vivía allí.

—Sigue fuerte —contestó Miguel.

—¿Incluso con un brazo?

—El número de brazos no tiene importancia.

Dodo dejó el tema mientras comenzaban a descender la montaña.

—Ahora estamos en España —dijo—. Ahí está el Bidasoa. El río es siempre el problema más importante. Los guardias españoles se pasan todo el tiempo sentados en el lado sur y esperan a que nosotros vayamos.

—¿El río?

—Abre un desfiladero al oeste de Vera, más cerca de su nacimiento, con laderas empinadas y fuertes corrientes —le explicó Dodo mientras le mostraba el terreno y señalaba el bosque que había debajo—. A medida que llega a Irún, se ensancha y se remansa, lo que depende también de la época del año y del caudal. Más abajo es más fácil cruzar, y por eso hay garitas de guardia en cada curva del río.

—¿Y cómo cruzamos?

—En un bote de remos que un campesino nos deja —repuso Dodo—, o nadando, o caminando. Ahora probablemente nadaremos o andaremos, pues una barca se ve demasiado.

—¿Dodo?

—¿Qué?

Miguel levantó lo que le quedaba de manos.

—No sé si me acuerdo de nadar.

Dodo no lo había pensado. Se le ocurrió retar a su hermano a repetir «El Circuito», pero no dijo nada.

* * *

Aparte de sus paseos solitarios por el pueblo a primera hora de la mañana y a la noche y de su trabajo por mantener a flote Errotabarri, Justo pasaba mucho tiempo en Bilbao, a poca distancia en tren. Disfrutaba ayudando a su hermano en la basílica de Begoña y visitando a la hermana Encarnación en el hospital. Les debía mucho a ambos y le alegraba estar cerca de su hermano pequeño y de la monja a la que tanto admiraba.

La hermana *Txanpon* le seguía la corriente a Justo permitiéndole imponer disciplina a los pacientes más tercos. Ayudar a su hermano Xabier era más difícil. Ahora que Justo estaba ya recuperado, al sacerdote no le parecía bien tenerlo barriendo la rectoría ni trabajando en el jardín.

Lo cierto era que Xabier había pasado a ser una figura política destacada a medida que su relación con el exiliado presidente José Antonio Aguirre le convertía en objeto de vigilancia de los servicios de seguridad e inteligencia de Franco. Xabier sabía que lo observaban y temía que eso pudiera poner en peligro a su hermano. Sería mejor que sus encuentros no llamaran tanto la atención durante una temporada. Pero disfrutaba tanto de la presencia de Justo que no se le ocurría una manera diplomática de decirle que no lo visitara tanto.

A Justo no le sorprendió que Xabier se metiera cada vez más en política. Se había convertido en un elemento esencial de la conciencia vasca, en una voz antifascista ahora que muchas estaban silenciadas. Aunque Xabier mantenía la política fuera de su púlpito, muchos feligreses iban a pedirle su opinión sobre el estado del País Vasco, de Vizcaya y España. Pero sobre todo le preguntaban:

—¿Ha sabido algo de Aguirre?

—No, no, no —respondía él—. ¿Por qué iba a hablar conmigo un hombre tan importante?

Pero tenía noticias de Aguirre, que había cruzado Europa corriendo un gran peligro, a veces escapando por los pelos de la Gestapo. Su hermana, Encarna, había muerto tiroteada por los alemanes mientras su familia estaba en Bélgica.

Cuando Aguirre quería saber cómo estaba el clima político o tener noticias de su país, hablaba con Xabier. Ya no era algo tan simple como presentarse en el confesionario del fondo de la basílica. Pero esas cosas aún eran posibles.

Xabier sabía sin preguntarlo que a Justo le encantaría involucrarse. Pero el sigilo no era el punto fuerte de Justo. Tenía valor para enfrentarse cara a cara con un batallón, pero ¿el disimulo? Ése no era Justo.

—Justo, eres muy amable viniendo a ayudarme, pero de verdad que no hace falta —dijo Xabier—. Sé que tienes mucho que hacer en casa y no quiero apartarte de tus quehaceres.

—No es ningún problema, excelencia —replicó el hermano mayor—. Tengo al día mi trabajo, y nuestra familia se está recuperando bien.

—Claro, claro, Justo. Entonces deja que te diga una cosa. A lo mejor no es bueno que te vean mucho conmigo.

—Hermanito, yo también tengo que decirte que a lo mejor no es bueno que te vean conmigo.

A pesar de su seriedad, Xabier se rió.

—Lo digo en serio. Ahora me consideran un personaje político, y otros sacerdotes de todo el país han sido encarcelados o asesinados, ya lo sabes. Me preocupa que intenten perjudicarme atacándote si te dejas ver demasiado.

—¿A mí? —Justo alzó su voz grave y levantó la escoba que llevaba en la mano—. Puedo ser el colmo de la discreción. Puedo ser una voluta de humo. Soy un pensamiento, un recuerdo. Voy y vengo sin que me vean.

Xabier se rió más fuerte.

—¿Lo ves?

—Ya hablaremos en otro momento, eminencia —dijo Justo, y dejó la escoba en el armarito—. Ahora me voy a ver a la hermana *Txanpon*.

Justo bajó la colina hacia el río hasta llegar al hospital y pasó la tarde ayudando a la diminuta enfermera con sus pacientes de rehabilitación.

—Estoy encantada de verte, Justo —le confió la hermana Encarnación—. Eres uno de nuestros mayores éxitos. No sabes cómo anima a los pacientes ver lo bien que has aprendido a adaptarte.

Justo se amoldaba a las necesidades de la hermana Encarnación: aquellos que necesitaban consuelo aprendían de la paciencia y bondad de Justo; los que necesitaban que los sacaran de su autocompasión se ponían en marcha asustados por ese hombre poderoso.

—Cualquier cosa que pueda ayudarla, hermana —se ofrecía Justo.

—Me estás ayudando mucho, Justo —decía ella—. Propagas un buen mensaje y eres un buen ejemplo.

* * *

Bueno, esto ya es un progreso, decidió Annie Bingham: ahora tengo dos trabajos y en ninguno me pagan. El pequeño estipendio de su trabajo con los niños vascos se había agotado. Ahora ya sólo tenía a la mitad, pues unos habían sido repatriados y otros adoptados. Muchos de los mayores ya eran adultos y, en gran parte gracias a las enseñanzas de Annie, habían acabado formando parte de la comunidad.

Aun sin cobrar, seguía ayudando a los que quedaban; eran como de la familia. Y ahora, tras haberse unido al Servicio Voluntario de Mujeres, Annie Bingham pasaba las noches bien abrigada en su puesto, manejando un reflector. Pensó que su vista sería un problema cuando se presentó voluntaria, pero el reclutador estuvo encantado de poder asignarle cualquier tarea. El trabajo nocturno no interfería en su labor con los niños, y tampoco necesitaba mucho dinero, pues vivía con sus padres.

Quería escribir a Charley para contarle los pormenores de su nuevo trabajo, cómo contribuía al esfuerzo de guerra, cómo practicaba enfocando las gaviotas con su reflector y cómo las pobres aves confusas surcaban el cielo seguidas del potente foco. Pero le advirtieron que su ubicación se consideraba un secreto y que no debía decírselo a nadie.

A los niños de la residencia, sin embargo, les sugería de manera un tanto misteriosa que participaba en el sistema de defensa antiaéreo. Los niños, sin acabar de entender el concepto, pensaban que todo el proyecto recibía su nombre y que toda Inglaterra estaba ahora protegida por el sistema «Annie Aéreo».

A Annie le gustaba cómo sonaba eso y no los corregía. Los niños llevaban ya varios años sin pensar que podían morir bombardeados. Cuando llegaron a Inglaterra les aseguraron, y de hecho les prometieron, que estarían seguros para siempre. Pero los alemanes habían seguido a esos niños hasta Gran Bretaña, y por las noches se veían de nuevo encerrados en los refugios.

Al menos su amiga Annie Aéreo los protegería.

Y por lo que se refería a su marido, Annie sufría. No se podía creer que la separación resultara tan dolorosa. Después de la boda, habían decidido vivir con los padres de ella, pues Charley se iría pronto. Se irían a vivir a una casa solos cuando él regresara. Para que Annie se mantuviera optimista y esperanzada, Charley le decía que comenzara a buscar piso. Nadie sabía cómo estarían las cosas en el futuro, pero ella quería estar perfectamente preparada para su regreso... fuera cuando fuera. ¿Alguno de los dos volvería a la universidad? ¿Tendrían ingresos? ¿Tendrían un hijo de inmediato? Eso estaría bien. Sí, eso sería estupendo. No tenía por qué esperar más.

De todos modos, tampoco había mucho tiempo para divagar. Annie dormía desde el alba hasta las siete de la mañana, hora en que se levantaba y se dirigía a la rectoría para estar con los niños. En cuanto oscurecía, ella ya estaba en su sitio, en las colinas que había al borde de la ciudad, a la espera de que le comunicaran por radio que llegaban bombarderos enemigos por el cuadrante este.

Una mañana, cuando el cielo ya se teñía de rosa, mientras iba en bicicleta a su casa, dobló la esquina y en el portal vio aparcado un coche negro. Había unos hombres que querían verla.

* * *

Justo Ansotegui se acercó. Alaia Aldecoa podía olerlo: nadie más llevaba esa combinación de olor a caserío, a sudor y a jabón.

—*Kaixo,* Alaia, soy Justo Ansotegui —dijo. Sí, lo conocía. Todas las semanas se presentaba de la misma manera. Era una cortesía, pues Justo creía que su ceguera no le permitía darse cuenta de su llegada.

—¿Quieres un poco más de jabón?

—Sí, me gustaría una pastilla de la «mezcla de Miren» —dijo.

Alaia sacó de una bolsa las dos pastillas que todas las semanas le apartaba. Justo intentó pagarle, pero ella rechazó el dinero. Justo visitó otros puestos, tal y como era su costumbre en los días de mercado, que ahora estaba situado más cerca del río. Intentaba comportarse como el Justo de antes del bombardeo, del que ya habían pasado tres años, pero ella percibía la profunda tristeza que lo rodeaba, al igual que a muchos otros del pueblo. Incluso cuando hablaba de nimiedades e intentaba bromear, había pesadumbre en su voz. No mucha, pero ella la oía.

Mientras Justo avanzaba, oía charlar a las matronas y a los hombres que jugaban al mus en el café, y a un hombre que tocaba el acordeón bajo el toldo de la esquina. Sabía que en el pueblo se hablaba mucho de Justo, que se especulaba si, entre esas burbujas que a veces le salían del bolsillo y sus extraños paseos por el pueblo, habría perdido la chaveta igual que su padre. No obstante, por lo demás parecía normal. Había sufrido, como todos los demás. Pero él lo afrontaba a su modo. Llega, compra unas patatas y desaparece por una calle lateral en sus curiosas rondas.

Lo ha superado mejor que yo, se dijo Alaia. Fabricar jabón estaba lejos de ser estimulante. Casi todo lo hacía para Justo. Por lo demás, no salía de su cabaña, pues tenía pocos motivos para aventurarse sola. Exceptuando una persona con la que volvía a verse.

La hermana Teresa, del convento de Santa Clara, le mandó una invitación. Las hermanas necesitaban jabón. En todos aquellos años nadie había sido capaz de reemplazar a Alaia, y muchas monjas lo habían mencionado. No se habían quejado, desde luego, pues habría parecido una petición frívola. Pero la hermana Teresa se había preocupado por Alaia. Sabía que su prima, Mariángeles Ansotegui, y Miren, la hija de Mariángeles, habían sido importantes para Alaia. Ahora que ellas no estaban, ¿dónde estaba su apoyo?

Alaia encontró un inesperado consuelo en el interior del convento, donde entraba cada vez que llevaba jabón a las devotas hermanas. Éstas parecían satisfechas con su vida, tan seguras de adónde iban, tan aisladas de las incontrolables fuerzas externas. Era un sitio protegido y ordenado, y se preocupaban por ella. A excepción de algunos momentos breves e incómodos con Justo en el mercado, cuando quería animarlo un poco, la única relación realmente estrecha que experimentaba era cuando visitaba a las hermanas.

La partida de Miguel había resultado muy dolorosa. Un día, como solía hacer cuando iba a visitarla, le llevó un pescado. Tras ponerlo encima de la mesa, le anunció su intención de ir a Francia a vivir con su hermano.

—¿Y Justo? —le preguntó. Pero lo que quería decir era: ¿Y yo?

—Estará mejor sin mí. Le recuerdo demasiado el pasado —dijo Miguel, hablando de Justo pero refiriéndose a Alaia.

—No es cierto —le espetó ella. Lo que quería decir: No, no estaré mejor sin ti.

Pero antes de que ella pudiera decirle lo que pensaba, él ya había desaparecido.

Capítulo
26

Los servicios de inteligencia del continente advirtieron a los pilotos de la RAF de que las patrullas alemanas perseguían a los pilotos derribados con la energía de un perro tras un hueso. Había una alegría ceremonial en la cacería y miraban en todos los matorrales y huecos de los árboles, debajo de cada montón de hojas y cada almiar. Después de que Charley Swan tocara el suelo y examinara brevemente el origen de la sangre de sus pantalones, enrolló el paracaídas, lo enterró y se ocultó dentro de un espeso seto.

A lo largo de toda la tarde y ya entrada la noche, escuchó las patrullas que circulaban por las carreteras y se detenían a inspeccionar los campos, a veces tan cerca que podía oír los perros que ladraban. Se apretó todo lo que pudo contra las zarzas, y se esforzó tanto en permanecer inmóvil que las piernas se le acalambraron y le temblaron. Pero los perros no le olieron.

Varias horas después de anochecer, un campesino atento fue a buscar a Charley y lo llevó a un caserío dentro de un carrito que crujía bajo su peso. A Charley aquello le parecía un poco ridículo, pero no hizo preguntas; el granjero había llegado con agua, un trozo de pan y le había sacado de las zarzas. Sólo por eso ya era digno de confianza.

Tardó sólo un momento en comprender que ese trozo de metal le había arrancado un trozo de muslo al salir, cosa que en el futuro le haría un poco menos atractivo, pero que de momento era poco más que una molestia. La pérdida de sangre no le ponía en peligro de muerte, y si podía evitarse la infección, sería capaz de volver a volar tras un periodo de recuperación.

Un médico arriesgó su profesión y su vida yendo al caserío y limpiándole la herida. Tras coserla, le aplicó sulfamida. Una pareja belga que vivía en el pueblo se jugó también la vida alojándolo en su desván y compartiendo sus raciones con él hasta que recobrara las fuerzas. Después de un mes escondido y descansando, Charley Swan se pondría en manos de una red creada por cientos de belgas y franceses, que arriesgarían sus vidas para devolverlo a Inglaterra.

El día que llegó al desván, el agotamiento se apoderó de él. Se pasó casi tres días durmiendo, despertándose sólo para que le curaran la herida y para comer, cosa que hacía entre atontado y agradecido. Curiosamente, que le pegaran un tiro le trajo paz, y cuando se levantó se sintió descansado y dispuesto para emprender la huida.

Los que le cuidaban le entrenaron en el protocolo de la sutileza. Le identificaron las zonas de mayor peligro y le enseñaron cómo evitar la confrontación. Pero para alguien con una mente activa y una nueva reserva de energía, cada día que pasaba en el desván ponía a prueba su paciencia. De todos modos, no tenía más opciones, pues la Gestapo hacía registros al azar en las casas de casi todos los pueblos. ¿Y quién sabía si alguien vigilaba las ventanas de las casas del vecindario? De manera que Charley Swan se pasaba casi todo el día echado, mirando cómo el haz de luz que entraba por la ventana sucia se movía por las paredes y el suelo, proyectando formas cambiantes en la habitación, como un lentísimo caleidoscopio sin color.

Las moscas se reunían en el alféizar para morir, y un ratón recorría la pared con carreras y abruptas paradas. Charley escuchaba los aviones que sobrevolaban su cabeza e intentaba averiguar su dirección (¿Nuestros o suyos?, se preguntaba, tentado a asomarse pero demasiado disciplinado para hacerlo). Seguía el sonido de los camiones que pasaban por la calle, inquieto hasta que se habían alejado. Por las rendijas le llegaba un olor a col hervida.

Para ejercitar la mente inventaba problemas. Repasaba sus comprobaciones diarias de vuelo y volaba en misiones mentales, colocando los alerones, ajustando el acelerador, inclinando el timón, tirando de la palanca de mando. Estaría a punto para volar en cuanto regresara. Para aflojar los músculos, Charley se estiraba y ejercitaba en el suelo durante horas, boca arriba, abriendo y cerrando los brazos y las piernas y luego dándose la vuelta para hacer brazadas de natación en seco.

Las noches en que no había luna, caminaba y doblaba las rodillas para estirar las piernas. Previendo que tendría que salir por Gibraltar, procuraba recordar su español manteniendo conversaciones mentales.

Pero casi siempre pensaba en Annie. Una de sus primeras preguntas fue si podría enviarse una notificación a su casa para asegurarles que se encontraba bien. Le dijeron que lo mencionarían a los aviadores que estaban a punto de cruzar la frontera por si podían llevarle el recado. Pero los que se evadían ya tenían mucho en que pensar, y dicha información podría poner en peligro la red de apoyo a los aviadores si la Gestapo los interrogaba. De manera que no pudo enviar ningún mensaje. Su mujer se quedaría de lo más sorprendida cuando lo viera aparecer por la puerta, le razonaron, y así no sufriría otro disgusto si su huida iba mal y tenían que comunicarle su muerte por segunda vez.

Una vez lo suficientemente curado para iniciar el viaje, capaz ya de caminar sin cojear, Charley fue informado del plan. Le pusieron unos pantalones de algodón, una camisa tejana y una chaqueta ligera y le dijeron que se comportara como si fuera un estudiante que había ido de vacaciones al sur. La mujer que se encargaría de acompañarlo, a la que sólo conocería el día antes de la partida, se mantendría a cierta distancia mientras se desplazaban a París, cambiaban de tren para ir a Burdeos y luego cogían una línea de cercanías hasta zonas más meridionales como Dax, Bayona, Biarritz y San Juan de Luz.

Charley aprendió algo de francés en su mes de recuperación, pero fue incapaz de expresar lo agradecido que estaba a quienes lo habían cobijado. Les dijo unas pocas palabras y los abrazó. Lo comprendieron.

—*Bon chance* —le dijo a Charley el hombre—. *Bombardez les Allemandes.*

Charley lo entendió. Buena suerte, vuelva lo antes posible y bombardee a los nazis hasta que se vayan de Europa.

Los anteriores intentos de huida habían enseñado a los miembros de la red que los momentos de mayor peligro se daban en las estaciones de tren, sobre todo en los andenes, donde los pasajeros eran encauzados a través de los puntos de control y donde los individuos sospechosos podían ser seleccionados al azar mientras pasaban. La Gare de Lyon de París, sobre todo, era un peliagudo cuello de botella.

Charley se sentía tan preparado para el viaje y tan confiado en su éxito que se quedó dormido en el tren a París. Pero cuando se apeó comprendió el problema. Una hilera de soldados alemanes bloqueaba el paso desde el andén hasta el vestíbulo, mientras un par de agentes de la Gestapo, sentados a una mesa, examinaban los documentos de identidad. La acumulación de pasajeros daba a entender que no se trataba de una búsqueda habitual.

Qué raro, se dijo. Llevaba más de un año combatiendo a los alemanes y ésa era la primera vez que los veía. Sin embargo, lo que debía hacer en ese momento era analizar las opciones, y tenía que procurar no mirar a su alrededor con demasiado descaro. Se volvió para subirse de nuevo al tren e intentar salir por el otro lado, pero miró por la ventanilla y vio soldados con armas automáticas recorriendo los vagones. Tranquilo. La persona que lo acompañaba sabría qué hacer. Haría cola y confiaría en que los documentos que llevaba pasaran la inspección. Tranquilo. Respira. Relájate.

—*Pardonnez-moi* —oyó decir Charley—. *Pardon.*

El grupo de pasajeros impacientes se abrió para dejar paso a un carrito sobrecargado de equipaje empujado por un hombre demasiado viejo para esa labor. La tambaleante carga parecía a punto de caer mientras el carrito de dos ruedas rodaba sobre el irregular cemento.

Charley probó a hablar en francés.

—*Assistez?* —dijo señalando la carga.

—*Ah, oui!* —contestó el anciano. Cuando el hombre se inclinó para apoyar el carrito en los dos pies, se le cayó la gorra azul de «mozo». Charley le reubicó el equipaje, recogió la gorra del hombre y se la colocó en su propia cabeza. Le guiñó el ojo y asintió para que avanzara. Echó a andar detrás del carro estabilizando con las manos la bamboleante carga.

La línea de soldados, con sus armas automáticas apuntando a los pasajeros, siguió hombro con hombro mientras se acercaba el carrito de equipajes.

—*Pardon* —dijo el anciano agobiado por la pesada carga.

Los soldados lo miraron de arriba abajo y se apartaron. Charley se concentró en mantener las maletas en equilibrio sin levantar la vista.

—*Halt* —gritó uno. El viejo mozo y Charley se quedaron tiesos.

Un oficial se bajó el arma del hombro y se acercó. Miró a Charley a la cara y éste lo miró directamente a los ojos, concentrándose en sus pupilas. El oficial avanzó hacia la carga y removió algunas maletas para asegurarse de que nadie se escondía en el montón. Satisfecho al ver que no había nadie, le hizo un gesto al viejo de que avanzara.

—*Merci, monsieur* —dijo el hombre cuando los dos «compañeros» llegaron a la sala de equipajes. Le hizo seña a Charley de que le devolviera la gorra.

—*Merci beaucoup* —respondió Charley, y le entregó la gorra. Se volvió hacia el vestíbulo, examinó la lista de salidas y, como si fuera un estudiante de vacaciones, se dirigió hacia el tren de Burdeos.

* * *

Había que hacer algo con el pelo. En una época en que no llamar la atención significaba sobrevivir, nadie quería arriesgarse a hacer pasar a un piloto con el pelo color de fuego por un pastor vasco de las montañas.

Renée Labourd recibió a Charley Swan en la estación de San Juan de Luz/Ciboure como si fuera un amigo que vuelve a casa de la universidad. Después de cruzarse con unos soldados nazis, Renée lo llevó por una calle lateral hasta el Pub du Corsaire, y por las escaleras de atrás subieron al apartamento de Dodo.

Cuando entraron en la habitación, Renée de inmediato señaló el pelo de Charley.

—Éste es nuestro nuevo pastor —dijo sarcástica.

—No creo que tengamos una *txapela* lo bastante grande como para tapar eso —comentó Dodo—. Nos irá mejor hacerle pasar por oveja.

—El polvo de carbón serviría, pero si llueve o cruza el río se le irá —apuntó Renée.

—El tinte que utilizaba para los muebles aguantaba mucho, seguro que irá bien —sugirió Miguel.

—¿Tienes? —preguntó Renée.

—En Gernika. Lo siento.

—A ver si encuentro algún tinte —dijo Renée.

Las tareas que requerían ir a buscar algo al pueblo recaían en Renée, pues su pequeño grupo había desarrollado una eficaz división de deberes. Era capaz de encontrar tinte para el pelo sin despertar sospechas. Dodo no. Ella podía comprar ropa de varias tallas para regalar, mientras que quedaría raro que Dodo lo hiciera. También podía fingir que ligaba con un joven en la estación, mientras que si Dodo iba a recoger a un hombre parecía el comienzo de una conspiración.

En su breve tiempo en las montañas, Miguel se adaptó a su nuevo trabajo sin dar un paso en falso. Su experiencia recogiendo leña en las colinas de Gernika le había preparado para las labores nocturnas de la frontera. Era capaz de andar toda la noche, de tener la boca cerrada y la mirada atenta. Y lo más importante, su pequeña banda no podría haber encontrado a nadie tan de fiar.

Fueran cuales fueran las limitaciones de las manos de Miguel, no le resultaban ningún impedimento a la hora de guiar a los pilotos que huían a la frontera española. Dodo observó, sin comentarlo, que parecía andar más erguido, mirando a su alrededor más que al suelo.

El ejercicio y el peligro habían llenado de energía a Miguel, pero lo que más regeneraba su espíritu era el ansia de venganza. Cada piloto que regresara a Inglaterra arrojaría más bombas sobre los nazis. No era un pensamiento cristiano, pero descubrió que podía vivir con esa culpa hasta su próxima confesión. La idea de la confesión le activó otras conexiones mentales que lo llevaron por un camino predecible: el padre Xabier; el hermano del padre Xabier, Justo; y la hija de Justo, Miren. Miren y la tristeza. Tenía que volver al trabajo, encontrar algo que le alejara de esos pensamientos. Pero todo lo llevaba de vuelta a esas cavilaciones.

Desde la ocupación nazi de Francia, Renée, Dodo y Miguel habían conseguido devolver a su país a docenas de aviadores. Algunas veces habían escapado por los pelos, y en numerosas ocasiones habían tenido que improvisar y a veces ir literalmente por en medio del río. Varias veces fueron obligados a dar media vuelta y dirigirse a paso ligero a otros pasos. Tuvieron que pasar una noche en la gruta con unos pilotos intranquilos. En una ocasión cruzaron el Bidasoa apoyándose en un tronco a la deriva bajo la luz de los reflectores, mientras algunos disparos de prácticas de tiro se clavaban en la madera. Agarrados a las ramas submarinas, vadearon el río más fácilmente de lo que podrían haberlo hecho sin la ayuda del tronco flotante.

Durante un tiempo, los guardias españoles dedicaron más interés a los contrabandistas que a los refugiados o a los pilotos que huían. A los españoles se les consideraba neutrales, por lo que se refería a la guerra y a sus participantes, pero siempre se habían mostrado muy estrictos —aunque a veces indolentes— con el transporte ilegal de bienes o la entrada ilegal en su país.

No obstante, los nazis tenían mucha influencia sobre Franco y la Gestapo había comenzado a adiestrar —e intimidar— a los guardias responsables de las fronteras. Habían llegado a un acuerdo por el cual los españoles debían detener a cualquiera que intentara huir a Francia, para poder enviarlo a Alemania y procesarlo. Como consecuencia, los *évadés,* como llamaban los franceses a los fugitivos, ya no tenían garantizada la libertad una vez llegaban a España. Y los españoles, con las nuevas órdenes, bajo ningún concepto deseaban molestar a los imperiosos nazis.

Pero desde la muerte de los refugiados polacos, su grupo no había tenido que lamentar más bajas en la frontera, un récord impresionante dada la creciente presencia de nazis. El atractivo de las playas y de las poblaciones de la Côte Basque hacía que a los alemanes cada vez más les gustara ir de permiso a sitios como Biarritz y San Juan de Luz en Francia, y Hendaya y San Sebastián en España. De manera que la pequeña unidad de Dodo no sólo tenía que enfrentarse con la creciente presión de los bosques y las montañas, sino también en las poblaciones en que los nazis de permiso iban a la caza de mujeres y pastelería.

Y a tan difíciles circunstancias se añadía ahora un aviador británico con un pelo que gritaba: «*Achtung, verboten*».

—Vale, trae algún tinte —le dijo Dodo a Renée.

—¿Y para la piel? —preguntó ella.

—Supongo que tendremos que ensuciarlo —contestó Dodo encogiéndose de hombros.

* * *

Los oficiales alemanes frecuentaban la posada de Labourd cerca de Sare. A la hora de cenar solían pedir varias porciones de *gâteau Basque,* y nunca se preguntaban de dónde salían los huevos, el azúcar y otros ingredientes racionados.

—Me podría cagar en él —bromeaba Santi Labourd—. Pero entonces pensarían que es ciruela y pedirían más del que puedo darles.

Por cada oficial que se alojaba allí, se añadía un pequeño recargo que no aparecía en la factura final. Cuando la señora Claudine Labourd los hacía salir para limpiar las habitaciones, rebuscaba en los bolsillos de las guerreras y en sus portafolios por si había información, botones sueltos, insignias de más... cualquier cosa que pudiera quitarles sin que se dieran cuenta.

A veces encontraba tres puros en un bolsillo, uno de los cuales le vendía al mismo oficial al que se lo había quitado después de que éste se diera cuenta de que se le estaban acabando.

—Ah, tiene mi marca preferida, qué suerte —afirmaban invariablemente, y doblaban la propina.

Aunque la señora Labourd tenía ya esa figura redondeada de matrona, seguía comprendiendo la importancia de coquetear con los oficiales e insinuarles los placeres que compartiría con ellos sólo con que tuviera veinte años menos. Algunos eran lo bastante descarados como para manifestar que no les importaba la edad que tuviera y le pedían que subiera a su habitación. Ella se hacía la sorprendida ante su virilidad, les tanteaba los bíceps y pronunciaba un vibrante «*Formidable*», y a continuación rechazaba la propuesta aduciendo «cosas de mujeres». El oficial asentía, con una mirada cómplice, sin tener ni idea de qué podía ser eso. Tampoco se imaginaban que en los bolsillos de la señora Labourd había documentos de identidad que podían convertirse en falsificaciones aceptables, cien francos en billetes, una insignia para el cuello, una foto del Führer, sellos alemanes de su correspondencia y su gorra de campaña extra.

Ante la posibilidad de toparse con nazis de vacaciones, Dodo siempre se acercaba al hotel con los ojos bien abiertos. Renée había decidido que este viaje llegara hasta Sare. Ella iría delante con Charley, mientras Dodo y Miguel cerrarían la marcha quedándose bastante atrás y fuera del camino. Lo único que verían sería dos enamorados paseando del brazo por el valle, compartiendo un paseo tranquilo. Nada podía resultar más natural.

Cuando aquella noche Renée descubrió que en casa de los Labourd no se alojaba ningún nazi, el grupo llegó a mediodía para tomarse un cordero con verduras, regado por un excelente burdeos.

—El vino perfecto, papá —dijo Renée.

—Ah, este vino tenía que entrar en España una noche, y por el camino se perdieron algunas botellas —explicó con fingida consternación.

El plan era echarse una siesta hasta bien entrado el ocaso a fin de estar descansados para la caminata de cinco o seis horas. Como de costumbre, Dodo se acostó con Renée en la antigua habitación de ésta, una idea que los Labourd encontraron aceptable. Los dos vivían juntos en el pueblo, trabajaban juntos y se querían; ¿por qué andarse con formalidades? Además, admiraban a Dodo y le consideraban una pareja más que idónea para su enérgica hija. La juventud hay que aprovecharla, le comentaba siempre Santi a Claudine: «Agua pasada no mueve molino», le decía antes de que ella le diera una palmada en el hombro.

Miguel y Charley —ahora moreno— se dirigieron a la parte de atrás de la posada para comprobar la comodidad del pajar del granero. La pierna herida de Charley no le causó problemas durante la caminata de diez kilómetros hasta Sare. Con su «nuevo» pelo, sus pantalones de algodón, su chaleco de pastor, las alpargatas de cáñamo y la *txapela,* parecía un vasco, aunque tuviera la cara cubierta de pecas.

Lo que más compensaba ese hándicap era la fluidez de Charles Swan en español. Le permitía hablar fácilmente con sus guías, y aquella noche sobre todo con Miguel. También significaba que era capaz de comprender y contestar adecuadamente si tenían algún encuentro en la frontera.

En el caserío de los Labourd había una mula, dos *pottokas* domesticados que eran veteranos de muchos pasos a medianoche y más de una docena de ovejas. Como era el caso con los invitados especiales que habían pasado por allí, Miguel y Charley fueron alojados en el pajar, donde los ratones eran lo bastante amables como para tan sólo mordisquear los cordones de las botas y no algo más valioso. Entre los montones de anea seca, el pesebre lleno de avena y las ovejas, a Miguel todo aquello le olía igual que Errotabarri. Ovejas, Errotabarri, Justo, Mariángeles, Miren.

Aunque sabía que descansar algunas horas era importante, Charley era incapaz de relajarse y constantemente estiraba y ponía a prueba la pierna. Había transcurrido mes y medio desde que recibiera el disparo. El saber que se encontraba a apenas unas horas de un país neutral le hacía sentirse como si casi estuviera en casa.

Miguel tenía muy poco en común con los aviadores. No entendía a la mayoría de ellos y, además, nunca se sabía si alguno acabaría denunciándolos a los guardias de la frontera. Si alguien era capturado, cuanto menos supiera, mejor. Pero también se sentía solo. Compartieron una botella de Burdeos que Santi les había dado.

—Lo peor —dijo Charley estirándose sobre la paja— es que mi esposa probablemente piensa que he muerto. No creo que pueda saber que me recogieron y me han cuidado. —Miguel negó con la cabeza, comprensivo—. Llevamos menos de dos años casados —le explicó el piloto—. Ella también es pelirroja.

—¿Tienes algún pequeño pelirrojo? —preguntó Miguel.

—Aún no —dijo Charley—. ¿Y tú? ¿Tienes familia?

—Sí, tengo familia.

Charley soltó una risita.

—No sé tu mujer, pero la mía es tonta. —Sacó una foto del bolsillo. Cuando hablaba de ella la sentía más cerca.

—¿Eso es un pájaro? —preguntó Miguel al ver la foto.

—Se llama *Blennie*. Es un periquito, uno de esos que hablan.

—¿Tu pájaro habla?

—Sólo imita los sonidos que oye —dijo Charley—. Annie siempre intenta que diga «pajarito».

—¿Y dice «pajarito»?

—No, todo lo que dice es «tic-tac, tic-tac».

—¿Tic-tac, tic-tac?

—Por eso te digo que es tonta. Éste es el segundo pájaro que tiene que sólo dice «tic-tac, tic-tac». Ella todo el día le repite «pajarito», pero siempre pone la jaula en la repisa de la chimenea, junto a un reloj que hace mucho ruido. El pájaro oye el tic-tac todo el día. Tic-tac, tic-tac. Tic-tac. Por eso es lo único que sabe decir, y ella no tiene ni idea de por qué.

La explicación de Charley justificaba una sonrisa, quizá incluso una risita. Y ese humor tan burdo atravesó en ambos una especie de muro interior y, mientras recordaban lo que era la risa, ésta iba ganando impulso, hasta que los dos tuvieron que enterrar la cara en los brazos cruzados para amortiguar el ruido. Las carcajadas alarmaron a los *pottokas,* que agitaron las patas y se despertaron, pero Miguel no podía parar. La cara sonrosada de Charley se fue tornando encarnada, divertido por la reacción de Miguel.

—¿Por qué no se lo dijiste? —preguntó éste cuando recuperó el control.

—Porque me daba miedo hacerle quedar como una tonta.

Miguel miró la foto de aquella mujer que tenía los ojos ampliados por las gafas, los ojos vacíos del pájaro, y volvió a reírse:

—Tic-tac, tic-tac —dijo.

—Tic-tac —replicó Charley, lo que provocó otra cascada de carcajadas. Miguel le devolvió la foto—. ¿Qué me dices de la tuya?

—Es bailarina —dijo, y se sacó del bolsillo de la camisa la foto de su familia tomada en el primer cumpleaños de Catalina. Justo sabía que la foto de Miguel había ardido cuando su casa fue destruida, y antes de que Miguel se marchara a las montañas le regaló la copia que tenía en Errotabarri, sobre la chimenea.

—Qué guapos son todos —dijo Charley. No había visto una familia más estupenda—. Las chicas son preciosas... perfectas.

—No del todo perfectas —dijo Miguel sin pensar, dejándose llevar por el entusiasmo.

—¿Por qué no? —Miguel, aún riendo, vaciló—. ¿Por qué no? —volvió a preguntar Charley.

Sí, ¿por qué no?, se dijo Miguel. Nunca volvería a ver a ese desconocido, a ese aviador. Le explicó por qué Catalina no miraba directamente a la cámara.

—Le estábamos disimulando las orejas —contestó—. Los cuatro intentamos mantenerla inmóvil mientras le agujereábamos la oreja, pero se soltó y se desgarró un trozo de oreja.

Se rió al acordarse de los cuatro, tan reacios a sujetar a aquella niñita que se retorcía.

—De todos modos, en la oreja izquierda lleva un bonito aro —dijo Charley.

—Es el *lauburu,* el emblema vasco.

¿El emblema vasco? Charley había supuesto que Renée, Dodo y Miguel eran franceses o españoles, y ni se le había ocurrido pensar que pudieran ser vascos. Llevaba con ellos menos de un día y nadie se lo había mencionado, pues habían estado ocupados planeando los detalles de la huida.

—Mi esposa conoce a muchos niños vascos —le explicó Charley, entusiasmado por la relación—. A muchos, muchos niños vascos. —Miguel no podía entender por qué—. Durante vuestra Guerra Civil, miles de niños vascos fueron enviados a Inglaterra. Mi esposa los adora y los ha estado ayudando. Está aprendiendo vasco, al menos un poco. ¿De dónde eres?

—De Gernika —dijo Miguel.

—¿De Gernika? —Dios mío. ¿Debía decirle que había visto el cuadro? ¿Llegaría a saber que existía un cuadro?—. ¿Estabas allí... cuando ocurrió? —preguntó.

—Sí, estábamos allí.

—¿Tu familia?

—Sí, murieron.

Charley cerró los ojos. Se había fijado en la deformidad de las manos de Miguel, pero no había sacado ninguna conclusión; en aquellos días podía ser consecuencia de cualquier desastre de la guerra. Evocó las imágenes del cuadro y recordó a la mujer que chillaba llevando en brazos al bebé de ojos vacíos. Ojalá Miguel nunca lo viera.

El aviador se concentró más en la foto que tenía en la mano, sin saber qué decir.

—Son guapas —afirmó.

Siguieron hablando en el granero, en la creciente oscuridad, como protección del silencio. El piloto le habló de la sensación de volar y de que su mujer tenía miedo de que se fuera a la guerra. Miguel le relató su fracaso como pescador, y que sólo podía imaginarse cómo se marearía en el avión si ya tenía tantos problemas en un barco.

Intentó explicarle lo que sentía al ver bailar a Miren, y le contó la absurda historia de Vanka, que de nuevo hizo reír a Charley y darle un golpecito en la espalda.

Y cuando otra vez se impuso el silencio, lo único que pudo añadir Charley fue:

—Lo siento.

Miguel le había contado cosas a ese desconocido que jamás había sido capaz de decirle a Justo ni a Dodo. Eran demasiado cercanos, tenían su propio sufrimiento, y no podía esperar que también acarrearan con el suyo. Había hecho falta ese desconocido para conseguir que hablara de todo eso.

—Estaba en las colinas... No pude llegar junto a ellas —contó Miguel—. Me dijeron que la primera bomba mató a mi suegra, y que Miren, mi esposa, quedó sepultada bajo un edificio que se derrumbó.

—¿Y la pequeña?

A Miguel se le apagó la voz, pero tenía que decirlo, ahora, mientras pudiera.

—No se pudo hacer nada...

—¿Y tus manos?

—Fue mientras intentaba encontrarlas.

Silencio.

La esposa de Miguel podría haber sido Annie. El bebé podría haber sido el suyo. La vida de Miguel podría haber sido la suya. Y aún podía serlo.

—Tengo que regresar —dijo Charley. Una frase que nada tenía que ver con lo que habían hablado, pero que Miguel comprendió.

El granero se fue oscureciendo y los tenues sonidos del ganado en su sueño los calmaron, pero ninguno durmió. Al cabo de pocas horas Charley estaría con su familia, y en su mente comenzó a planear todo lo que quería decirle a Annie.

* * *

La orden llegó a través de una cadena de mando poco habitual. La hermana Teresa les dijo a los sacerdotes de Santa María que cuando Alaia Aldecoa fue al convento se la veía débil, como si no comiera bien. Un sacerdote de Santa María le comunicó al padre Xabier, en Bilbao, que Alaia Aldecoa se moría de hambre.

—Deberías llevártela a casa, eso sería lo caritativo —le dijo Xabier a Justo cuando éste visitó la basílica aquella semana—. Ya sabes cuánto significaba ella para todo el mundo. No podemos permitir que eso ocurra. No podemos darle la espalda.

Justo no podía negar que Alaia había sido como un miembro de la familia, y le importaba mucho su bienestar. Pero ¿llevársela a vivir a Errotabarri?

—¿No podría limitarme a darle de comer? ¿Tengo que tenerla por casa?

—A lo mejor tiene bastante comida, pero no se cuida. Tal vez necesita a alguien que se preocupe por ella.

—¿Y qué me dices de la hermana Teresa, del convento, o de María Luisa de Lumo?

—Justo, ¿crees que esa chica debería volver al convento? ¿O vivir con alguien que no conoce?

—Pero es que allí estoy yo solo —dijo Justo.

—¿Qué? ¿Te importan las apariencias? —le reprochó Xabier.

Justo se lo pensó. Había oído los chismorreos en el pueblo antes del bombardeo, pero nada desde entonces. ¿Acaso eso importaba?

—¿Desde cuándo te importan las apariencias? —preguntó Xabier.

—No lo sé. Necesito estar libre para irme donde quiera. Hago trabajo de misionero.

Xabier no entendió muy bien a qué se refería, pero no comprendía cómo una chica ciega podía impedirle a Justo hacer lo que quisiera. De todos modos, había consentido en hablar del asunto sólo por caridad cristiana hacia la chica. Le parecía que tener a otra persona en Errotabarri, alguien a quien Justo apreciara, alguien que hubiera conocido a Mariángeles y a Miren, le obligaría a quedarse en casa en lugar de pasarse los días y las noches vagando por ahí. La relación con lo que le había ocurrido a su padre era demasiado obvia para pasarla por alto.

—Justo, mira —dijo Xabier—. Sé que siempre sospechas que tengo una especie de motivo oculto. No digo que tenga que venir a reemplazar a tu hija, y desde luego no digo que vaya a reemplazar a tu mujer. Lo único que te digo es que es una buena amiga que quizá en este momento no tiene ningún lugar mejor al que ir. Eso es todo. Necesita ayuda.

Justo se dirigió al armarito para sacar la escoba y comenzar a barrer la rectoría. El primer impulso de Xabier fue detenerle, pero Justo necesitaba tiempo y había decidido barrer mientras pensaba. Al principio quizá sería incómodo tenerla en casa, pero eso sería pasajero. Y no, no le importaba lo que dijera nadie del pueblo. De hecho, eso era una buena razón para hacerlo: darle filo a las lenguas. Pero ¿en Errotabarri? Tenía un deber hacia Errotabarri. Sería mejor llevarla cuando Miguel regresara. Eso tendría más sentido. Pero ¿volvería Miguel?

Justo abrió la puerta de atrás y barrió el polvo que había acumulado al fondo, que era el método que utilizaba ahora que no podía coordinar escoba y recogedor con un brazo.

—Deja que te pregunte una cosa, Xabier —dijo Justo mientras volvía a colocar la escoba en su sitio—. ¿Qué piensa Alaia de todo esto?

Xabier se puso a pensar en la cadena de información tal y como le había llegado. De hecho, por lo que podía recordar, nadie le había preguntado.

* * *

Charley resbaló, refunfuñó y percibió un olor.

—Mierda de *pottock* —susurró Dodo tras una rápida olfacción—. Está por todas partes.

Decirle a Charley que vigilara por dónde pisaba mientras se abrían paso a tientas entre ese túnel de oscuridad habría sido del todo fútil. Se movían bien en la noche, a través del suelo irregular de los roquedales y por los arroyuelos flanqueados de zarzas. Una vez arriba, bordearon la línea de árboles del paso montañoso que los llevaría a España. Después de un breve descenso por ese sendero, cruzarían la frontera. Pero para llegar a Irún, y a la costa, tendrían que desviarse al oeste, de nuevo a través de la frontera invisible, y vadear el Bidasoa allí donde servía de tangible barrera.

Una vez cruzaran el río y llegaran a Irún, Miguel y Dodo dejarían a Charley con otros miembros de la red, que le trasladarían en coche a San Sebastián. Desde allí, con un enorme riesgo, Charley subiría a un tren hasta Bilbao, donde el consulado británico acabaría de encargarse de todo.

Con Charley siguiendo su ritmo fácilmente y Miguel alerta por si les seguía alguien, Dodo les llevó por un paso poco utilizado y comenzó a cruzar la ladera de una colina hacia el oeste. Se detuvieron en una ocasión a beber agua y unos tragos de Izarra que guardaban en un escondite cerca del paso, y para comer algo de pan que Dodo llevaba en su mochila.

—Para calmar los mares tempestuosos —le susurró Dodo a Miguel al arrojar un trocito en dirección a las rocas. Miguel asintió. Era el momento de respetar todas las supersticiones.

Miguel se puso rígido y le hizo seña a Charley y a Dodo de que no se movieran. Todos contuvieron el aliento. A los pocos momentos, Dodo oyó también un cencerro amortiguado. Cerca de allí estaban acostando un rebaño y un carnero había hecho sonar el cencerro.

—Ovejas —susurró Dodo—. No pasa nada.

La verdad es que Charley no había oído nada, y apenas lo que había dicho Dodo. No se había dado cuenta hasta ahora, pero tantas horas junto a los motores del Blenheim le habían dañado el oído.

Avanzaron. Al parecer la elección de esa ruta había sido acertada y el paseo extra hacia el este de la zona donde había más patrullas había valido la pena. Pero lo más difícil sería cruzar el río, y Dodo había planeado hacerlo a casi diez kilómetros río arriba de Behobie. Allí la pendiente era suave y protegida por árboles en el lado francés, y aunque había puestos de vigilancia en la orilla española, los recodos del río creaban puntos ciegos en algunos lugares.

Puesto que no habían visto ninguna patrulla alemana y seguían protegidos por la oscuridad, Dodo esperaba tener tiempo de examinar la orilla norte para descubrir la mejor manera de esconderse de los reflectores españoles y un buen sitio para vadear las aguas.

La anchura del río no le preocupaba tanto como la velocidad de la corriente y la profundidad. Aunque las rocas eran resbaladizas e inestables, si los hombres eran capaces de no caerse, resultaba mucho más fácil cruzar una distancia mayor haciendo pie que nadar un trecho más breve en medio de la corriente.

Ahora avanzaban furtivamente y con largas pausas, pues habían llegado a un terreno llano creado por la cuenca del río, y al poco vieron una gran garita de vigilancia. Desde esa posición, el porche a tres vientos dominaba un arco de río que formaba una curva de unos centenares de metros. Los reflectores barrían lentamente el agua y los tres se tiraron al suelo.

Delante, el río se alejaba de la garita formando una media luna, y Dodo señaló el punto por donde iban a cruzar. Charley estaba cansado y la pierna herida le dolía. Las semanas de inactividad en el desván le habían dejado sin fondo físico. Ver el agua lo revitalizó, y cuando Dodo se detuvo y señaló el río, Charley se dio cuenta de que no estaban a más de treinta metros de España.

Dodo evaluó el terreno. Una orilla rocosa en suave pendiente llegaba desde el bosque en el lado francés. A medida que el río, a lo largo de los siglos, había erosionado las rocas en la parte exterior del arco y acumulado detritus en el interior, había ido penetrando en la orilla opuesta. En ese lado el agua era más empinada y abundaban los rosales silvestres y la cola de caballo. Sería un ascenso difícil, pero al menos quedaba oculto.

Dodo tiró de ellos y se arrodillaron echando el brazo en el hombro del otro, formando una piña.

—No servirá de nada ir demasiado pegados, tendrás que ir a tu aire en la misma dirección —le dijo Dodo a Charley—. Da pasos cortos. Afianza bien el pie en la siguiente roca antes de cambiar de pie de apoyo. Una vez estés en el agua, ve todo lo agachado que puedas. La corriente te llevará río abajo. No pasa nada, pero procura que no te arrastre demasiado lejos. Nos reuniremos en cuanto hayamos subido la pendiente de la otra orilla.

Charley escuchó atentamente y obedeció las instrucciones al igual que cuando empezó a volar solo en el Tiger

Moth, tan entusiasmado que se creía capaz de volar sin el avión. Archivó la información en su organizada mente: pasos cortos, afianzar el pie. Ir agachado. Puedes hacerlo.

—En el mismo orden. Id despacio —dijo Dodo—. Esperad a que me acerque a esa roca grande del medio y entonces poneos en marcha.

Dodo no hizo ningún ruido. Sus alpargatas de suela de cáñamo se adaptaban a las rocas de la orilla mientras mantenía los ojos fijos en la garita que había río arriba. Mientras Dodo se adentraba en el río, Charley vigilaba su paso y por dónde iba, veía cómo la corriente se aferraba a la pernera de sus pantalones, cómo se movía despacio y doblado por la cintura, del mismo modo que habían aprendido a hacer de niños cuando se colocaban sigilosamente detrás de un amigo de la escuela. La roca que sobresalía en la mitad, ligeramente río abajo, era el límite hasta donde podían ver, y cuando Dodo desapareció, Charley se adentró en el agua tal y como le habían dicho.

La corriente era más fuerte de lo que esperaba y casi lo derribó cuando apenas le llegaba por los tobillos. Pasos cortos... pasos más cortos, se dijo. Se imaginó volando contra un viento fuerte y ladeó el cuerpo para intentar contrarrestar el empuje. Cuando el agua le llegó por la cintura, se dio cuenta de que la pierna derecha estaba perdiendo fuerza, derrotada por la corriente. Cada vez que levantaba la pierna izquierda para dar un pasito, la derecha amenazaba con ceder y entregarlo al río.

Su mente analítica ideó un método mejor; pasos cortos con la izquierda, largos con la derecha, volverse hacia la corriente y avanzar de lado apoyándose sobre todo en la pierna más fuerte. Varias veces resbaló hacia delante y cayó sobre las manos, y el agua era tan profunda que acabó con la cabeza sumergida antes de ponerse en pie y recuperar el equilibrio. Las inmersiones en el agua fría lo dejaron sin aliento y salió jadeando a la superficie, mareado por el esfuerzo y la falta de aire y por el dolor que le recorría la pierna.

Los reflectores españoles rompieron su ciclo de exploración regular y apuntaron la luz en su dirección. Miguel, que estaba a punto de meterse en el agua, retrocedió lentamente hacia los árboles, a la espera de que el foco se alejara.

Cerca de la orilla opuesta, Dodo oyó ladridos procedentes de río abajo, en la margen francesa. La curva del río que les protegía de los españoles los dejaba al descubierto en el lado francés. Los ladridos podían pertenecer a un perro pastor, o al de un granjero, pero también podía ser una patrulla alemana.

Dodo le hizo seña a Charley de que retrocediera, pero éste casi no podía con la corriente y ya había sido arrastrado río abajo. Cayó en un hoyo que no había visto, y cuando emergió a la superficie, salpicando y escupiendo agua, los reflectores formaban serpentinas arrugadas por la superficie del agua. Escrutaban la oscuridad al igual que las luces de los antiaéreos habían surcado los cielos en busca de su avión cuando arrojaba bombas.

Charley volvió a sumergirse y Miguel salió de su escondrijo en la orilla. Se metió en el agua a la carrera, tal y como había hecho muchas veces en Lekeitio mientras hacía carreras con Dodo. Movía los pies y las manos en el agua, pero sin resultado. No conseguía empujar el agua ni propulsarse.

—Yo lo sacaré —le dijo Dodo a Miguel—. Procura llegar a la orilla.

Charley, que había sido entrenado en técnicas de supervivencia, no se entregó al pánico e intentó alcanzar la orilla meridional pataleando y chapoteando mientras mantenía la cabeza fuera del agua.

Miguel nadó como pudo hacia la gran roca, donde podría recuperar el equilibrio y el aliento mientras el ruido de Charley y Dodo atraía la atención de los reflectores. Ahora eran varios los perros que formaban un coro cada vez más sonoro de aullidos.

Dodo llegó hasta donde estaba Charley y los dos recuperaron el equilibrio mientras flotaban casi a la misma altura de las patrullas, aunque a pocos metros de la orilla española. Mientras Charley comenzaba a escalar la orilla hacia los espesos matorrales, Dodo se detenía en la rocosa orilla sur y regresaba río arriba para ayudar a Miguel.

Las balas salpicaban en el agua, con chasquidos en las rocas. Una hilera de columnitas de agua avanzó hacia Dodo cuando éste comenzó a nadar. Y desapareció, engullido por la corriente.

Mientras las luces y la atención se centraban en Dodo, Miguel había pataleado hacia la orilla, río arriba. Trepó como pudo por la ladera y se reunió con Charley, y los dos subieron por el sendero que quedaba por encima de la orilla en busca de Dodo, con la esperanza de encontrarlo ya en la orilla y dispuesto a unirse a ellos. Pero no había salido a la superficie. No se le veía en la orilla ni en el sendero.

Los disparos alertaron a los guardias españoles, y ahora había patrullas a ambos lados del río. Miguel y Charley dejaron de buscar a Dodo y se escondieron. Hacían cortos desplazamientos y pasaban largo rato escondidos, y en un momento se ocultaron en un agujero en las rocas mientras los guardias se hallaban a pocos pasos de ellos. Dodo había desaparecido dentro del agua... ahogado o herido por una bala. Lo único que podía hacer Miguel era llevar al piloto a Irún tal y como habían planeado. Y Charley, que les había seguido el ritmo durante el agotador camino desde Sare, había agotado sus fuerzas con la travesía del río y cojeaba mucho.

Necesitaban permanecer a cubierto, pero también tenían que poner un poco de tierra de por medio. Avanzando en etapas, siguieron el borde de una carretera que ocupaba la primera meseta de tierra que quedaba por encima de las interrupciones del río hasta Irún. Patrullas motorizadas pasaban junto a ellos a intervalos irregulares, rara vez separadas por más de cinco minutos. Algunas se detenían y peinaban la margen del río en pequeños pelotones, a menudo disparando a los matorrales si detectaban movimiento.

Cruzar la carretera y avanzar por el otro lado les proporcionaría un terreno llano, pero no resguardo. Así pues, lo único que podían hacer era abrirse paso por el monte bajo o las zonas inundadas que había en los bordes de la ladera que descendía hasta el río, con la esperanza de que ninguna patrulla se detuviera exactamente donde ellos se ocultaban en ese momento.

—Así no vamos a ninguna parte —le dijo Miguel a Charley—. Y si salimos de aquí cuando sea de día, nos verán enseguida. —Charley, sin aliento, asintió—. Escondámonos y descansemos hasta que pase una patrulla; luego caminemos todo lo que podamos por la carretera hasta que volvamos a oír los motores, y entonces nos volvemos a esconder.

Charley volvió a asentir, aunque no sabía si resistiría. Y cuando hubo pasado el primer camión, Charley no consiguió dar más de diez pasos por la carretera antes de caer.

—Lo siento —dijo—. Vete. Ya me las arreglaré.

Miguel vio luces en la carretera que venía del oeste y arrastró a Charley hacia una zona de sotobosque. Incapaz de agarrarlo de la chaqueta y tirar de él, tuvo que rodearle el pecho con las dos manos y levantarlo.

—No creo que ahora pueda continuar. Si descansamos un rato me encontraré mejor. Sólo unos minutos.

—No tenemos tiempo —dijo Miguel lo bastante fuerte como para que Charley lo oyera.

El camión pasó en medio de un petardeo y, mientras los humos del tubo de escape aún enturbiaban el aire, Miguel volvió a levantarse.

—Ponte en pie —le ordenó.

Charley obedeció, tambaleante. Miguel hundió el hombro en la cadera del piloto, se lo echó a la espalda y lo levantó. A continuación entrelazó las manos detrás de las rodillas de Charley y echó a andar haciendo eses por un lado de la carretera.

Cuando al cabo de unos minutos oyeron el zumbido de otro camión, Miguel y su carga se dejaron caer en la maleza. Charley protestó la segunda vez que Miguel hizo ademán de levantarlo, pero sabía que así avanzaban más. Confiaba en la fuerza y el criterio de Miguel. Siguieron los intervalos de esconderse y correr hasta que Charley ya no pudo soportar que lo levantaran.

Poco antes del alba se escondieron entre unas hayas derribadas por el viento y se desplomaron. No habían avanzado más de tres kilómetros.

El pez regresaba para mordisquear las manos de Miguel; el viejo pulpo de su cama de Lekeitio se le enroscaba por las piernas y se las apretaba hasta que le dolían. Después de un buen rato, el pez comenzó a reírse de él, a extender sus enormes labios para dejar al descubierto sus hileras de dientes puntiagudos. Reía, reía. Y luego hablaba.

Levántate, le chillaba el pez. Levántate. Sintiendo que algo se le clavaba en el pecho, Miguel abrió los ojos.

Un guardia civil, con su tricornio de charol y su capa, le hundía el fusil en el pecho. Se rió y emitió un ronquido exagerado.

¿Ronquido? Miguel miró a Charley, que era despertado por otro guardia. Negaron con la cabeza, viendo la inutilidad de la huida. ¿Cómo iba a contarle a alguien que después de haber cruzado las montañas y vadeado el río, después de haber perdido a su hermano, los habían capturado porque habían oído sus ronquidos en la maleza?

Miguel pensó todo lo deprisa que fue capaz y afirmó que eran un par de pastores que se habían perdido y desorientado en la noche, que se tiraron al río cuando oyeron ruido de perros que les perseguían. ¿Había algún problema? ¿Acaso la ley prohibía dormir cerca del río? En Francia era legal. Si tenían que pagar una multa, lo harían de buena gana, aun cuando no fueran más que pastores necesitados de sueño, como todo el mundo.

A los guardias civiles les daba igual que fueran Charles de Gaulle y el mariscal Pétain: pasarían dos días en la cárcel de Irún, hasta el lunes por la mañana, cuando se notificaría su detención a los alemanes del otro de la frontera. Si los alemanes no querían saber nada de ellos, comparecerían delante de un juez. Si los alemanes deseaban que se los entregaran, tanto les daba a los guardias civiles lo que les pasara luego.

Los guardias los hicieron subir a la parte de atrás de un camión viejo que tenía la transmisión poco obediente y, entre saltos y sacudidas, llegaron a Irún. La vieja cárcel de piedra contenía en el sótano unas celdas de suelo de tierra. Antes de tenderse en el suelo, Miguel y Charley se sacaron del bolsillo las fotos aún mojadas de sus familias y las dejaron sobre una repisa de piedra que había al fondo de la celda. La una al lado de la otra. Ninguna se había echado a perder, pero estaban empapadas y las puntas aún más dobladas que antes.

—Y ahora, ¿qué? —preguntó Charley. Se quitó la *txapela* prestada y se pasó una mano por el pelo negro.

—Esperaremos. Veamos si nos creen. Si comparecemos delante de un juez, puedes decirles quién eres y pedir que venga alguien del consulado británico.

—¿Eso es posible?

—Si llegan antes que los alemanes, sí.

—¿Y podría quedar libre?

—Sí... A lo mejor... Los españoles no están en guerra contigo.

—¿Y tú?

Miguel sabía que a algunos miembros de la red los habían detenido y enviado lejos de la frontera, probablemente a un campo de concentración. Otros habían sido declarados culpables de delitos menores y habían entrado a formar parte de los pelotones de trabajos forzados.

—A lo mejor el cónsul también me libera —dijo Miguel. No tenía sentido hacer cábalas acerca de su futuro delante de Charley. Lo mejor era ser optimista.

Aquel sábado resultó sorprendentemente agradable para el piloto. La fatiga y la posibilidad de que lo entregaran al cónsul le permitieron descansar y dormir bien.

Si Miguel iba a parar a una cárcel española, podría afrontarlo. No tenía a nadie. Ni nada. Pero la pérdida de Dodo le afectaba profundamente. A lo mejor había conseguido alejarse buceando de las patrullas, o tal vez lo habían capturado y estaba en alguna cárcel. Aunque por la manera en que había desaparecido, no parecía posible.

Los meses que había pasado con Dodo en San Juan de Luz y en las montañas le habían ayudado a cerrar sus heridas. Dodo, con su entusiasmo y su espíritu juguetón, le había ayudado a distanciarse de Gernika. Se habían vuelto a emborrachar juntos. Habían hablado de Lekeitio, de la familia, incluso del futuro. Miguel quería quedarse con ellos, ver cómo acababa todo, ayudar en la guerra, estar con su hermano, al que apreciaba más que nunca. Dodo, entre la madurez y su relación con Renée, se había despojado de su carácter pendenciero que a veces lo convertía en una persona difícil. Había encontrado su lugar y era más feliz de lo que Miguel nunca lo había visto.

¿Y ahora? ¿Quién podía saberlo? ¿Querría Renée que se quedara? ¿Y por qué iba a quererlo? ¿Por qué iba a querer tener cerca de ella a alguien tan cenizo? Miguel se dio cuenta de que a Dodo todo le había ido bien hasta su llegada.

—Solíamos ir nadando a una isla que estaba delante de nuestro puerto —le contó Miguel a Charley, sintiendo la necesidad de hablar de su hermano—. Dodo hacía lo que fuera para ganar. Nunca has visto a nadie como él.

—He visto cómo nos hacía cruzar las montañas y el río —dijo Charley.

—Nadie odiaba más la injusticia que él, incluso ya cuando éramos pequeños. Siempre intentaba hacerse el chulo. Siempre se apasionaba más que cualquiera por lo que hacía. Ya fuera trabajar, pescar o beber... o perseguir a las chicas. No había nadie como él. —Miguel se echó a reír, interrumpiendo su serio monólogo—. A veces te volvía loco —continuó—. Si un día la pesca iba mal, intentaba convencerte de que era culpa de la política del gobierno español. Si una chica guapa miraba en su dirección, estaba seguro de que estaba colada por él. Y si ésta no le quería, se debía a que era miembro del partido equivocado.

Charley sonreía ante las historias de Miguel. Al no tener hermanos, nunca había experimentado esa relación. Se dijo que a lo mejor eso era bueno, pues le salvaba del dolor que ahora sufría Miguel.

—Sigue —dijo Charley—. Cuéntame más cosas de él.

—Bueno, nunca era aburrido —comentó Miguel, iniciando otro relato—. Para él la vida era un juego...

* * *

Unos minutos después de las ocho de la mañana, el teléfono del escritorio del carcelero resonó por toda la oficina de la planta principal. Preguntaban por el sargento de la Guardia Civil responsable de la escasa dotación del turno del domingo.

Unas palabras indescifrables, que parecían el gruñido de un perro enfadado, saltaron del auricular. Ah, un oficial alemán, dedujo. Entonces, en perfecto español, el oficial comenzó a poner verde al guardia civil.

—Sí... sí... ah... sí —intentó interrumpir. Dejó el auricular lentamente—. Mierda.

Tras recuperarse del rapapolvo, el sargento recobró su aire de autoridad antes de entrar en la celda de los nuevos presos.

Bajó al sótano y abrió la puerta. Acompañado de un subordinado, despertó a los prisioneros. Charley se dijo que el sargento no debía de pesar más que Annie. Llevaba el pelo rematado en punta y tenía un cuellecillo que no tocaba los bordes del cuello de la camisa. Adoptó una pose teatral: los pies separados y las manos en las caderas.

—Señores, acabamos de tener noticias de nuestros amigos de la Gestapo —dijo el sargento—. Les han identificado. Uno de ustedes es el famoso contrabandista vasco conocido como «La Garra» y el otro un piloto inglés fugitivo. Han exigido que les entreguemos para mandarlos a un campo de concentración. Los detalles llegarán dentro de una hora. Prepárense.

Cerró de golpe la puerta de hierro y echó la llave.

—¿«La Garra»? —dijo Miguel.

—Incluso saben quiénes somos —se maravilló Charley—. ¿Tienen un infiltrado?

Miguel asintió. Eso parecía, pero ¿quién?

El sargento regresó a su despacho y se aplicó más gomina en el pelo. A continuación se dirigió a la puerta principal a la espera de instrucciones. Un sedán negro con banderines con la esvástica sobre cada uno de los guardabarros delanteros derrapó delante de la puerta de la cárcel. Un soldado con gorra de campaña salió por la puerta trasera antes de que el coche dejara de moverse. Subió corriendo las escaleras, casi golpeando en la cara al sargento con su saludo nazi, y le entregó un documento sellado. Cuando el sargento levantó la mirada del sobre, el sedán se alejó a toda velocidad.

Bajo el membrete con el águila y la esvástica, el documento mecanografiado rezaba:

> *Los dos prisioneros capturados en la frontera serán trasladados a San Sebastián, donde se les procesará antes de mandarlos a Berlín. Me los entregarán para que los custodie en la estación de tren de Irún. Para pasar desapercibidos en la estación y eliminar las posibilidades de que sus compatriotas intenten liberarlos, nos encontraremos en el andén del tren que va a San Sebastián a las 13.00. Compre tres billetes para el viaje y entregue a los prisioneros poco antes de la salida del tren. No podemos tolerar ningún error.*
>
> Heil *Hitler.*
>
> *Comandante Wilhelm von Schnurr, SS*

El sargento llamó a sus subordinados y les explicó la misión. Tendrían que limpiar sus armas y lustrarse las botas. Les advirtió que no quería meteduras de pata. Saldrían inmediatamente después del almuerzo, y deberían estar de vuelta para la hora de la siesta del domingo.

* * *

Tratando de llamar lo menos posible la atención, Charles Swan examinó la estación, considerando la geometría de los elementos —los viajeros, los guardias, las salidas, los bancos— como si fueran piezas de un juego de mesa, en busca de una vía de escape. Mientras el piloto concebía inteligentes estratagemas, Miguel repasaba a los dos guardias, preguntándose si sería posible reducirlos y desaparecer entre el gentío. El que fuera domingo por la tarde y hubiera tanta gente les favorecía. Seguramente ninguno de los civiles de la estación movería un dedo para detener a nadie que intentara escapar de la Guardia Civil. El sargento lideraba personalmente el pequeño grupo, y lo acompañaban sólo dos guardias. Los prisioneros no llevaban ni grilletes ni esposas para no llamar la atención, pero los dos fusiles automáticos de los guardias resultaban una cadena convincente.

Miguel hizo como si tropezara y chocó con uno de los guardias con la intención de que centraran en él la atención, con la esperanza de darle a éste la oportunidad de huir si veía alguna opción. Pero éste se quedó helado al encontrarse con un fusil en la cara. La gente se apartaba de su camino, pues comprendían que no tenía sentido entrometerse.

Como no parecía haber ninguna manera de huir, los llevaron al andén cuando quedaban menos de cinco minutos para la hora de salida. A lo mejor el tren les proporcionaría una vía de escape, según cuánta gente los vigilara.

El agente de las SS que había en el andén resultaba inconfundible, con su abrigo de cuero negro hasta las rodillas y el cuello levantado casi tocando su sombrero, también negro, que llevaba con el ala baja. Se acercó a los guardias como si éstos no fueran a distinguirle entre los civiles que circulaban por el andén. Abrió el abrigo para sacar su identificación y en el proceso les reveló a los prisioneros la cartuchera negra y muy lustrosa de una Walter sobre la cadera derecha. Abrió su cartera de cuero para que el sargento de la Guardia Civil examinara la foto del agente con el mismo uniforme amenazador. El sargento le hizo un torpe saludo nazi.

—Idiota —gruñó el agente—. Intento no llamar la atención.

—Perdone —le replicó el guardia civil al tiempo que miraba a su alrededor.

El agente se abrió de nuevo el abrigo para recordarles que iba armado y condujo por el brazo a Miguel.

—¿Necesita ayuda? —preguntó el sargento—. ¿Podrá encargarse de los dos usted solo?

—¿Qué te hace pensar que estoy solo, estúpido? —El agente lo despidió con una mirada furibunda y aceptó los tres billetes. Miguel y Charley subieron al tren momentos antes de que hiciera un suave movimiento hacia delante que sacudió los enganches con un ruido metálico.

En la mente de Charley afloraron muchas posibilidades al ver que sólo un agente armado los vigilaría. Supuso que éste iba acompañado de otros agentes de incógnito, como había sugerido el de las SS, pero si conseguía reducirlo a lo mejor podría saltar del tren. Tendrían que actuar antes de que el agente se reuniera con los otros en San Sebastián.

Con el abrigo abierto y la mano en la cartuchera, el agente los condujo hacia un vagón que aún no estaba lleno y les hizo seña de que se sentaran delante de él.

—Me alegra ver que estás bien —le dijo Miguel al agente.

El agente inclinó la cabeza y se quitó el sombrero. Charley aspiró y se quedó boquiabierto. Era Dodo.

—¿Qué? —El piloto le dio un codazo a Miguel y enseguida abrazó a Dodo—. ¿Cómo? —Rió tan fuerte que se le oyó por encima del ruido del tren.

—En cuanto comencé a oír acercarse las balas, decidí que bajo el agua les sería más difícil darme y nadé lo más lejos que pude —explicó Dodo—. Salí río abajo y me reuní con unos amigos que tengo en Behobie, que hablaron con unos amigos de Irún, que se enteraron de que os habían capturado.

—¿De dónde has sacado este disfraz de la Gestapo? —preguntó Charley.

—¿Qué disfraz de la Gestapo? —se rió Dodo—. Cualquiera puede llevar un abrigo de cuero y un sombrero negro.

—¿Y la pistola? —preguntó Miguel.

—¿Qué pistola?

—La he visto, los guardias civiles la han visto.

—No —le aclaró Dodo—. Vieron una cartuchera de cuero reluciente. —Se quitó el sombrero y abrió la cartuchera, que estaba vacía.

—A los guardias les mandamos una carta mecanografiada en papel oficial que la madre de Renée le había robado a un agente. El sedán negro pertenece a un miembro de nuestra red. Incluso le pusimos un par de esvásticas en el guardabarros. Los nazis se las dieron a Renée cuando les pidió unas cuantas para poner en el hotel para decorarlo y hacerlo más acogedor para los oficiales.

—Es increíble —se maravilló Charley—. Eres brillante.

—Y eso no es lo mejor —dijo Dodo, sonriendo ante la astucia y con ganas de contarle todo eso a Santi Labourd.

—¿Que no es lo mejor?

—Lo mejor es que la Guardia Civil nos ha pagado los billetes.

* * *

—Por «La Garra» —brindó Dodo, y levantó el vaso en su apartamento.

—¡Por «La Garra»! —exclamó Renée, sumándose al brindis. A continuación abrazó a Miguel y lo besó en las dos mejillas.

—Vale, vale —dijo Miguel, ladeándose la *txapela*—. El auténtico mérito es del comandante Von Schnurr, aquí presente. De no haberme rescatado la Gestapo, ahora estaría en la cárcel.

—Lo acepto —replicó Dodo mientras hacía chocar los talones y levantaba el brazo en el saludo nazi—. Estaba guapo de negro, ¿no? No pareció extrañarles que hablara español tan bien. Ni por qué el comandante Von Schnurr se parecía tanto al soldado que había entregado las instrucciones.

—Todos los de la Gestapo parecen iguales —dijo Renée—. Es la verdad.

—Todo lo que vieron fue el traje —comentó Dodo—. Todo lo que oyeron fue el tono de voz. Les daba miedo mirar fijamente a la Gestapo.

—A mamá le encantará saber que su colección de objetos nazis ha servido para algo —aseguró Renée—. Le llevó meses reunir todo eso.

Tras la dificultosa travesía del río, Charley Swan había necesitado descansar unos días en una casa segura de San Sebastián antes de que lo llevaran en coche a Bilbao. Los amigos que le habían proporcionado el «coche de Estado Mayor de la Gestapo» en Irún introdujeron a Dodo y a Miguel de nuevo en Francia en un pequeño bote. Los hermanos ya llevaban un día en San Juan de Luz. Renée preparó una cena de celebración. Oían a los clientes bebiendo y cantando abajo, en el Pub du Corsaire, que ahora estaba infestado de soldados alemanes.

—Miguel —dijo Renée—, Dodo nos contó cómo te sacó, pero no cómo te cogieron. Si quieres contarlo...

—Ahora preferiría comer —contestó él, y se llenó la boca con un buen trozo de salmón y un pedazo de pan.

—Los dos se quedaron dormidos y la Guardia Civil los oyó roncar a un lado de la carretera —dijo Dodo—. Tuvimos suerte de que la famosa «Garra» no llamara a la puerta del cuartel y pidiera una habitación para pasar la noche.

—Calla, Dodo, o les contaré tu primer viaje por las montañas con el champán —le pinchó Renée.

—Tienes razón —repuso Dodo—. De todos modos, bromeaba. Miguel salvó la vida del aviador. Fue increíble. Lo que me preocupaba en la estación no era que los guardias se dieran cuenta del engaño, sino que Miguel me reconociera y comenzara a llamarme comandante Von Schnurr «Dodo» y me diera una palmada en la espalda o un abrazo delante de los guardias. Pero mantuvo la boca cerrada y siguió la farsa. Impresionante.

Miguel sonrió y guiñó el ojo. No podía decirle lo a punto que había estado de hacer exactamente eso.

—A lo mejor, después de todo, me convierto en un maestro del contrabando —dijo Miguel—. ¿Cuál es el próximo trabajo?

Dodo miró a Renée, que quitó los platos y comenzó a lavarlos de espaldas a ellos.

—Miguel, creo que podría haber un problema, al menos de momento —comentó Dodo.

—¿Cuál? ¿Por qué? Lo hicimos bien. Lo pasamos al otro lado. No soy muy buen nadador, pero me estoy acostumbrando a ir por la montaña.

—Sí, lo pasamos al otro lado, pero creo que la famosa «Garra» a lo mejor es demasiado conocida para volver a internarse en las montañas —dijo Dodo.

—Sólo me vieron los guardias españoles, y éstos pensaron que me habían despachado con la Gestapo. No son lo bastante listos para seguir esa pista, ¿no crees?

—¿Y si lo son? —preguntó Dodo—. Debemos asumir que habían contactado con la Gestapo para hablarles de vosotros *antes* de que nosotros apareciéramos. Me imagino que el sargento de Irún se llevó una sorpresa mayúscula cuando la Gestapo de verdad apareció el lunes por la mañana para llevaros con ellos.

—Pero no sabían quiénes éramos.

Dodo señaló las manos de Miguel.

—Creo que eso les permitirá describirte perfectamente.

—Puedo meter las manos en los bolsillos —replicó Miguel, más alto de lo que pretendía.

Reflexionó que Dodo no le diría todo eso si supiera lo importante que era para él. La amenaza de la Gestapo y los guardias, de que te cogieran o te pegaran un tiro, consumía toda su atención durante cada trayecto por la montaña. La concentración no le dejaba tiempo para pensar en otras cosas. Necesitaba todo aquello; necesitaba continuar más de lo que Dodo se imaginaba.

—No eres sólo tú, Miguel —recalcó Dodo—. Y no somos sólo nosotros. Somos un grupo de cientos de personas que llega hasta Bélgica. Y está Renée, su familia, los aviadores. No podemos arriesgarnos.

Miguel sabía que su hermano lo había reflexionado en profundidad. Ya no era el imprudente Dodo de antes. Ahora obraba con inteligencia. Pero Miguel no se imaginaba qué podía hacer más importante que eso.

—Y ahora ¿qué? ¿Qué puede hacer «La Garra»?

Renée acabó de fregar los platos y regresó con ellos, poniendo una mano en el hombro de Miguel.

—Vuelve a España —le dijo Dodo.

A Miguel se le ocurrió una alternativa.

—Puedo ayudar con las barcas.

—Ahí también existe el riesgo de que te vean —replicó Dodo—. Por no mencionar que te mareas. Creo que lo mejor es que regreses a Errotabarri y pases una temporada desapercibido. Dejaremos que la cosa se calme y pensaremos qué podemos hacer contigo en unos meses.

Miguel echó otro trago de vino. Era rojo sangre y fuerte. Echó otro y cogió otro trozo de pan del cesto. Tenían razón. Su presencia era un riesgo. Pondría en peligro todo el sistema. Lo echaría de menos. Echaría de menos a Dodo y a Renée. Y, sobre todo, echaría de menos la comida.

A la noche siguiente, el *patroia* y Josepe Ansotegui atracaron en una pequeña ensenada cerca de Ciboure. Miguel regresó a España a bordo del *Egun On,* cubierto de anchoas hasta la cintura, preparado para zambullirse debajo de ellas y contener la respiración si detenían la barca. Lo dejaron en el mismo embarcadero desde el que se dirigió hacia Gernika la primera vez, una mañana de Navidad, antes de que su vida se volviera tan maravillosa y terrible.

* * *

Cuando, en Gibraltar, Charley Swan subió al barco con dirección a Inglaterra, la herida se le volvió a abrir un poco y se infectó. Había tardado una semana en llegar a Bilbao y en recorrerse toda España en un coche conducido por un hombre del consulado británico. Por todas partes había puestos de control y registros, pero los documentos diplomáticos abrían todas las puertas. Le habían dado de comer y lo habían atendido, pero no había descansado, ansioso por cubrir el último tramo del viaje, que le llevaría por aguas expuestas al fuego enemigo hasta Inglaterra. Durante la travesía los médicos lo suturaron, limpiaron y medicaron, y cuando llegó a Southampton, lo mandaron dos meses a casa para que se recuperara. Primero visitaría la casa de las familias de su tripulación y luego iría a curarse.

El cónsul de Bilbao le escribió a Annie y a los padres de Charley para decirles que estaba bien y comunicarles su paradero. Todos imaginaban que estaba vivo y oculto, y no habían mencionado ninguna otra posibilidad. Annie pasó una semana en Londres con los padres de él después de enterarse de que había desaparecido, y la angustia compartida los había unido. Posteriormente, Annie les había escrito todas las semanas, compartiendo pensamientos positivos, percibiendo que eso alimentaba y reforzaba su relación con Charley. Ahora los padres de éste planeaban visitarlos cuando Charley regresara a Pampisford y hubiera tenido tiempo de instalarse.

Annie comenzó a preparar su fiesta de bienvenida en cuanto se enteró de que Charley había llegado a España. Encontró un pisito para los dos en la misma calle donde vivían sus padres. En las tres semanas que Charley tardó en regresar a Inglaterra, Annie lo amuebló lo mejor que pudo, dada la escasez que había. Compró una cama de matrimonio de madera usada, unos cacharros de cocina desportillados y tomó prestada parte de la vajilla más vieja de su madre. No eran más que dos habitaciones con un baño al final del pasillo, pero para ellos era más que suficiente. Y a *Blennie* lo colocaron en un lugar cerca del radiador, que emitía un ruido metálico cuando lo atravesaban bolsas de aire.

Cogieron un taxi desde la estación hasta la casa de los padres de Annie, pero se detuvieron una manzana antes y Annie le dijo a Charley que se bajara. Annie lo llevó lentamente hasta la segunda planta, sacó la llave y abrió la puerta. Charley había pensado que pasaría los dos meses en la habitación de Annie de casa de sus padres y le encantó la idea de tener un piso propio, fuera cual fuera su tamaño.

—Siempre pensé que saldrías con vida —le dijo Annie posteriormente—. El momento en que estuve más preocupada fue cuando nos dijeron que estabas vivo. Me daba miedo que bombardearan o torpedearan tu barco, o te marearas.

Después de la emoción de los primeros días, Charley se quedó en cama agotado y durmió gran parte de la semana siguiente. Cuando se levantó declaró que se sentía en forma y con ganas de seguir con su vida. Visitaban a los padres de Annie, a veces comían con ellos, y él les habló a todos de aquellas personas tan valientes que le habían salvado. Pero, sobre todo, Charley y Annie pasaban el tiempo juntos en su nuevo hogar, haciendo planes.

Una noche, tras una cena sencilla, Annie rompió el hielo y le habló de tener niños. Antes del matrimonio los dos habían comentado la idea, y ambos querían descendencia. Mientras Annie esperaba su regreso, había decidido que quería ponerse manos a la obra de inmediato.

—Querido, algunos chicos de la residencia se han hecho adultos y se han ido —le contó a Charley.

—Eso es maravilloso —comentó él, imaginándolos con edad suficiente para encontrar su propio camino. Habían pasado cuatros años y los adultos, desde luego, ya estaban listos para independizarse.

—Algunos han vuelto a España, a reunirse con lo que queda de sus familias, aunque desde luego va a ser una vida dura, al menos durante una buena temporada —dijo ella mientras llevaba los platos sucios al fregadero—. Algunos de los que no tienen padres han sido adoptados por parejas inglesas.

Con ese comentario, Charley comprendió adónde quería llegar Annie. Deseaba adoptar a un huérfano vasco. Charley se acordó de Miguel, Dodo, Renée, de los Labourd, de los simpáticos muchachos que había conocido en la residencia.

—Hagámoslo —dijo él, intentando mantenerse sereno a pesar de lo que le entusiasmaba la idea—. Hagámoslo ahora.

Los platos quedaron olvidados cuando ella lo rodeó con un abrazo que casi lo tiró al suelo, silla incluida.

—He estado pensándolo —comentó Annie—. Y me siento incapaz de elegir a uno de entre todos. Parecería que tengo un favorito y los otros quedarían decepcionados. Ya son como mi familia. Si no puedo llevármelos a todos, no puedo llevarme a ninguno.

Charley comprendió a qué se refería y le sugirió coger a uno de los más pequeños, que estaría con ellos más tiempo y no se independizaría tan pronto.

Annie sacó una carpeta del cajón de la cómoda. En ella figuraban los nombres de los centenares que aún estaban en campamentos y hogares por toda Inglaterra, con sucintas biografías y descripciones de cada uno. Aquella noche, mientras tomaban el té, repasaron las listas.

Primero se fijaron en los más pequeños, de cinco o seis años.

—Es más difícil de lo que imaginaba —dijo Charley.

—Creo que en cuanto lo veamos lo sabremos —replicó ella.

Ponían una señal junto a los nombres de los que más les interesaban. En la lista de Stoneham, Charley la encontró.

«*Angelina*»
Nombre auténtico desconocido.
Llegó a Bilbao desde Gernika como refugiada tras el bombardeo.
Sus padres murieron.
Señales identificativas: le falta parte de la oreja derecha. Arete de plata en la oreja izquierda.

—Annie, Dios mío, Annie —gritó Charley antes de quedarse callado.

* * *

—Encantada de conocerle —dijo la niña en inglés al tiempo que le tendía la mano.

La niña vaciló un momento, a continuación dejó caer la bolsa y dio unos pasitos hacia el hombre sonriente que, decían, era su padre. La niña levantó los brazos, avisándole de que quería un abrazo. Era alta, de piernas largas, y unas rodillas pálidas y huesudas le asomaban entre la falda y unos calcetinitos blancos bajados.

El hombre que sólo tenía un brazo rodeó a padre e hija con él.

—Yo soy Justo, tu *aitxitxa* —dijo. Ella tampoco lo recordaba. Miguel la dejó en el suelo, pero la niña no le soltaba la mano, sin preguntarle qué le había pasado en ella.

Si la fiesta que le dieron en Errotabarri la abrumó, no lo demostró. Desde el principio se había enfrentado a todo el proceso con menos preocupación que los demás. Cuando aquella pareja pelirroja llegó a Stoneham, no la impresionó lo más mínimo averiguar que tenía familia en España y que a ésta le encantaría tenerla de vuelta. Siempre había experimentado la sensación de que la esperaba y algún día la encontraría. Mientras tanto, había circulado entre tantos campamentos, refugios y residencias que se sentía cómoda en el proceso. Se había adaptado a sus nuevos amigos, a su nueva «familia», desde que tenía uso de razón, y lo aceptaba como norma.

Nunca le habían dicho que fuera huérfana, al menos no directamente. Siempre la habían clasificado como «persona desplazada». Ella lo interpretaba como persona «desubicada» y se imaginaba que la habían puesto de manera temporal en el sitio equivocado, asumiendo que en algún momento la encontrarían y la devolverían a donde pertenecía. Cuando llegó la pareja pelirroja, al principio pensó que eran sus padres. Corrió a colmarlos de abrazos, que ellos aceptaron sin queja alguna.

Después de que Charley confirmara su identidad, telegrafiaron al consulado inglés de Bilbao. El padre Xabier fue informado por los amigos que tenía allí y se fue a Gernika a decírselo personalmente a Justo y a Miguel.

Hacía poco más de un mes que Miguel había regresado de Francia y él y Justo llevaban una coexistencia más tranquila. No mantenían conversaciones serias, nada que les hiciera expresar los tristes pensamientos que aún les acompañaban. Pero las charlas superficiales fluían sin esfuerzo. Ninguno había comprendido lo mucho que se echaban de menos hasta que volvió Miguel. No entró en detalles a la hora de contarle a Justo lo ocurrido en la frontera, y Justo no le habló de sus diversiones. Le dijo que olía a pescado, y Miguel replicó que Justo olía a jabón de mujer. Los dos rieron, pero éste no le contó que había invitado a la fabricante de jabones a vivir con ellos en Errotabarri. Se lo mencionaría a su tiempo. Lo que tenían que hacer ahora era concentrarse en llevar juntos el *baserri*.

Hasta que llegó Xabier.

Una tarde, Xabier entró por la puerta sin aliento, la cara sonrosada, y les ordenó que se sentaran. Tenía «noticias importantes y maravillosas».

—Catalina está viva —dijo—. Uno de los nuevos amigos de Miguel en la frontera la encontró en Inglaterra y vio que coincidía con la descripción que Miguel le había dado de ella. Está a salvo, goza de buena salud y quiere volver a casa.

Justo, entre lágrimas, lo acribilló a preguntas, y Miguel se quedó sin habla, a punto de desmayarse, preguntándose cómo era posible, temeroso de que fuera un error. Tenía que ser un error... ¿cómo había sobrevivido? ¿Cómo podía haber acabado en Inglaterra? ¿Cómo era posible que un aviador, al que sólo había conocido durante unos días, encontrara a su hija? Le había dicho que conocía a niños de Vizcaya, cierto, y había visto su foto. Pero ahora tendría... ¿cuatro años?

—¿Le han mirado la oreja? —preguntó Justo—. Por la oreja lo sabrán.

—Sí, tiene un corte en la oreja derecha y llevaba el *lauburu* en la izquierda —dijo Xabier—. Y aquel día la encontraron en Gernika... y la edad coincidía... es ella... es ella... no hay duda. Ya está en un barco.

Xabier les relató todo lo que le habían contado, todo lo que habían podido averiguar de cómo había ido a parar a Inglaterra. Un refugiado asustado la recogió entre los escombros y la llevó a Bilbao en el tren nocturno. Otra persona la dejó en un orfanato. Puesto que nadie conocía su nombre, los *anglais* acabaron llamándola Angelina.

Angelina. De algún modo, aquel nombre estableció una conexión en la mente de Miguel y le hizo creer que era ella. Nunca se la había imaginado muerta, nunca había imaginado qué había ocurrido. Su mente no podía concebirlo. Todos los días pensaba en ella, pero sólo en que ya no estaba, en que había desaparecido, suspendida en un limbo, siempre con la misma edad de la última vez que la viera. Pero ahora... Angelina. Era el nombre que deberían haberle puesto desde el principio. Habría sido un homenaje perfecto a su *amama*, Mariángeles, y a la madre de Justo, Ángeles. Angelina. El pequeño ángel. Era perfecto.

—Deberíamos llamarla así —dijo Miguel—. Si es que ahora se ha acostumbrado a ese nombre. Ya tendrá que enfrentarse a otros muchos cambios.

—Deberíamos... Angelina —dijo Justo, probando el nombre—. Angel-ina.

Impresionados, estupefactos, los dos prepararon la vieja habitación de Miren. Al día siguiente se lo comunicaron al resto de la familia y todos quedaron invitados a una fiesta en Errotabarri el día de la llegada de la niña.

Acudieron todos los Navarro de Lekeitio. El padre Xabier trajo a la hermana Encarnación de Bilbao, junto con la pequeña invitada de honor, que recogieron en el muelle de Santurce. Justo invitó a Alaia y aquella mañana la acompañó a Errotabarri. Ésta llevó un regalo para Angelina: la muñeca de trapo que Miren le había regalado. José María contribuyó con pescado y Xabier aportó varias botellas de vino, persignándose para autoabsolverse por haber desviado vino destinado a futuras comuniones.

—Dios lo comprenderá —proclamó.

La mujer del panadero, que había perdido las dos piernas en el bombardeo y a la que Justo había salvado la vida, mandó una tarta de dos pisos en la que se leía: «*Ongi etorri*».

Bienvenida.

Justo y Miguel la colocaron entre ambos, sin querer perderse una palabra de lo que decía. Le explicaron prolijamente a la niña quién era cada uno y qué parentesco guardaban con ella. A la tarde ya todos la saludaban diciéndole *kaixo* en lugar de «hola» o «encantado de conocerte».

Había zarpado en un barco inglés y atravesado unas aguas infestadas de submarinos alemanes. Había pasado una noche en la rectoría de Begoña y luego había cogido el tren a Gernika. Ahora saludaba a docenas de nuevos amigos, y no paraba, y de lo que más disfrutaba era de ser el centro de atención.

—¿Qué te parece esto? —le preguntó José María.

—Me gusta mucho —contestó ella—. Me encanta no tener que preocuparme por los bombardeos de los alemanes. Los alemanes bombardean constantemente Inglaterra. Eso siempre nos daba miedo. Aquí me siento más segura.

Miguel y Justo se miraron. A continuación dirigieron la vista a Xabier.

Colocaron a Angelina presidiendo la mesa que habían colocado bajo los frutales. El asiento era demasiado bajo y tuvo que levantar los codos para colocarlos sobre la mesa.

—Te haré una silla de tu tamaño —le dijo Miguel.

—¿Una silla para mí? —preguntó Angelina—. Me gusta, *eskerrik asko*.

* * *

Al atardecer, después de que todos hubieran hablado por separado con Angelina, los invitados se despidieron, pues la niña estaba cansada. Abrazó y besó a todos, procurando llamar a todos los que pudo por su nombre. Justo y Miguel no se movieron de su lado hasta haberla acostado en el antiguo dormitorio de su madre, agarrada al raído cuello de la muñeca de Miren.

En la mesa de la cocina quedaba media botella de vino. Justo llenó dos vasos.

—*Osasuna*. —Chocaron los vasos.

—¿Qué es lo primero que necesitará? —preguntó Miguel.

—Tendremos que encontrarle algunos vestidos.

—La llevaremos a la señora Arana.

—Lo primero.

—¿Y la escuela?

—¿Ya tiene edad?

—No creo que le haga falta empezar la escuela, pero le preguntaré a alguien —contestó Miguel—. Creo que deberíamos esperar, de todos modos. No quiero que se vaya todavía. —Justo asintió—. Es tan lista...

—Por supuesto —proclamó Justo.

—Tenemos que encontrar otras niñas que puedan jugar con ella.

—Les organizaremos una fiesta.

Justo sirvió el último vaso de vino y bebieron en silencio. Los dos se pusieron a planificar el día siguiente, y el posterior.

* * *

Todos los días estallaban miles de escaramuzas verbales en los cafés. Los soldados alemanes que ocupaban París actuaban como si pasaran unas vacaciones a lo grande. Los pequeños actos de resistencia mantenían la moral de los parisinos: cobrar de más a los ocupantes por un flojo *café au lait* o escupir en el suflé. Más a menudo, la rabia y la impotencia ante una fuerza tan superior se traducía en miradas hoscas y algún comentario hiriente en un idioma que los invasores no comprendían.

«*Vous êtes un cochon*», decían con una sonrisa, por lo que a un alemán le sonaba como un agradable saludo si iba acompañado de una reverencia de falsa sumisión. Los soldados alemanes tenían órdenes de no provocar a los ciudadanos, de manera que las chispas del conflicto oral no causaban ningún incendio.

Pablo Picasso, el pintor más famoso del mundo, era un personaje inconfundible en París y a menudo la gente lo reconocía y se le acercaba en los cafés de la Rive Gauche que frecuentaba, cerca de su estudio.

Los nativos estaban acostumbrados a Picasso y a sus amigos artistas que se habían reunido durante décadas en esos cafés. Pero para los alemanes que conocían a las celebridades contemporáneas, ver o sentarse cerca de Picasso era un suceso digno de mención en la próxima carta a casa, a los parientes o a la novia.

Al igual que ocurría con muchos jóvenes de aspecto militar, los soldados alemanes quizá entendieran poco de pintura, pero sin duda habían oído hablar de Picasso. Era la fama de su arte, no su arte propiamente dicho, lo que les impresionaba. Algunos se enorgullecían al ver que el famoso pintor miraba con sorna en su dirección; podrían contarlo en el *Biergarten: «Liebschen,* hoy el viejo Picasso me ha lanzado miradas despectivas en el café Les Deux Magots. Iba con un perro flaco y una joven».

Un oficial que se consideraba culto se acercó al artista mientras éste se tomaba un café bajo el toldo verde de la acera. El oficial le enseñó una reproducción del *Guernica,* no más grande que una postal.

—Perdone —le dijo, y le puso la reproducción delante—. Usted pintó esto, ¿verdad?

Picasso dejó la taza en el platillo, se volvió hacia la reproducción, luego hacia el oficial y le contestó:

—No. Ustedes lo pintaron.

A LOS CUATRO VIENTOS

EPÍLOGO

(25 de octubre de 1940)

Los niños juegan en la plaza que hay cerca del mercado. Son tantos los nacidos después del bombardeo que Justo Ansotegui tiene la sensación de que Dios está replantando el pueblo. En algún momento, por fortuna, superarán a los que estaban allí antes de la catástrofe.

Cada vez que va al pueblo encuentra algo que se lo recuerda. Los nuevos edificios y calles son lo de menos. Probablemente habrían acabado apareciendo con el tiempo y su presencia cubre las cicatrices cívicas. Pero la gente que ha quedado en el pueblo es más difícil de reemplazar que los edificios.

Justo los ve: la anciana que intenta comprar apoyada en muletas de madera; el viejo amigo que parece llevar una máscara de arlequín: la mitad de la cara como era antes y la otra surcada de cicatrices y sin pelo por las quemaduras; otro al que se le cae la piel y cuyos brazos parecen un plátano mudando la corteza.

¿Le miran ellos de la misma manera, como si fuera sólo una parte de lo que fue? ¿También a él lo define lo que perdió? No importa lo que vean ahora. Le queda mucho por hacer.

Los jugadores de mus siguen con su duelo de palabras y las *amamak* se reúnen para inspeccionar las limitadas provisiones, que quedan, casi todas, fuera de sus posibilidades económicas. Apenas es una razón para reunirse y charlar.

Justo Ansotegui no se molesta en decirle a Alaia Aldecoa que es él cuando se acerca a su puesto. Ahora ella vive en Errotabarri, junto con Justo, Miguel y Angelina, y fabrica todo el jabón que puedan llegar a necesitar, tanto que la casa prácticamente no huele a otra cosa, tanto que Justo ya no guarda sus preciadas pastillas en el bolsillo durante el día.

Miguel y Justo convencieron a Alaia de que no tenía sentido que viviera en su cabaña cuando su compañía sería beneficiosa para todos. No era Miren, ni tampoco Mariángeles, pero de algún modo formaba parte de la familia. Les ayudó a curar las heridas, como si hubiera aplicado un vendaje en ellas. También es importante para Angelina. Ahora las dos duermen en la antigua habitación de Miren y todas las noches charlan un rato antes de dormirse.

Es un grupo de lo más completo. Justo aprendió de Miguel que si pierdes a alguien a quien amas, tienes que redistribuir tus sentimientos en lugar de renunciar a ellos. Los diriges a las personas que te quedan y luego te aferras a algo que te haga seguir adelante.

La opresión política es peor que nunca. Tras haber conseguido el poder a base de sangre, Franco ha prohibido todo lo que es vasco. Los domingos no hay *erromeria,* no se permite ninguna bandera vasca y el idioma es agresivamente reprimido, aunque la gente a menudo se reúne en sitios tranquilos e intercambian palabras como los contrabandistas que comercian en las montañas.

Aunque, si te hallas en un lugar seguro, aún es posible realizar alguna de las actividades de antaño. Los cuatro se adentran en las montañas: Justo y Miguel pescan truchas y Angelina juega y ayuda a Alaia a recoger flores y hierbas. Alaia le permite a la niña guiarla de la mano mientras hablan en esa lengua que une a los tres y que la niña conoce tan bien como cualquier otra del pueblo.

Ahora Angelina se dirige al mercado entre Justo y Miguel, de la mano de ambos. Se detiene para que los dos la adelanten dos pasos y entonces corre y los dos la levantan y la balancean en el aire. A la niña le parece estar volando. Le compran una manzana, o un barquillo. Le encanta estar en el puesto de Alaia, saludar a la gente que va a comprar jabón, hablar con ellos, preguntarles cómo han pasado el día, conocerlos.

Trabajan juntos en casa, con las ovejas y el pequeño huerto. Lo mejor son las veladas. Después de cenar, Miguel enseña a Angelina a bailar. Intenta transmitirle lo que aprendió de Miren y Mariángeles. Trastabilla y hace reír a todos, sobre todo a Angelina, que ya se mueve con facilidad. A veces le dice a Miguel qué es lo que hace mal y él intenta corregirlo.

Algún día esto cambiará, les dice Justo. Ya no hablan mucho de política. Pero Justo afirma que Franco no puede permanecer en el poder para siempre. Ha mentido al mundo y el mundo le ha creído porque le convenía. Franco será una tortura durante un tiempo, pero Justo se jacta de que los vascos siempre lo han resistido todo.

Cuando menos, los vascos le sobrevivirán, igual que sobrevivieron a los romanos y a los demás que llegaron a sus tierras a lo largo de los siglos. Franco prometió utilizar todos los medios necesarios para sojuzgarlos, pero el roble de la colina sigue en pie. Errotabarri salió indemne. Y Franco no puede verlos bailar por la noche, ni sus risas a la luz de la lumbre.

Agradecimientos

Quiero expresar mi más profunda gratitud a toda la familia Murelaga por iniciarme en la cultura vasca. Desde Justo y Ángeles, pasando por muchas generaciones, hasta Josephine y Kathy Boling. Me enseñaron con qué dedicación se entregan los vascos a sus familias y a su legado. Y a ellos les oí hablar por primera de los horrores de Gernika. Kathy, sobre todo, vivió gran parte de lo que ocurre en este libro, cosa que recordaré siempre con gratitud.

Con mi agradecimiento, quiero atribuir el mérito que se merecen a Kim Witherspoon, Susan Hobson y Julie Schilder de Ink Well Management. Esta última fue la primera persona en el mundo editorial que aceptó este manuscrito tan largo de un novelista primerizo. Gracias también al personal de Bloomsbury USA, sobre todo Karen Rinaldi, Lindsay Sagnette, Kathy Belden y Laura Keefe. Charlotte (Charlie) Greig en Picador UK fue mi infatigable editora y amiga de principio a fin.

El doctor Xabier Irujo, del Centro de Estudios Vascos de la Universidad de Nevada, me proporcionó un experto asesoramiento en relación con la lengua y la cultura vascas, mientras que Ander Egia, Víctor Murelaga, de Lekeitio, y Emilia Basterechea, de Gernika, me suministraron valiosísimos relatos orales y traducciones de Vizcaya.

Quiero dar las gracias a mi familia, cuya influencia no se extiende sólo a este libro, sino a todo lo que hago. Mis dos «fuentes» más importantes portadoras de sangre vasca son mi hija Laurel y mi hijo Jake, que todos los días me enseñan valiosas lecciones. Su energía me inspira cada día, y su amor y respeto son mi principal impulso.

Los novelistas y amigos Jess Walter y Jim Lynch me dieron magníficas lecciones de escritura al criticar mis primeros borradores. Otras lecturas críticas y valioso apoyo me lo proporcionaron mis amigos y colegas Dale Phelps, Dale Grummert y Mike Sando.

Como novela histórica, *A los cuatro vientos* precisó una considerable investigación. Tengo una gran deuda con los autores de las obras mencionadas en la siguiente bibliografía. De especial valor fue la brillante investigación de Gordon Thomas y Max Morgan para el libro *Guernica: The Crucible of World War II* (Stein and Day, 1975), que me ayudó a elaborar un contexto histórico para esos personajes de ficción. No menos valioso fue *The Basque History of the World* de Mark Kurlansky (Walker, 1999), que es de lectura obligatoria para cualquiera, pero sobre todo para todo aquel que haya disfrutado con esta novela. Las entretenidas historias de Joseph Eiguren de su infancia en Lekeitio (sobre todo del conflicto de Nochebuena con la Guardia Civil) en sus memorias tituladas *Kashpar* me ayudaron a entender el ambiente y el clima político de la región en esa época.

Quizá la mejor manera de hacerse una idea de la época y la tragedia sea visitando el Museo de la Paz de Gernika (www.peacemuseumguernica.org). El mural de Picasso sigue expuesto en el Museo Reina Sofía de Madrid.

A continuación enumero otras obras que me proporcionaron unos valiosos antecedentes históricos e inspiración:

— José Antonio Aguirre: *Escape Via Berlin,* Macmillan, 1945.
— Adrian Bell: *Only for Three Months: The Basque Children in Exile,* Mousehold Press, 1996.
— Robert P. Clark: *The Basques: The Franco Years and Beyond,* University of Nevada Press, 1979.
— Peter Eisner: *The Freedom Line,* William Morrow, 2004.
— Gijs van Hensberg: *Guernica: The Biography of a Twentieth-Century Icon,* Bloomsbury, 2004.
— Gabrielle Ashford Hodges: *Franco: A Concise Biography,* Thomas Dunne, 2002.
— Russell Martin: *Picasso's War: The Destruction of Guernica and the Masterpiece That Changed the World,* Plume, 2002.
— Sherri Greene Ottis: *Silent Heroes: Downed Airmen and the French Underground,* University of Kentucky Press, 2001.
— Stanley G. Payne: *The Franco Regime (1936-1975),* Phoenix Press, 2000.
— Olivier Widmaier Picasso: *Picasso: The Real Family Story,* Prestel, 2004.
— Nicholas Rankin: *Telegram from Guernica,* Faber and Faber Limited, 2003.